Rachel Joyce vit en Angleterre, dans une ferme du Gloucestershire, avec sa famille. Elle a été pendant plus de vingt ans scénariste pour la radio, le théâtre et la télévision, et comédienne de théâtre récompensée par de nombreux prix. *La lettre qui allait changer le destin d'Harold Fry* (2012) est son premier roman, suivi de *Deux secondes de trop* (2014) et *La Lettre de Queenie* (2015), tous publiés par XO Éditions et repris chez Pocket. Son nouvel ouvrage, *Si on dansait…*, a paru en 2018 chez le même éditeur.

Retrouvez toute l'actualité de l'auteur sur :
www.racheljoycebooks.com

LA LETTRE
QUI ALLAIT CHANGER
LE DESTIN D'HAROLD FRY

DU MÊME AUTEUR
CHEZ POCKET

LA LETTRE QUI ALLAIT CHANGER LE
DESTIN D'HAROLD FRY
DEUX SECONDES DE TROP
LA LETTRE DE QUEENIE
SI ON DANSAIT…

RACHEL JOYCE

LA LETTRE
QUI ALLAIT CHANGER
LE DESTIN D'HAROLD FRY

Traduit de l'anglais
par Marie-France Girod

XO ÉDITIONS

Titre original :
THE UNLIKELY PILGRIMAGE OF HAROLD FRY

Cet ouvrage a précédemment paru sous le titre :
*La Lettre qui allait changer
le destin d'Harold Fry arriva le mardi...*

© Rachel Joyce, 2012
Carte de John Taylor
© XO Éditions, 2012
ISBN : 978-2-266-22625-7

À Paul, qui marche à mes côtés,
et à mon père, Martin Joyce (1936-2005)

Qui voudrait voir la vraie vaillance
N'omettra jamais de venir ici.
Il verra ce qu'est la constance :
Un homme jamais ne recule
Qu'il pleuve, neige, ou bien qu'il vente
Il ne renonce à son dessein
De se faire un jour pèlerin[1].

John Bunyan, *Le Voyage du pèlerin*

1. Traduction Renée Métivet-Guillaume, éditions L'Âge d'Homme, Lausanne, 1992.

ÉCOSSE

Berwick
Kelso
Wooler
Alnwick
Camb
Newcastle
MER BORÉAL
Hexham

MER DU
NORD

Darlington

Ripon
Harrogate
LAKE
DISTRICT
York
Leeds
Wakefield
Barnsley
Sheffield
Chesterfield

MER
D'IRLANDE

Manchester
PEAK
DISTRICT

Derby
Nottingham
Ashby de la Zouch
Leicester

Holt

PAYS DE GALLES

Birmingham
Coventry
Warwick
Stratford

Cambridge

BLACK
MOUNTAINS

Cheltenham
Stroud
Nailsworth

ANGLETERRE

CANAL DE BRISTOL

Bristol
Wells
Bath

LONDRES

Bagley Green
Taunton
Tiverton
Thverton
Exeter
QUANTOCK HILLS
BLACKDOWN
HILLS

Southampton
Portsmouth
Eastbourne

DARTMOOR
Buckfast Abbey
South Brent
Loddiswell
Kingsbridge

MANCHE

LA LETTRE QUI ALLAIT
CHANGER LE DESTIN
D'HAROLD FRY
ARRIVA LE MARDI…

627 MILES 🐾 87 JOURS

0   10   20   40   60
MILES

1

Harold et la lettre

La lettre qui devait tout changer arriva un mardi. C'était une matinée de la mi-avril comme les autres, qui sentait le linge fraîchement lavé et l'herbe coupée. Rasé de près, en chemise et cravate impeccables, Harold Fry était installé à la table du petit déjeuner devant une tartine de pain grillé à laquelle il ne touchait pas. Par la fenêtre de la cuisine, il contemplait la pelouse bien entretenue, transpercée en son milieu par le séchoir télescopique de Maureen et limitée sur les trois côtés par la palissade du voisin.

— Harold ! lança Maureen par-dessus le bruit de l'aspirateur. Le courrier !

Il se dit que ce serait agréable d'aller dehors, mais tout ce qu'il y avait à faire, c'était de tondre la pelouse, et il s'en était déjà chargé la veille. Le ronronnement de l'aspirateur s'éteignit, puis son épouse apparut, l'air mécontent, une lettre à la main. Elle s'installa face à lui.

Maureen était une femme menue, avec un casque de cheveux argentés et une allure décidée. Quand ils s'étaient rencontrés, la première fois, il avait aimé

13

par-dessus tout la faire rire. Voir sa jolie silhouette secouée par une joie folle.

— C'est pour toi, annonça-t-elle.

Il ne saisit le sens de ses paroles que lorsqu'elle posa une enveloppe sur la table et la poussa vers lui. Quand la lettre toucha presque son coude, tous deux la contemplèrent comme s'ils n'en avaient jamais vu auparavant. Elle était rose.

— D'après le cachet de la poste, elle vient de Berwick-upon-Tweed.

Il ne connaissait personne à Berwick. D'ailleurs, il ne connaissait pas grand monde où que ce soit.

— C'est peut-être une erreur, avança-t-il.

— Je ne crois pas. Ils ne peuvent pas se tromper de cachet.

Elle prit une tartine dans le grille-pain. Elle aimait ses toasts froids et secs.

Harold examina la mystérieuse enveloppe. Le rose n'avait rien à voir avec celui de leur salle de bains, ou des serviettes et de la housse des W-C assorties, une couleur vive qui mettait Harold mal à l'aise. Celui-ci avait la nuance délicate d'un loukoum. Le nom et l'adresse étaient inscrits au stylo-bille, les lettres maladroitement tracées se chevauchant comme si un enfant les avait gribouillées en hâte. « Mr. H. Fry, 13, Fossebridge Road, Kingsbridge, South Hams. » L'écriture ne lui disait rien.

— Eh bien ? interrogea Maureen en lui tendant un couteau.

Il posa la lame à l'angle de l'enveloppe et l'inséra dans le pli.

— Doucement, Harold.

Il sentit son regard sur lui tandis qu'il extrayait la

feuille et rajustait ses lunettes sur son nez. La lettre elle-même n'était pas manuscrite et elle venait d'un endroit qu'il ne connaissait pas, le centre de soins palliatifs St. Bernadine. « Cher Harold, tu seras sans doute surpris de recevoir ce courrier. » Il alla directement à la signature.

— Eh bien ? répéta Maureen.

— Doux Jésus. C'est de Queenie Hennessy.

Maureen planta son couteau dans le beurre et en détacha un fragment qu'elle étala sur son toast.

— Queenie comment ?

— Elle travaillait à la brasserie, il y a longtemps. Tu ne t'en souviens pas ?

Maureen haussa les épaules.

— Je devrais ? Je ne vois pas pourquoi je me souviendrais de quelqu'un après tant d'années. Passe-moi la confiture, s'il te plaît.

— Elle était au service financier. Une personne très compétente.

— Ça, c'est la marmelade d'orange, Harold. La confiture est rouge. Si tu te donnais la peine de regarder ce que tu fais, tu te rendrais compte que c'est plus facile.

Harold lui donna satisfaction, puis il se replongea dans la lecture de la lettre. La présentation était excellente. Rien à voir avec le gribouillis sur l'enveloppe. Il sourit. C'était toujours ainsi avec Queenie ; elle faisait tout de manière impeccable.

— Elle, elle se souvient de toi, dit-il. Elle te transmet son meilleur souvenir.

Maureen pinça les lèvres.

— J'ai entendu à la radio que les Français voulaient

15

notre pain tranché. Ils viennent ici et achètent tout. Le type disait qu'on risquait la pénurie d'ici l'été.

Elle fit une pause.

— Harold ? Quelque chose ne va pas ?

Il ne répondit pas. Il se redressa, blême, les lèvres entrouvertes. Quand il parvint à parler, ce fut d'une voix étouffée.

— C'est… le cancer. Queenie écrit pour dire adieu.

Il tenta d'ajouter quelque chose, mais les mots lui manquèrent. Sortant un mouchoir de la poche de son pantalon, il se moucha.

— Je… Bon sang, dit-il, les yeux pleins de larmes.

Quelques instants s'écoulèrent. Quelques minutes, peut-être. Le bruit que fit Maureen en déglutissant vint gifler le silence.

— Je suis désolée.

Il hocha la tête. Il aurait dû lever les yeux, mais il en était incapable.

— Il fait beau, ce matin, reprit-elle. Tu pourrais peut-être sortir les chaises de jardin ?

Mais il resta ainsi, sans un mot, sans un geste, jusqu'à ce qu'elle débarrasse la table. Un peu plus tard, l'aspirateur redémarra dans le vestibule.

Harold en avait le souffle coupé. Il n'osait remuer un muscle ou un membre, de peur de déclencher l'avalanche d'émotions qu'il tentait de maîtriser de son mieux. Pourquoi avait-il laissé passer vingt ans sans essayer de retrouver Queenie Hennessy ? L'image de la petite femme aux cheveux sombres avec laquelle il travaillait à l'époque lui revint en mémoire. Était-il possible qu'elle ait maintenant… Quel âge ? Soixante ans ? Et qu'elle soit en train de mourir d'un cancer à Berwick ? À Berwick ! Il n'était jamais monté si haut vers le nord de l'Angleterre. Il jeta un coup d'œil au-dehors. Dans le jardin, un ruban de plastique était pris dans la haie de lauriers et claquait au vent sans pouvoir se libérer. Harold fourra la lettre de Queenie dans sa poche, la tapota deux fois pour qu'elle ne tombe pas, puis se leva.

*

À l'étage, Maureen referma sans bruit la porte de la chambre de David et resta là, respirant sa présence. Elle ouvrit les rideaux bleus qu'elle refermait chaque soir et vérifia qu'aucun grain de poussière ne s'était déposé à l'endroit où le voilage frôlait le rebord de la fenêtre. Elle nettoya le cadre en argent de sa photo en étudiant de Cambridge et fit de même avec la photo en noir et blanc posée à côté, qui le représentait bébé. Elle tenait la pièce propre parce qu'elle attendait le retour de David et qu'elle ne savait jamais quand ce serait. Une partie d'elle-même passait son temps à attendre. Les hommes ignorent ce qu'être mère veut dire. La douleur de l'amour pour un enfant, même après son départ. Elle pensa à Harold en bas, avec sa lettre rose, et regretta de ne pouvoir parler à leur fils. Maureen quitta la pièce aussi discrètement qu'elle y était entrée et alla faire les lits.

Harold Fry prit plusieurs feuilles de papier à lettres et l'un des stylos-billes de Maureen dans le tiroir du buffet. Que pouvait-on dire à une femme en train de mourir d'un cancer ? Il voulait qu'elle sache à quel point il était touché, mais il ne pouvait l'assurer de sa « sympathie » parce que la formule évoquait les condoléances, et de toute façon elle était trop impersonnelle. Il écrivit : « Chère Queenie Hennessy, j'espère sincèrement que ta santé va s'améliorer », mais quand il relut le message, une fois le stylo reposé, il lui parut emprunté et peu approprié. Il fit une boulette avec la feuille de papier et en prit une autre. Il n'avait jamais été doué pour exprimer ses sentiments. Ce qu'il éprouvait était si fort qu'il ne trouvait pas les mots justes et, même s'il y était parvenu, il aurait été déplacé de les écrire à quelqu'un à qui il n'avait pas fait signe depuis vingt ans. Si la situation avait été inversée, Queenie, elle, aurait su comment réagir.

— Harold ?

La voix de Maureen le fit sursauter. Il la croyait à l'étage, en train de briquer quelque chose ou de parler à David. Elle avait mis ses gants en caoutchouc.

— J'écris un petit mot à Queenie.

— Un petit mot ?

Elle répétait souvent ses paroles.

— Oui. Tu veux signer ?

— Je ne crois pas. Cela ne se fait pas de signer un courrier à quelqu'un qu'on ne connaît pas.

Il était temps de cesser de chercher une formulation élégante. Il n'avait qu'à dire ce qui lui venait à l'idée. « Chère Queenie, merci de ta lettre. Je suis vraiment désolé. Amicalement. Harold (Fry). » C'était plat, mais cela avait le mérite d'exister. Glissant la feuille dans une enveloppe, il la scella rapidement et recopia dessus l'adresse du centre de soins palliatifs.

— Je vais la mettre à la boîte.

Il était plus de onze heures. Il décrocha sa parka

imperméable du portemanteau où Maureen aimait qu'il la dépose. À la porte, l'odeur de l'air tiède et salé lui monta aux narines, mais il n'avait pas franchi le seuil que sa femme était à ses côtés.

— Tu ne seras pas long ?

— Je vais juste au bout de la rue.

Elle le fixait du regard, avec ses yeux vert mousse et son petit menton, et il aurait aimé trouver les mots qu'il fallait, ceux qui auraient pu changer quelque chose, mais il n'y arrivait pas. Il mourait d'envie de la toucher comme autrefois, de poser la tête sur son épaule et de rester là.

— Ciao, Maureen.

Il referma la porte d'entrée entre eux, en prenant garde à ne pas la claquer.

Les maisons des riverains de Fossebridge Road, sur la colline dominant Kingsbridge, jouissaient d'une « position dominante », comme disent les agents immobiliers, avec une vue sur l'ensemble de la ville et de la campagne. Leurs jardins, néanmoins, descendaient vers le trottoir en pente abrupte, de sorte que les plantes grimpantes semblaient s'enrouler autour des piquets en bambou en une sorte de sauve-qui-peut. Harold dévala l'allée escarpée un peu plus vite qu'il ne l'aurait souhaité. Au passage, il découvrit cinq nouveaux pissenlits. Peut-être que cet après-midi, il sortirait le Roundup. Un premier pas vers le désherbage.

En l'apercevant, son voisin agita la main et se dirigea vers la clôture mitoyenne. Rex était un homme trapu, avec une petite tête et un tronc en forme de ballon rond posé sur des pieds menus, ce qui faisait parfois craindre à Harold, en cas de chute, qu'il ne roule tel un tonneau jusqu'au bas de la colline. Rex était devenu veuf six mois plus tôt, à peu près au moment où Harold avait pris sa retraite, et, depuis la disparition d'Elizabeth, il aimait bavarder à propos de la vie, qui était si dure. Et il en parlait beaucoup et longuement.

— La moindre des choses que tu puisses faire, c'est de l'écouter, disait Maureen, sans qu'Harold sache si le « tu » s'entendait au sens général ou s'adressait à lui en particulier.

— Vous partez en balade ? demanda Rex.

Harold adopta un ton enjoué qui, espérait-il, sous-entendrait que ce n'était pas le moment de s'arrêter.

— Vous avez du courrier à poster, vieux ?

— Bah, personne ne m'écrit. Depuis qu'Elizabeth nous a quittés, je ne reçois que des prospectus.

Le regard de Rex se voila et Harold sut tout de suite quel tour la conversation allait prendre. Il lança un coup d'œil vers le ciel, qui ressemblait à du papier peint décoré de petits nuages.

— Belle journée, non ?

— Magnifique.

Il y eut un silence, vite rempli par un soupir de Rex.

— Elizabeth aimait le soleil.

Nouveau silence.

— C'est une journée idéale pour tondre le gazon, Rex.

— Idéale, Harold. Vous faites du compost avec l'herbe coupée ? Ou bien du paillis ?

— Pas du paillis. Si je la déchiquette, ça fait une bouillie qui colle aux pieds et Maureen n'aime pas que je rapporte ça à l'intérieur.

20

Harold contempla ses chaussures de bateau en se demandant pourquoi certaines personnes les portaient sans avoir l'intention de prendre la mer.

— Bon, je dois y aller, si je ne veux pas manquer la levée de la mi-journée.

Agitant l'enveloppe, Harold s'aventura sur le trottoir.

Pour la première fois de sa vie, il fut déçu de voir apparaître la boîte aux lettres plus tôt que prévu. Il tenta de traverser la rue pour l'éviter, mais elle était bel et bien là, en train de l'attendre à l'angle de Fossebridge Road. Il leva l'enveloppe à la hauteur de la fente, puis s'immobilisa et se retourna pour examiner la courte distance que ses pieds venaient de parcourir.

Les maisons étaient enduites de stuc et badigeonnées de jaune, de rose saumon ou de bleu. Certaines possédaient encore leur toiture des années cinquante aux poutrelles décoratives en forme de demi-soleil ; d'autres avaient des lucarnes ; une autre encore avait été entièrement refaite dans le style d'un chalet suisse. Harold et Maureen s'étaient installés ici quarante-cinq ans plus tôt, juste après leur mariage. Ayant mis toutes leurs économies dans le premier versement, ils n'avaient alors plus de quoi se payer des meubles ou des rideaux. Ils n'avaient jamais fréquenté leurs voisins, qui avaient changé au fil des années, tandis qu'eux demeuraient au même endroit. À une époque, ils avaient eu un potager et un bassin d'ornement. Maureen faisait des chutneys l'été et David élevait des poissons rouges. Derrière la maison, ils avaient installé une cabane de jardinier qui sentait l'engrais, avec des crochets pour suspendre les outils, et des rouleaux de corde et de ficelle. Mais tout cela n'existait plus depuis longtemps. Même l'école de leur fils, qui était alors située à un jet de pierre de la fenêtre de sa chambre, avait été rasée et remplacée par une cinquantaine de logements d'un prix abordable éclairés par des imitations de réverbères à gaz.

Harold pensait à ce qu'il avait écrit à Queenie. Il n'avait pas trouvé les mots justes et il avait honte. Il se vit en train de retourner chez lui, auprès de Maureen qui appellerait David, à leur vie qui reprendrait comme si de rien n'était, sauf que Queenie était aux portes de la mort à Berwick, et l'émotion le submergea. La lettre reposait au bord de l'ouverture obscure de la boîte aux lettres. Et il n'arrivait pas à la lâcher.

— Après tout, c'est une belle journée, dit-il tout haut, même si personne ne le regardait.

Il n'avait rien à faire de particulier. Donc, il pouvait très bien aller jusqu'à la prochaine boîte. Il tourna l'angle de Fossebridge Road avant de changer d'avis.

Les décisions soudaines n'étaient pas le fort d'Harold. C'était clair. Depuis qu'il avait pris sa retraite, les jours passaient, immuables. Il avait simplement pris du ventre et perdu un peu plus ses cheveux. Il dormait mal, parfois même pas du tout. Pourtant, en arrivant plus vite que prévu devant la boîte suivante, il fit une nouvelle pause. Il avait commencé quelque chose, sans savoir quoi au juste, et voilà qu'il n'était pas prêt à aller au bout. Des gouttes de sueur perlèrent à son front, son pouls s'accéléra. S'il marchait jusqu'au bureau de poste de Fore Street avec sa lettre, il aurait l'assurance qu'elle serait distribuée le lendemain.

Il sentit la chaleur du soleil peser sur sa nuque

et ses épaules tandis qu'il avançait dans les rues du nouveau lotissement. Au passage, il jetait un coup d'œil aux fenêtres, derrière lesquelles, parfois, il y avait quelqu'un qui le dévisageait à son tour et il se sentait obligé de presser le pas. Il lui arrivait aussi de découvrir la présence d'un objet inattendu, une statuette en porcelaine, un vase, voire un tuba. De tendres parties d'eux-mêmes que les gens déposaient comme des barrières de protection vis-à-vis du monde extérieur. Il essaya de visualiser ce que les fenêtres du 13, Fossebridge Road pourraient bien révéler de Maureen et de lui aux passants, avant de s'apercevoir que ce ne serait pas grand-chose, à cause des voilages. Il se hâta vers le quai, de petits muscles tressautant sur ses cuisses.

La marée était basse et les petits bateaux, qui avaient généralement besoin d'un coup de peinture, se prélassaient dans un paysage lunaire de vase noirâtre. Harold clopina jusqu'à un banc vide et déplia la lettre de Queenie.

Elle se souvenait. Après toutes ces années. Lui, pourtant, avait continué à mener sa petite vie comme si ce qu'elle avait fait n'avait aucune signification. Il n'avait pas tenté de l'arrêter. Il n'avait pas suivi. Il ne lui avait même pas dit au revoir. Le ciel et le trottoir se confondirent tandis que les larmes lui brouillaient la vue. Puis les silhouettes d'une jeune mère et de son enfant lui apparurent, déformées par les larmes. Tous deux semblaient tenir un cornet de glace, qu'ils brandissaient comme une torche. La femme souleva le petit garçon et l'installa à l'autre bout du banc.

— Beau temps, dit Harold, en espérant ne pas avoir la voix d'un vieux monsieur en train de pleurer.

23

Elle ne répondit pas, ne leva même pas les yeux. Elle se pencha vers l'enfant et lécha la rigole de glace qui se formait sur son poignet pour l'empêcher de couler. Le petit garçon l'observait, si calme et si proche d'elle que son visage semblait faire partie de celui de sa mère.

Harold se demanda s'il lui était arrivé de s'asseoir sur le quai et de manger une glace avec David. C'était à peu près certain, mais il avait beau fouiller sa mémoire, le souvenir lui échappait. Il devait reprendre sa route. Poster la lettre.

Des employés de bureau riaient en buvant de la bière à la terrasse de l'Old Creek Inn, mais Harold ne leur prêta guère attention. En entamant la montée de Fore Street, il pensa à la maman qui était si absorbée par son fils qu'elle ne voyait que lui. Il prit conscience que c'était Maureen qui parlait à David et lui donnait des nouvelles. C'était Maureen qui avait toujours signé « Dad » à sa place sur les lettres et les cartes postales. C'était même Maureen qui avait trouvé la maison de retraite pour son père à lui. Ce qui le conduisit à s'interroger en poussant le bouton pour la traversée des piétons : « Si, dans les faits, elle est Harold, qui suis-je, moi ? »

Il passa devant le bureau de poste sans s'arrêter.

2

Harold et la fille du garage
et une question de foi

Harold approchait du haut de Fore Street. Il avait dépassé le Woolworths définitivement fermé, le méchant boucher (« Il bat sa femme », disait Maureen), le bon boucher (« Sa femme l'a quitté »), la grande horloge, le vieux marché couvert, les bureaux de la *South Hams Gazette* et il venait d'atteindre la dernière boutique. À chaque pas, il ressentait des tiraillements dans les mollets. Derrière lui, l'estuaire étincelait comme une plaque de métal en plein soleil ; les bateaux étaient déjà de minuscules points blancs. Il fit une étape à l'agence de voyages, car il voulait se reposer sans en avoir l'air, et prétendit s'intéresser aux brochures de la vitrine qui proposaient des vacances à prix cassés. Bali, Naples, Istanbul, Abu Dhabi. Quand il était petit, sa mère parlait avec un air tellement rêveur de s'échapper vers des pays où les arbres étaient des espèces tropicales et où les femmes avaient des fleurs dans les cheveux qu'il s'était alors instinctivement méfié du monde qu'il ne connaissait pas. Après son mariage avec Maureen et la naissance de David, cela n'avait guère changé. Chaque année, ils allaient passer quinze jours dans le même camp de vacances d'Eastbourne. Harold respira profondément à plusieurs reprises pour reprendre son souffle, puis il poursuivit sa route.

Les boutiques laissèrent la place aux maisons, certaines construites en pierre gris-rose du Devon, d'autres peintes, d'autres encore recouvertes de tuiles d'ardoise, suivies de nouveaux lotissements en cul-de-sac. Les premières fleurs de magnolias s'ouvraient, étoiles blanches sur un décor de branches si nues qu'elles paraissaient avoir été dépouillées. Il était déjà treize heures. Harold avait manqué la levée de la mi-journée. Il allait grignoter quelque chose, puis il pousserait jusqu'à la prochaine boîte aux lettres. Après avoir attendu une accalmie dans la circulation, il traversa la rue et se dirigea vers la station d'essence qui s'élevait à l'endroit où les champs succédaient aux habitations.

Une jeune fille bâillait à la caisse. Elle portait une chasuble rouge sur un T-shirt et un pantalon, ainsi qu'un badge où l'on pouvait lire : « À votre service ». Ses cheveux gras pendouillaient de chaque côté de sa tête, découvrant ses oreilles, et sa peau grêlée était pâle, comme si elle était restée longtemps enfermée. Lorsque Harold lui demanda un léger en-cas, elle ne comprit pas de quoi il parlait. Elle ouvrit la bouche et resta ainsi, tant et si bien qu'il craignit de l'avoir bloquée dans cette attitude.

— Un truc à manger sur le pouce, précisa-t-il. De quoi tenir le coup.

Elle battit des cils.

— Oh, vous voulez dire un burger !

Elle se dirigea d'un pas traînant vers le réfrigéra-

26

teur et lui montra comment faire réchauffer un cheese-burger frites au micro-ondes.

— Incroyable ! s'exclama Harold pendant qu'ils regardaient la boîte tourner derrière la vitre. Je n'aurais jamais pensé trouver un repas complet dans un garage.

La jeune fille sortit le burger du four et lui tendit des sachets de ketchup et de sauce brune.

— Vous avez de l'essence à payer ? demanda-t-elle en s'essuyant lentement les mains, aussi petites que celles d'un enfant.

— Non, je ne fais que passer. Je suis à pied.

— Oh !

— Je vais poster une lettre à une personne que j'ai connue autrefois. Je crois qu'elle a… un cancer.

Horrifié, il s'aperçut qu'il avait hésité avant de prononcer le mot et baissé la voix. Il avait aussi frotté nerveusement son pouce contre son index.

Elle hocha la tête.

— Ma tante avait un cancer, déclara-t-elle. Je veux dire, c'est partout.

Elle parcourut du regard les étagères de la boutique, suggérant que la maladie pouvait même se cacher derrière les cartes routières et les bidons de lustreur.

— Il faut rester positif, pourtant.

Harold interrompit la mastication de son burger pour s'essuyer la bouche avec la serviette en papier.

— Positif ?

— Il faut croire. C'est mon opinion. Pas dans la médecine et tous ces trucs-là, non. Il faut croire que la personne peut aller mieux. Il y a beaucoup de choses qui nous échappent dans l'esprit humain. Mais la foi déplace les montagnes.

Harold dévisagea la jeune fille, frappé de stupeur.

Inexplicablement, elle semblait se tenir maintenant dans une flaque de lumière, comme si le soleil l'avait suivie, et sa peau et ses cheveux irradiaient. Sans doute la contemplait-il avec insistance, parce qu'elle haussa les épaules en se mordillant la lèvre inférieure.

— J'ai dit une connerie ?

— Seigneur, non ! Au contraire, c'est très intéressant. La religion n'est pas mon truc, je l'avoue.

— Je ne parle pas de religion. Il s'agit d'avoir confiance dans ce qu'on ignore et de s'y accrocher. Croire qu'on peut avoir une influence.

Elle enroula une mèche de cheveux autour de son index.

Harold se disait qu'il n'avait jamais rencontré une telle certitude chez quelqu'un, surtout aussi jeune. À l'entendre, c'était une évidence.

— Et votre tante, son état s'est amélioré ? Parce que vous avez cru que c'était possible ?

La mèche était enroulée si serré autour du doigt de la jeune fille qu'il craignit qu'elle n'y soit coincée.

— D'après elle, ça lui a donné de l'espoir quand il ne lui restait plus rien…

— Quelqu'un peut venir ? cria depuis le comptoir un homme en costume rayé.

Il fit tinter ses clés de voiture sur la surface en dur pour manifester son impatience.

La jeune fille regagna la caisse, où Costume Croisé consultait ostensiblement sa montre. Il tint son poignet en l'air et pointa le doigt vers le cadran.

— Je dois être à Exeter dans trente minutes.

— Essence ? demanda la jeune fille en reprenant sa place devant les cigarettes et les grilles de Loto.

Harold tenta d'accrocher son regard, sans succès.

Elle avait retrouvé son air morne et vague, comme si la conversation à propos de sa tante n'avait jamais eu lieu.

Harold laissa l'argent pour le burger sur le comptoir et se dirigea vers la porte. La foi ? C'était bien le mot qu'elle avait employé ? Un terme qu'il n'entendait pas souvent, bizarrement. Et même si Harold n'était pas certain du sens qu'elle lui donnait, même s'il n'était pas non plus certain de croire encore à quelque chose, elle avait raison. Le mot résonnait dans sa tête avec une insistance qui le stupéfiait. À soixante-cinq ans, il avait déjà une idée des problèmes qui l'attendaient. Un raidissement des articulations ; un sifflement dans les oreilles ; les yeux qui larmoyaient au moindre changement de vent ; une pointe de douleur vive dans la poitrine qui n'augurait rien de bon. Mais quelle était cette soudaine bouffée d'émotion qui communiquait une énergie pure à tout son corps ? Il prit la direction de l'A381 et se promit de nouveau de s'arrêter à la prochaine boîte aux lettres.

Il sortait de Kingsbridge. La route devenait une voie unique, puis le trottoir disparaissait. Au-dessus de sa tête, les branches se rejoignaient pour former un tunnel constellé de bourgeons et de fleurs. À plusieurs reprises, Harold dut se jeter dans un buisson d'aubépines au passage d'une voiture. Certains conducteurs étaient seuls dans le véhicule, et il se dit que c'étaient sans doute des employés de bureau, car l'expression de leur visage était figée, comme si toute joie en avait été extraite. D'autres étaient des mères de famille avec leurs enfants, et elles avaient l'air tout aussi las. Même les couples du même âge que le sien avaient une attitude rigide. Il eut soudain envie d'agiter la main, mais il y renonça. L'effort qu'il faisait pour marcher rendait sa respiration sifflante et il ne voulait pas inquiéter les gens.

La mer était dans son dos ; devant lui s'étendaient le moutonnement des collines et les contours bleus de Dartmoor. Et au-delà ? Les Blackdown Hills, les Malvern, la chaîne des Pennine, le parc national de Yorkshire Dales, les Cheviot Hills et Berwick-upon-Tweed.

Mais ici, de l'autre côté de la route, il y avait une boîte aux lettres et, un peu plus loin, une cabine téléphonique. Le voyage d'Harold s'achevait.

Il avança d'un pas traînant. Il avait vu plusieurs boîtes, sans compter deux véhicules de la poste et un facteur sur sa moto. Harold songea à tout ce qu'il avait laissé passer au cours de son existence. Des sourires. Des coups à boire. Les gens qu'il avait croisés mille fois sur le parking de la brasserie ou dans la rue, sans même lever la tête. Les voisins qui avaient déménagé et dont il n'avait pas gardé la nouvelle adresse. Pire : son fils qui ne lui parlait pas et son épouse qu'il avait trahie. Il se souvint de son père dans la maison de retraite et de la valise de sa mère près de la porte. Et maintenant, il y avait cette femme qui, vingt ans plus tôt, lui avait prouvé qu'elle était son amie. Fallait-il toujours qu'il en soit ainsi ? Que, juste au moment où il voulait faire quelque chose, ce soit trop tard ? Que tous les éléments d'une vie doivent finir par être abandonnés, comme s'ils n'avaient en fin de compte aucune valeur ? La prise de conscience de son impuissance pesait si lourd sur ses épaules qu'il se sentit pris de faiblesse. L'envoi d'une lettre ne suffirait pas. Il devait bien y avoir un moyen plus efficace. Harold

30

chercha son téléphone mobile, avant de s'apercevoir qu'il l'avait laissé chez lui. Il tituba, empiétant sur la chaussée, le visage marqué par le chagrin.

Une camionnette fit un écart dans un grincement de freins.

— Espèce de connard ! hurla le conducteur.

C'est tout juste s'il l'entendit. Il vit à peine la boîte aux lettres. Il avait la lettre de Queenie à la main quand la porte de la cabine téléphonique se referma derrière lui.

Il trouva l'adresse et le numéro de téléphone, mais ses doigts tremblaient tant qu'il eut du mal à taper son code. Il attendit la sonnerie dans une atmosphère oppressante. Une rigole de sueur lui coulait entre les omoplates.

Au bout de dix sonneries, on décrocha enfin, et une voix à l'accent marqué répondit :

— Centre de soins palliatifs St. Bernadine, bonjour.

— J'aimerais parler à l'une de vos patientes, Queenie Hennessy.

Il y eut un silence à l'autre bout du fil.

— C'est très urgent, poursuivit-il. J'ai besoin de savoir si elle va bien.

Son interlocutrice émit un son semblable à un long soupir. Harold en eut froid dans le dos. Queenie était morte ; il avait trop tardé. Il pressa le poing contre ses lèvres.

— Miss Hennessy dort, dit la voix. Je peux prendre un message ?

Les ombres des petits nuages couraient sur la campagne. Au loin, la lumière sur les collines était voilée, non pas par le crépuscule, mais à cause de la distance. Harold se représenta Queenie en train de somnoler à une extrémité de l'Angleterre et lui à l'autre, dans sa cabine téléphonique, séparés tous deux par ces éléments inconnus qu'il ne pouvait qu'imaginer : routes, champs, cours d'eau, bois, landes, sommets, vallées, et des gens, beaucoup de gens. Eh bien, il les atteindrait, il les croiserait et il les laisserait derrière lui. Il n'y eut de sa part ni hésitation ni réflexion. L'idée et la décision vinrent en même temps. C'était d'une simplicité désarmante.

— Dites-lui qu'Harold Fry est en route. Elle a simplement à m'attendre. Parce que je vais la sauver, voyez-vous. Je vais continuer à marcher et elle, elle doit continuer à vivre. Vous lui direz ?

La voix répondit qu'elle le ferait. Voulait-il savoir autre chose ? Par exemple les heures de visite ? Les conditions d'accès au parking ?

— Je ne suis pas en voiture, répéta-t-il. Je veux qu'elle reste en vie.

— J'ai mal entendu, vous parliez de voiture ?

— Je viens à pied. Du South Devon jusqu'à Berwick-upon-Tweed.

Il y eut un soupir exaspéré à l'autre bout de la ligne.

— La communication est épouvantable. Vous faites quoi ?

— Je marche ! cria-t-il.

— Je vois, dit la femme lentement, comme si elle le notait sur un papier. Vous marchez. Je le lui dirai. Il y a quelque chose d'autre à ajouter ?

— Je pars maintenant. Tant que je marcherai, elle doit rester en vie. S'il vous plaît, dites-lui que cette fois, je ne la laisserai pas tomber.

Quand Harold eut raccroché et quitté la cabine téléphonique, son cœur battait à tout rompre. D'une main tremblante, il rouvrit sa propre enveloppe et en tira sa réponse. En s'appuyant contre la vitre, il gribouilla un P-S : « Attends-moi. H. » Il glissa la lettre dans la boîte sans même y penser.

Harold contempla la route qui s'étendait devant lui et la muraille hostile qu'était Dartmoor, avant de baisser les yeux vers ses chaussures de bateau. Et il se demanda dans quoi il venait de s'embarquer.

Au-dessus de sa tête, une mouette battit des ailes et ricana.

3

Maureen et le coup de fil

Le côté utile des journées ensoleillées, c'était qu'on voyait la poussière et que la lessive séchait presque plus vite qu'au sèche-linge. Maureen avait nettoyé à grande eau, javellisé, ciré, anéanti le moindre organisme vivant sur les plans de travail. Elle avait lavé, étendu et repassé les draps, puis fait le lit d'Harold et le sien. C'était un soulagement de ne plus avoir son mari dans les jambes ; depuis six mois qu'il avait pris sa retraite, il n'était pratiquement jamais sorti. Mais maintenant qu'elle n'avait plus rien à faire, elle éprouvait une anxiété soudaine, ce qui à son tour la rendait impatiente. Elle appela le portable d'Harold, uniquement pour entendre un air de marimba résonner à l'étage. Elle écouta son message hésitant : « Vous êtes bien sur le portable d'Harold Fry. Je suis désolé, mais… il n'est pas là. » La pause du milieu était si longue qu'on aurait pu croire qu'il était effectivement parti à la recherche de lui-même.

Il était cinq heures passées. Or Harold ne faisait jamais rien d'inattendu. Même les bruits familiers, le tic-tac de l'horloge de l'entrée, le murmure du réfri-

35

gérateur étaient plus forts qu'ils ne l'auraient dû. Où était-il passé ?

Maureen tenta de se distraire en faisant les mots croisés du *Telegraph*, pour s'apercevoir qu'Harold avait déjà rempli toutes les définitions faciles. Une idée épouvantable lui traversa l'esprit. Elle l'imagina gisant sur la chaussée, la bouche ouverte. Cela pouvait arriver. Des gens avaient une crise cardiaque et restaient ainsi plusieurs jours avant qu'on ne les découvre. Ou alors, peut-être ses peurs secrètes se voyaient-elles confirmées. Qui sait s'il n'allait pas finir avec l'Alzheimer, comme son propre père, mort avant soixante ans ? Maureen se précipita pour prendre les clés de la voiture et ses chaussures de conduite.

À ce moment, elle se dit qu'il devait être avec Rex, en train de parler météo et tonte du gazon. Ridicule. Elle remit ses chaussures près de la porte d'entrée et raccrocha les clés de la voiture.

Maureen se glissa dans la pièce qui était devenue au fil des ans « la meilleure ». Elle ne pouvait y entrer sans avoir l'impression de devoir enfiler un cardigan. À une époque, ils y avaient placé une table de salle à manger en acajou et quatre chaises et dîné chaque soir en buvant un verre de vin. Mais c'était vingt ans auparavant. Aujourd'hui, la table avait disparu et sur les rayonnages se trouvaient des albums de photos que personne n'ouvrait.

— Où es-tu ? murmura-t-elle.

Les voilages la séparaient du monde extérieur, dépouillant celui-ci de ses couleurs et de sa texture, et elle en était contente. Le soleil commençait déjà à se coucher. Bientôt, les lampadaires de la rue s'allumeraient.

Quand le téléphone sonna, Maureen bondit dans le vestibule et s'empara de l'appareil.

— Harold ?

Un silence, puis :

— Maureen, c'est Rex. Votre voisin.

Désorientée, elle promena son regard autour d'elle. Dans sa hâte à répondre, elle avait buté contre un objet anguleux qu'Harold avait dû abandonner sur le sol.

— Vous allez bien, Rex ? Il vous manque du lait, comme l'autre fois ?

— Est-ce qu'Harold est là ?

— Harold ? s'exclama-t-elle.

S'il n'était pas avec Rex, où pouvait-il être ?

— Oui. Il est ici, bien sûr.

Elle avait adopté un ton inhabituel, à la fois majestueux et coincé. Celui de sa mère.

— En fait, je craignais qu'il ne soit arrivé quelque chose. Je ne l'ai pas vu revenir de sa promenade. Il était parti poster un courrier.

Des images dévastatrices d'ambulances, de policiers et d'elle-même en train de tenir la main inerte d'Harold défilaient déjà dans la tête de Maureen, et elle n'était pas sûre que ce soit du délire, mais son cerveau semblait envisager le pire afin de se préparer au choc. Elle répéta qu'Harold était là, puis raccrocha avant que Rex puisse poser une autre question. Aussitôt, elle s'en voulut. Rex avait soixante-quatorze ans et il était très seul. Il cherchait simplement à rendre service. Elle s'apprêtait à le rappeler, mais il fut plus rapide, car le téléphone se mit à sonner entre ses mains. Maureen prit un ton posé et dit :

37

— Bonsoir, Rex.

— C'est moi.

Sa voix monta dans les aigus.

— Harold ? Mais où es-tu ?

— Je suis sur la B3196, juste au niveau du pub de Loddiswell.

Il semblait content.

Il y avait environ huit kilomètres entre la porte d'entrée et Loddiswell. Harold n'avait donc pas eu de crise cardiaque. Il n'était pas tombé sur la chaussée et n'avait pas oublié qui il était. Elle se sentit plus indignée que soulagée. Puis une nouvelle idée épouvantable germa dans son esprit.

— Tu n'as pas bu, au moins ?

— J'ai bu une limonade, mais je suis dans une forme éblouissante. Comme jamais depuis des années. J'ai rencontré un type sympa qui vend des paraboles.

Il fit une pause, ménageant son effet.

— Maureen, j'ai promis d'aller à pied. À Berwick.

Elle crut avoir mal entendu.

— À pied ? Toi ? À Berwick-upon-Tweed ?

Cette perspective semblait le mettre en joie.

— Oui, oui ! s'écria-t-il dans un grand rire.

Maureen déglutit. Muette de stupeur, elle sentit ses jambes se dérober sous elle.

— Si j'ai bien compris, tu vas voir Queenie Hennessy à pied ? demanda-t-elle.

— Je vais marcher et elle va vivre. Je vais la sauver.

Elle vacilla, et dut s'appuyer au mur pour conserver son équilibre.

— Je ne crois pas. On ne peut pas sauver les gens atteints d'un cancer, Harold. Sauf si l'on est chirurgien.

Et toi, tu n'es même pas capable de couper correctement une tranche de pain. C'est ridicule, voyons.

Harold rit de nouveau, comme s'ils parlaient d'une tierce personne et non de lui.

— J'ai parlé à une jeune fille du garage et c'est elle qui m'a donné l'idée. Elle a sauvé sa tante atteinte d'un cancer parce qu'elle s'en est crue capable. Par la même occasion, elle m'a montré comment réchauffer un burger. Avec des cornichons.

Il semblait incroyablement sûr de lui. Maureen n'en revenait pas. Elle commença à s'échauffer.

— Harold, tu as soixante-cinq ans. Quand tu marches, c'est juste jusqu'à la voiture. Et au cas où tu ne t'en serais pas aperçu, tu as oublié de prendre ton téléphone.

Il tenta de répondre, mais elle le prit de vitesse.

— Et où as-tu l'intention de dormir ?

— Je n'en sais rien.

Il ne riait plus et sa voix avait perdu ses accents enjoués.

— Mais ça ne suffit pas d'envoyer une lettre. S'il te plaît. C'est une nécessité pour moi, Maureen.

C'en était trop. Cette façon de l'implorer et d'ajouter puérilement son prénom à la fin, comme si la décision dépendait d'elle alors qu'il avait déjà fait son choix, la fit exploser.

— D'accord, Harold, tu files à Berwick, si c'est ce que tu veux. On verra bien si tu dépasses Dartmoor, hein…

Une cascade de signaux sonores marquant les unités téléphoniques retentit sur la ligne. Elle s'accrocha au récepteur comme s'il s'agissait de son mari.

— Harold ? Tu es toujours dans le pub ?

— Non, je suis dans une cabine, à l'extérieur. Ça sent mauvais, là-dedans. Quelqu'un a dû…

Sa voix fut coupée net. Il n'était plus là.

Maureen s'affala sur la chaise du vestibule. Le silence était plus assourdissant que si Harold n'avait pas téléphoné. Il semblait dévorer tout le reste. Il n'y avait plus ni tic-tac de la pendule, ni ronflement du réfrigérateur, ni chants d'oiseaux dans le jardin. Les mots « Harold », « burger », « marcher » tournaient dans sa tête et deux autres vinrent se joindre à la ronde : « Queenie Hennessy. » Après toutes ces années. Le souvenir de quelque chose depuis longtemps enfoui en elle frémit.

Maureen resta seule dans le crépuscule, tandis que les lumières au néon s'allumaient dans les collines et répandaient des flaques d'ambre dans la nuit.

4

Harold et les clients de l'hôtel

Harold Fry était un homme de haute taille qui avançait dans la vie légèrement voûté, comme s'il s'attendait à voir surgir à tout moment des feux de croisement ou un missile de papier. À sa naissance, sa mère avait contemplé d'un œil consterné le paquet emmailloté qu'elle tenait dans les bras. Elle était jeune, avec une bouche en bouton de pivoine et un mari qui était apparemment une bonne idée avant la guerre, et une mauvaise une fois la paix revenue. Un enfant était la dernière chose dont elle avait envie ou besoin. Son fils avait vite compris que la meilleure façon de s'en sortir était de garder profil bas ; d'avoir l'air de ne pas être là, même quand il était présent. Il jouait avec les petits voisins, ou les observait de chez lui. À l'école, il évitait de se faire remarquer, au point de paraître stupide. Il avait quitté la maison à seize ans et vécu seul, jusqu'au soir où, ayant croisé le regard de Maureen à un bal, il était tombé éperdument amoureux d'elle. C'était à cause de la brasserie que les jeunes mariés étaient venus vivre à Kingsbridge.

Pendant quarante-cinq ans, Harold avait occupé le

même emploi de représentant. Discret, il travaillait avec modestie et efficacité, sans chercher à attirer l'attention ou à obtenir une promotion. Les autres voyageaient et acceptaient des postes de direction, mais Harold s'y refusait. Il ne s'était fait ni amis ni ennemis. À sa demande, il n'y avait pas eu de pot lors de son départ en retraite. Et même si l'une des filles des services administratifs avait organisé une collecte, les membres de l'équipe de vente le connaissaient à peine. Ils avaient entendu dire qu'il lui était arrivé quelque chose, mais nul ne savait quoi. Il était parti en retraite un vendredi, avec en guise de souvenir d'une vie passée dans l'entreprise un guide touristique illustré de la Grande-Bretagne et un bon d'achat chez un caviste. Le volume avait été placé dans la « meilleure pièce », à côté des autres objets que personne ne regardait jamais. Le bon n'avait pas quitté son enveloppe. Harold ne buvait pas.

La faim l'éveilla en sursaut. Le matelas s'était à la fois raffermi et déplacé pendant la nuit et un rai de lumière inhabituel traversait le tapis. Qu'est-ce que Maureen avait bien pu trafiquer dans la chambre pour que les fenêtres soient du mauvais côté ? Et que les murs soient parsemés de fleurs ? À ce moment-là, la mémoire lui revint : il se trouvait dans une petite maison d'hôtes juste au nord de Loddiswell. Il se rendait à pied à Berwick parce que Queenie Hennessy ne devait pas mourir.

Harold aurait été le premier à admettre que son plan comportait un certain nombre de failles. Il n'avait ni chaussures de marche, ni boussole, ni carte, ni vêtements de rechange. La partie du voyage la moins organisée, toutefois, était l'itinéraire en lui-même. Il n'avait su qu'il allait marcher qu'en se lançant dans l'aventure. Au diable l'organisation, un plan n'était pas nécessaire. Il connaissait assez bien les routes du Devon, et ensuite, il n'aurait qu'à filer vers le nord.

Harold tapota ses deux oreillers et se mit en position assise. Son épaule gauche était endolorie, mais, cela mis à part, il se sentait frais et dispos. C'était la première bonne nuit qu'il passait depuis des années ; les images qui l'assaillaient régulièrement dans l'obscurité ne s'étaient pas manifestées. Le couvre-lit à fleurs était assorti aux rideaux et il y avait une armoire en pin massif, sous laquelle étaient glissées ses chaussures de bateau. Dans un angle de la pièce se trouvait un petit lavabo surmonté d'un miroir. Sa chemise, sa cravate et son pantalon étaient pliés en un petit tas, comme pour s'excuser, sur une chaise recouverte de velours bleu fané.

L'image des robes de sa mère éparpillées dans la maison de son enfance lui vint à l'esprit. Il ignorait d'où elle avait surgi. Il jeta un coup d'œil à la fenêtre, cherchant à penser à autre chose pour brouiller ce souvenir. Il se demanda si Queenie savait qu'il marchait. Peut-être était-elle en train d'y penser en ce moment même.

Après avoir appelé le centre de soins intensifs, il avait suivi la B3196. La route, sinueuse, montait. D'un pas assuré, tandis qu'un flot de voitures le dépassait, il avait laissé derrière lui les champs, les maisons, les arbres et le pont sur l'Avon. Tout cela n'avait aucun intérêt pour lui, si ce n'était de le rapprocher un peu plus chaque fois de Berwick. Pour ménager son souffle, il avait fait des pauses fréquentes. Il avait dû ajuster ses chaussures et s'éponger la tête à plusieurs reprises. En arrivant au pub de Loddiswell, il y était entré pour étancher sa soif et, là, il avait parlé avec un représentant en paraboles. Le type avait été tellement scié en apprenant son intention qu'il lui avait tapé dans le dos en réclamant l'attention des clients ; et quand Harold avait résumé son projet d'une phrase : « Je compte faire la route jusqu'à Berwick, tout au bout de l'Angleterre », le représentant avait rugi : « Eh bien, chapeau ! » Et c'est avec ces paroles en tête qu'il s'était précipité pour téléphoner à sa femme.

Il aurait aimé qu'elle lui dise la même chose.

« Je ne crois pas. » Parfois, les mots de Maureen venaient trancher net les siens avant même qu'ils aient franchi sa gorge.

Après leur conversation, son pas s'était alourdi. On ne pouvait la blâmer de ce qu'elle pensait de lui en tant que mari, et pourtant il aurait aimé qu'il en soit autrement. Il était arrivé devant un petit hôtel avec des palmiers qui poussaient selon un angle bizarre, comme s'ils se recroquevillaient pour échapper au vent marin, et il avait demandé une chambre. Il avait l'habitude de dormir seul, bien sûr, mais l'hôtel était une nouveauté : quand il travaillait à la brasserie, il revenait toujours à la tombée de la nuit.

Il avait sombré dans le sommeil sitôt les yeux fermés.

Harold prit appui contre la tête de lit rembourrée et fléchit son genou gauche. Il saisit sa cheville et la ramena vers lui le plus qu'il le put sans perdre l'équilibre et basculer. Il chaussa ses lunettes de lecture pour examiner son pied de près. Les orteils étaient souples et roses. Un peu sensibles autour des ongles et à l'articulation, certes, sans compter une ampoule en formation en haut du talon, mais, compte tenu de son âge et de son manque d'exercice, Harold était fier de lui. Il effectua le même examen lent, mais scrupuleux, de son pied droit.

— Pas mal, murmura-t-il.

Quelques pansements adhésifs. Un bon petit déjeuner. Et il serait prêt. Il imagina l'infirmière en train de dire à Queenie qu'il arrivait à pied et que tout ce qu'elle avait à faire, c'était de vivre. Il voyait son visage comme si elle était en face de lui : ses yeux sombres, sa bouche bien dessinée, ses cheveux noirs frisés. L'image était si nette qu'il se demanda pourquoi il était encore couché. Il devait se rendre à Berwick. Il déplaça ses jambes vers le bord du matelas et positionna son talon vers le sol.

Une crampe. La douleur remonta le long de son mollet droit, aussi vive que s'il avait marché sur un fil électrique. Il tenta de remettre sa jambe sous le couvre-lit, mais cela ne fit qu'aggraver les choses. Qu'est-ce qu'il devait faire, déjà ? Pointer les orteils ? Mettre le pied flex ? Il sortit du lit à cloche-pied et sautilla sur le tapis, le visage crispé, en poussant de petits cris. Maureen avait raison. Il aurait de la chance s'il atteignait seulement Dartmoor.

S'appuyant au rebord de la fenêtre, Harold Fry jeta un coup d'œil à la route en contrebas. C'était

45

déjà l'heure de pointe et la circulation était dense en direction de Kingsbridge. Il pensa à son épouse qui préparait le petit déjeuner au 13, Fossebridge Road, et se demanda s'il ne devait pas retourner chez lui. Il pourrait récupérer son téléphone et mettre quelques affaires dans un sac. Il pourrait planifier son itiné-raire sur Internet et commander le nécessaire pour la marche. Peut-être trouverait-il quelques suggestions dans le guide touristique qu'il avait reçu en cadeau pour sa retraite, jamais ouvert depuis ? Mais s'il pré-parait son voyage, il lui faudrait à la fois réfléchir et attendre, et il n'avait le temps ni de l'un ni de l'autre. Et puis Maureen ne ferait qu'exprimer la vérité qu'il tentait de fuir de son mieux. Il y avait déjà bien long-temps qu'il ne pouvait espérer recevoir son aide ou ses encouragements, ni rien de ce dont il avait encore besoin. Au-delà de la fenêtre, le bleu délicat, presque fragile, du ciel était parsemé de volutes de nuages, et une chaude lumière dorée baignait la cime des arbres. Les branches se balançaient sous la brise, lui faisant signe d'avancer.

S'il rentrait maintenant à la maison, s'il mettait seulement le nez dans une carte, il savait qu'il n'irait jamais à Berwick. Il fit une toilette rapide, mit sa chemise et sa cravate, puis se laissa guider par l'odeur du bacon.

Harold s'immobilisa à l'extérieur de la salle du petit déjeuner. Il espérait qu'elle était vide. Maureen et lui pouvaient passer des heures sans dire un mot, mais la présence de sa femme était comme un mur que l'on s'attendait toujours à trouver là, même si l'on n'y jetait pas souvent un regard. Il posa la main sur la poignée de la porte. Après toutes ces années passées à la brasserie, il redoutait encore d'entrer dans une pièce pleine d'inconnus, et il en avait honte.

Il ouvrit la porte d'un geste brusque et resta figé sur place devant les nombreuses têtes qui se tournèrent dans sa direction. Il y avait là une petite famille en tenue décontractée, deux femmes âgées vêtues de gris, et un homme d'affaires avec son journal. Deux tables restaient libres, l'une au centre de la pièce, l'autre près d'un pot de fougères posé sur une console. Harold toussota.

— Belle matinée à vous, dit-il.

Il se demanda pourquoi il avait utilisé cette tournure propre à l'Irlande, étant donné qu'il n'avait pas une goutte de sang irlandais. C'était le genre de formule que son ancien patron, Mr. Napier, aurait employée. Il n'était pas irlandais, mais il aimait se moquer.

Les clients de l'hôtel lui rendirent son bonjour avant de revenir à leur petit déjeuner anglais. Debout devant eux, Harold se sentait exposé aux regards, mais il trouvait impoli de prendre place alors que personne ne l'y avait invité.

Une femme vêtue d'une jupe et d'une blouse noires surgit alors des portes battantes, qui étaient surmontées d'un panneau marqué « Cuisine. Interdiction d'entrer ». Elle avait des cheveux auburn auxquels elle avait réussi à donner du gonflant, comme les femmes savaient le faire. Maureen n'était pas du genre à jouer du séchoir.

— Je n'aime pas me pomponner, murmurait-elle entre ses dents.

47

La femme servit des œufs pochés aux deux dames en gris et lui demanda :

— Un petit déjeuner complet, Mr. Fry ?

Un peu honteux, Harold se souvint alors que c'était la personne qui lui avait montré sa chambre la veille au soir et que, dans un moment de fatigue et d'exaltation, il lui avait confié son intention de se rendre à Berwick à pied. Il espérait qu'elle avait oublié. Il tenta de répondre : « Oui, merci », mais fut incapable de la regarder et ne parvint qu'à produire un vague murmure.

Elle pointa le doigt vers la table du centre, celle qu'il voulait éviter, et, lorsqu'il s'avança, il s'aperçut que l'odeur aigrelette qui l'avait poursuivi dans les escaliers provenait en fait de lui. Il eut envie de se ruer dans sa chambre et de se récurer, mais cela aurait été grossier, d'autant plus qu'elle lui avait demandé de s'asseoir. Ce qu'il fit.

— Thé ? Café ? interrogea-t-elle.

— S'il vous plaît.

— Les deux ?

La serveuse lui lança un coup d'œil patient. Maintenant, il avait trois raisons de se faire du souci : en admettant qu'elle ne sente pas l'odeur, ou qu'elle ait oublié l'histoire de la marche à pied, elle risquait encore de le considérer comme quelqu'un de sénile.

— Du thé, ce serait parfait.

À son grand soulagement, elle hocha affirmativement la tête et disparut derrière les portes battantes. La salle retrouva le silence pendant quelques instants. Harold ajusta sa cravate et posa les mains sur ses cuisses. S'il restait parfaitement immobile, peut-être que tout s'arrangerait.

Les deux dames en gris se mirent à parler de la

météo, sans qu'Harold sache si elles s'adressaient l'une à l'autre ou bien à tout le monde. Il ne voulait pas paraître impoli, mais il ne tenait pas non plus à avoir l'air indiscret. Il fit donc mine d'être occupé. Il étudia scrupuleusement la plaque « INTERDIT DE FUMER » sur sa table, puis le panneau près de la fenêtre qui disait : « MERCI DE NE PAS UTILISER VOTRE TÉLÉPHONE POR-TABLE. » Qu'avait-il bien pu se passer autrefois pour que les propriétaires jugent nécessaire d'énoncer autant d'interdictions ?

La serveuse réapparut avec une théière et un pot de lait. Il la laissa remplir sa tasse.

— Au moins, c'est une belle journée pour ce que vous projetez, déclara-t-elle.

Ainsi, elle s'en souvenait. Il but une gorgée de thé qui lui brûla la langue. Elle s'attardait près de sa table.

— Vous faites souvent ce genre de choses ? reprit-elle.

Il perçut le silence attentif qui s'était installé dans la salle et amplifiait la voix de son interlocutrice. Il jeta un bref coup d'œil aux autres clients. Aucun d'eux ne remuait un cil. Même la fougère semblait rete-nir son souffle dans son pot. Harold répondit par un petit hochement de tête approbateur. Il avait envie que la femme aille s'occuper des autres clients, mais ils avaient tous les yeux fixés sur lui. Quand il était petit, il rasait les murs, terrifié à l'idée d'attirer l'attention. Il pouvait regarder sa mère se mettre du rouge à lèvres ou lire sa revue de voyages sans qu'elle s'aperçoive de sa présence.

La serveuse déclara :

— Si l'on ne pète pas les plombs une fois dans sa vie, c'est sans espoir.

49

Elle lui donna une petite tape sur l'épaule, puis franchit enfin les portes battantes interdites.

Harold sentait qu'il était devenu le centre de l'attention, sans que ce soit dit. Il se vit avec les yeux des autres, même lorsqu'il s'agit de simplement poser sa tasse, laquelle heurta la soucoupe avec un bruit qui le fit sursauter. Pendant ce temps, l'odeur empirait. Il s'en voulut de ne pas avoir mis ses chaussettes sous le robinet la veille au soir. Maureen l'aurait fait, elle.

— J'espère que vous ne m'en voudrez pas de vous poser la question, déclara d'une voix flûtée l'une des deux dames âgées en se tournant pour accrocher son regard. Avec mon amie, nous nous interrogeons sur ce que vous allez entreprendre.

C'était une femme grande, élégante, avec quelques années de plus que lui. Elle portait une tunique et ses cheveux blancs nattés dans le dos. Il se demanda si les cheveux de Queenie avaient perdu leur couleur d'origine. Si elle les avait laissés pousser comme cette femme ou si elle les avait courts comme Maureen.

— Est-ce terriblement impoli de ma part ? poursuivit-elle.

Harold lui assura que non, mais il constata, horrifié, que la salle était de nouveau silencieuse.

L'amie de la dame, le cou orné d'un collier de perles, était plus ronde.

— Nous avons la regrettable habitude d'écouter la conversation des gens, dit-elle avant d'éclater de rire.

— C'est un tort, lancèrent-elles à la cantonade.

Elles parlaient avec le même accent distingué qu'avait eu la mère de Maureen, et Harold devait faire un tel effort pour distinguer les voyelles qu'il en louchait presque.

— Je penche pour un voyage en montgolfière, déclara l'une.

— Je penche pour une traversée à la nage, déclara l'autre.

Tout le monde dévisagea Harold, attendant sa réponse. Il prit une profonde inspiration. S'il entendait les mots sortir de sa bouche un certain nombre de fois, peut-être aurait-il l'impression d'être le genre de personne capable de gérer la situation.

— Je marche, répondit-il. Je vais à pied à Berwick-upon-Tweed.

— Berwick-*upon-Tweed* ? demanda la dame de haute taille.

— C'est au moins à huit cents kilomètres, déclara sa compagne.

Harold n'en savait rien. Jusqu'à maintenant, il n'avait pas osé y réfléchir.

— Oui, approuva-t-il. Plus, sans doute, si l'on veut éviter la M5.

Il tendit la main vers sa tasse et tenta de la soulever. Sans succès.

Le jeune père de famille coula un regard vers l'homme d'affaires et ses lèvres esquissèrent un sourire. Harold aurait préféré ne pas s'en apercevoir. Et ils avaient raison, bien sûr. Il était ridicule. Les vieux n'avaient qu'à prendre leur retraite et à rester chez eux.

— Cela fait longtemps que vous vous entraînez ? interrogea la femme élancée.

L'homme d'affaires replia son journal et se pencha en avant, attendant la réponse. Harold se demanda s'il pouvait mentir, tout en sachant qu'il ne le ferait pas. En même temps, il se rendait compte que la sollicitude des deux femmes le rendait encore plus ridicule

51

et cela ne faisait qu'accentuer sa honte au lieu de lui donner de l'assurance.

— Je ne suis pas un marcheur. C'est juste une décision que j'ai prise sur une impulsion. Quelque chose que je dois accomplir pour une autre personne. Elle est atteinte d'un cancer.

Les plus jeunes écarquillèrent les yeux, comme s'il s'était mis à parler dans une langue étrangère.

— Vous voulez dire une marche religieuse ? demanda la dame potelée dans un effort pour l'aider. Un pèlerinage ?

Elle se tourna vers son amie, et celle-ci entama d'une voix claire et ferme le cantique du pèlerin, « Qui voudrait voir la vraie vaillance », tandis que ses joues minces rosissaient. De nouveau, Harold se demanda si elle s'adressait à l'ensemble des personnes présentes ou à son amie. Il aurait toutefois été impoli de l'interrompre. Quand elle se tut, elle sourit. Harold sourit aussi, mais c'était parce qu'il ne savait que dire.

— Donc, elle sait que vous marchez ? lança le père de famille depuis l'angle opposé de la pièce.

Il portait une chemise hawaïenne entrouverte sur son torse velu et dont les manches courtes révélaient des bras couverts de poils noirs. Il se rejeta en arrière en basculant sa chaise sur deux pieds, attitude que Maureen avait toujours réprouvée chez David. Ses doutes étaient manifestes.

— J'ai laissé un message au téléphone. J'ai aussi envoyé une lettre.

— C'est tout ?

— Je n'ai pas eu le temps de faire plus.

L'expression cynique de l'homme d'affaires glaçait Harold. Il était évident qu'il l'avait aussi percé à jour.

— Une fois, dit la femme potelée, deux jeunes gens ont entrepris une marche pour la paix à partir de l'Inde. C'était en 1968. Ils se sont rendus aux quatre coins de la planète. Ils demandaient que les chefs d'État détenant l'arme nucléaire se préparent une tasse de thé et prennent le temps de réfléchir avant de décider d'appuyer sur le bouton de la bombe, le cas échéant.

Son amie approuva d'un signe de tête, l'air ravi.

L'atmosphère était étouffante dans la pièce et Harold manquait d'air. Il lissa sa cravate, comme pour se rassurer sur sa propre présence, mais il se sentait mal à l'aise dans son corps.

— Il est terriblement grand, avait dit de lui un jour sa tante May, comme si c'était quelque chose de réparable, un robinet qui fuit, par exemple.

Il regrettait d'avoir parlé de la marche aux clients de l'hôtel. Il aurait préféré que nul n'évoque la religion. Cela ne le gênait pas que les autres croient en Dieu, mais il avait l'impression d'être dans un lieu où tout le monde connaissait les règles, sauf lui. Après tout, il s'y était essayé, une fois, mais ça n'avait pas marché. Et maintenant, les deux dames affables parlaient de bouddhistes et de paix dans le monde et il n'avait rien à voir avec ces choses-là. Il n'était qu'un retraité parti poster une lettre.

— Il y a longtemps, dit-il, cette amie et moi, nous étions collègues. Mon travail consistait à suivre les ventes dans les pubs. Elle, elle était au service financier. Parfois, nous faisions la tournée ensemble dans ma voiture.

Son cœur battait si fort dans sa poitrine qu'il commençait à se sentir mal.

— Elle a fait quelque chose pour moi et aujourd'hui,

53

elle est en train de mourir. Je ne veux pas qu'elle meure. Je veux qu'elle reste en vie.

Le caractère dépouillé de son discours l'avait pris par surprise, comme si c'était lui-même qui ne portait pas de vêtements. Il baissa les yeux et le silence emplit une fois de plus la pièce. Maintenant qu'il avait fait naître l'image de Queenie dans son esprit, Harold avait envie de s'y attarder, mais il avait trop conscience des regards incrédules rivés sur lui et le souvenir disparut, comme l'avait fait la femme réelle longtemps auparavant. Il se rappela brièvement la chaise vide devant son bureau et comment il était resté planté là, à attendre, refusant de croire qu'elle était partie et ne reviendrait pas. Il n'avait plus faim. Il était sur le point de sortir de la pièce pour respirer un peu d'air frais lorsque la serveuse surgit de la cuisine, apportant un copieux petit déjeuner. Malgré ses efforts, Harold ne put avaler grand-chose. Il découpa le bacon frit et les saucisses en menus morceaux qu'il aligna soigneusement avant de les dissimuler sous le couteau et la fourchette, comme le faisait David ; puis il se retira.

De retour dans sa chambre, il essaya de défroisser les draps et le couvre-lit à fleurs. C'est ce qu'aurait fait Maureen. Il avait envie de s'éloigner. Devant le lavabo, il se mouilla les cheveux et les coiffa sur le côté, puis il se lava les dents avec l'index. Il distinguait certains traits de son père dans son image reflétée par le miroir. Il ne les retrouvait pas seulement dans la couleur bleue des yeux, mais dans la ligne de sa bouche qui formait une légère protubérance, comme s'il gardait en permanence quelque chose sous sa lèvre inférieure, et dans son front dégagé, qu'une frange cachait autrefois. Il se rapprocha de la glace, dans un effort pour croire qu'il pouvait aussi y voir sa mère, mais sa haute taille mise à part, elle n'avait laissé aucune trace d'elle.

Harold était un vieil homme. Pas un marcheur et encore moins un pèlerin. Qui espérait-il tromper ? Il avait passé sa vie d'adulte dans le confort d'espaces confinés. Sur ses os et ses tendons, sa peau ressemblait à un million de carreaux de mosaïque. Il songea à tous les kilomètres qui s'étendaient entre Queenie et lui, et à la réflexion de Maureen lui rappelant qu'en matière de marche à pied, il n'était jamais allé plus loin que l'endroit où était garée sa voiture. Il pensa également au rire de M. Chemise-Hawaïenne et au scepticisme de l'homme d'affaires. Ils avaient raison. Il n'avait aucune expérience de l'exercice, ni des cartes d'état-major ni du terrain. Il n'avait plus qu'à régler la note et à rentrer en bus. Il referma sans bruit la porte de la chambre, et ce fut comme s'il disait adieu à quelque chose qu'il n'avait même pas entamé. Quand il descendit en catimini vers la réception, ses chaussures ne firent aucun bruit sur le tapis de l'escalier.

Il rangeait son portefeuille dans sa poche lorsque la porte de la salle du petit déjeuner s'ouvrit soudain, livrant passage à la serveuse, suivie par les deux dames en gris et l'homme d'affaires.

— On avait peur que vous soyez parti, déclara la première, légèrement essoufflée, en tapotant ses cheveux roux.

— Nous voulions vous souhaiter bon voyage, dit d'une voix flûtée la dame potelée.

55

— J'espère sincèrement que vous allez y arriver, ajouta son amie.

L'homme d'affaires glissa sa carte de visite dans la main d'Harold.

— Si vous atteignez Hexham, faites-moi signe.

Ils croyaient en lui. Ils l'avaient vu avec ses chaussures de bateau, ils avaient écouté ses paroles et ils avaient décidé en leur âme et conscience d'aller au-delà des apparences et d'imaginer quelque chose d'infiniment plus grand, d'infiniment plus beau. Harold se rappela ses propres doutes et fut empli d'humilité.

— C'est vraiment trop gentil, dit-il d'une voix douce.

Il leur serra la main et les remercia. La serveuse tendit son visage vers le sien et déposa un baiser dans le vide quelque part au-dessus de son oreille.

Peut-être bien qu'au moment où Harold tourna les talons, l'homme d'affaires émit un ricanement, accompagné même d'une grimace, et qu'un éclat de rire vite étouffé filtra depuis la salle à manger. Mais Harold ne s'y attarda pas. Sa reconnaissance était telle qu'il préféra rire avec eux.

— Rendez-vous à Hexham, promit-il.

Il se dirigea vers la route en faisant au revoir de la main.

Il avait derrière lui la mer couleur d'étain, tandis que devant lui les terres s'étendaient jusqu'à Berwick, où il retrouverait cette même mer. Il avait commencé son voyage et, ce faisant, il pouvait déjà en voir la fin.

5

Harold et le barman
et la femme à la nourriture

C'était une journée de printemps idéale. L'air était
doux, le vent léger, le ciel dégagé et d'un bleu intense.
La dernière fois qu'Harold avait jeté un coup d'œil
au-dehors, à travers les rideaux de Fossebridge Road,
les arbres et les haies ressemblaient à des ossements
et à des fuseaux sombres qui se détachaient sur le
ciel ; mais maintenant qu'il était à l'extérieur, en train
de marcher, on aurait dit que la végétation explosait
partout, dans les champs, les jardins, les arbres et les
haies. Des branches couvertes de jeunes feuilles col-
lantes formaient une voûte au-dessus de sa tête. Il y
avait d'éblouissantes nuées jaunes de forsythias, des
tapis pourpres d'*Aubrietias* ; un jeune saule frissonnant dans le vent formait une fontaine d'argent. Les
premières pousses de pommes de terre pointaient le
nez, et de minuscules bourgeons pendaient déjà aux
groseilliers comme les boucles d'oreilles que portait
Maureen. Cette luxuriance du renouveau suffisait à
donner le vertige à Harold.

Il était maintenant loin de l'hôtel, seul sur la route où ne passaient que de rares voitures, et il s'aperçut soudain que, dépourvu de téléphone, il était terriblement vulnérable. S'il venait à tomber, ou si quelqu'un jaillissait des fourrés, qui entendrait ses cris ? Il accéléra le pas en entendant un craquement, pour découvrir en se retournant, le cœur battant à tout rompre, un pigeon en train de reprendre son équilibre sur une branche. Peu à peu, il trouva son rythme et prit de plus en plus d'assurance. L'Angleterre s'ouvrait sous ses pieds, et cette sensation de liberté, de progression dans l'inconnu, était si exaltante qu'elle lui arracha un sourire. Il était dans le monde, tout seul, et rien ni personne ne pouvait venir se mettre en travers de sa route ou lui demander de tondre la pelouse.

Au-delà des haies, le terrain s'affaissait sur la gauche et sur la droite. Le vent avait sculpté un petit taillis en forme de banane de rocker. Il pensa à son abondante chevelure d'adolescent, qu'il tartinait chaque jour de gel pour la relever en pic.

Il allait se diriger vers le nord et trouver une chambre pas chère pour la nuit à South Brent. De là, il suivrait l'A38 jusqu'à Exeter. Il ne se souvenait plus de la distance exacte, mais autrefois il lui fallait bien une heure vingt pour faire le trajet en voiture. Harold suivait les petites routes, et les haies étaient si denses, si hautes, qu'il avait l'impression de cheminer dans une tranchée. Il constatait, surpris, que lorsqu'on n'était pas au volant, les véhicules semblaient affreusement rapides et agressifs. Il ôta sa parka et la posa sur son bras.

Il avait dû faire mille fois le trajet en voiture avec Queenie, et pourtant le paysage ne lui disait rien.

Sans doute était-il alors si absorbé par le programme de la journée et la moyenne à tenir qu'il n'avait vu par la vitre qu'une étendue uniformément verte et la silhouette d'une seule colline. La vie était bien différente quand on était à pied. Entre les échancrures du talus, la campagne ondulait, découpée en damiers par les champs et sillonnée par des haies d'arbres et d'arbustes. Il fallait s'arrêter pour la contempler. Les nuances de vert étaient si nombreuses qu'Harold se sentit plein d'humilité. Certaines se rapprochaient d'un velours noir profond, d'autres étaient si claires qu'elles tiraient vers le jaune. Au loin, le soleil se refléta sur une voiture qui passait, et son éclat tremblotant, renvoyé sans doute par une vitre, traversa les collines comme une étoile filante. Comment avait-il pu ignorer tout cela jusqu'à présent ? Des fleurs pâles dont il avait oublié le nom tapissaient le pied des haies, à côté des primevères et des violettes. Il se demanda si, au cours de toutes ces années, Queenie avait vu ces détails depuis la place du passager.

— Il y a une odeur sucrée dans cette voiture, avait remarqué un jour Maureen, les narines frémissantes. Ça sent le bonbon à la violette.

Par la suite, il avait veillé à rentrer chez lui le soir les vitres ouvertes.

À son arrivée à Berwick, il achèterait des fleurs. Il se voyait en train d'entrer d'un pas vif dans le centre de soins palliatifs, tandis que Queenie attendait sa visite, assise dans un joli fauteuil près d'une fenêtre ensoleillée. L'équipe soignante interrompait ses activités sur son passage et les patients crieraient « bravo ! », ou même l'applaudiraient parce qu'il venait de vraiment très loin ; et Queenie rirait de son rire tranquille en prenant le bouquet.

Maureen arborait des fleurs de cerisier ou une feuille d'automne à la boutonnière de sa robe. Ce devait être juste après leur mariage. Parfois, en l'absence de boutonnière, elle les glissait derrière son oreille et les pétales tombaient dans ses cheveux. C'était presque drôle qu'il s'en souvienne. Cela lui était sorti de la tête depuis des années.

Une voiture ralentit et s'arrêta, si près qu'Harold dut se pousser dans les orties. Les vitres descendirent. La musique hurlait, mais il ne distinguait pas les visages à l'intérieur.

— On va voir sa petite copine, papy ?

Il fit signe que tout allait bien, en attendant que l'inconnu reparte. Sa peau cuisait à l'endroit des piqûres d'orties.

Il continua à mettre un pied devant l'autre. Maintenant qu'il avait admis sa lenteur, il tirait du plaisir de sa progression. Au loin, l'horizon n'était qu'un trait de pinceau bleu pâle semblable à de l'eau, qu'aucune habitation, aucun arbre ne venait interrompre, mais qui, parfois, se brouillait comme si le ciel et la terre s'étaient confondus, devenant les deux moitiés d'une unique entité. Il dépassa deux camionnettes plantées nez à nez, dont les conducteurs se disputaient pour savoir lequel allait reculer et laisser passer l'autre. Son corps réclamait à manger. Il pensa au petit déjeuner qu'il n'avait pas pris et son estomac se tordit.

En arrivant à la bifurcation, vers California Cross, Harold s'arrêta au pub pour un déjeuner précoce. Il choisit deux sandwichs au fromage dans un panier. Trois hommes couverts de poudre de plâtre, ce qui leur donnait une allure de fantômes, parlaient de la maison qu'ils étaient en train de rénover. D'autres consommateurs levèrent le nez de leur chope de bière, mais ce n'était pas un endroit qu'il fréquentait et heureusement il ne connaissait personne. Harold repassa la porte avec son déjeuner et sa citronnade. La lumière l'assaillit au moment où il sortit sur la terrasse et il cligna les yeux. Portant le verre à ses lèvres, il sentit une houle de salive baigner sa langue et, lorsqu'il mordit dans les sandwichs, le goût de noisette du fromage et le moelleux du pain explosèrent sur ses papilles avec tant de force que c'était comme s'il n'avait jamais mangé jusqu'alors.

Quand il était petit, il essayait de mâcher en silence. Son père n'aimait pas l'entendre mastiquer. Parfois, il ne disait rien et se contentait de mettre les mains sur ses oreilles, les yeux clos, comme si l'enfant était une migraine ; parfois, il le traitait de clochard répugnant.

— Tu sais de quoi tu parles, rétorquait la mère d'Harold en extrayant une cigarette du paquet.

Harold avait entendu un voisin dire que c'étaient les nerfs. La guerre avait rendu les gens bizarres. De temps en temps, dans son enfance, il avait eu envie de toucher son père ; de se tenir près de lui et de sentir le bras d'un adulte autour de son épaule. Il aurait voulu demander ce qui s'était passé avant sa naissance et pourquoi la main de son père tremblait quand il la tendait vers son verre.

— Cet enfant me dévisage, disait parfois son père.

Sa mère lui donnait un coup sur les phalanges, pas fort, comme si elle chassait une mouche.

— File, fiston, disait-elle. Va jouer dehors.

Il n'en revenait pas de se souvenir de tout cela. Peut-être cela venait-il de la marche. Peut-être voyait-on autre chose que le paysage quand on descendait de sa voiture et qu'on se servait de ses pieds.

Le soleil coulait tel un liquide chaud sur la tête et les mains d'Harold. Il ôta ses chaussures et ses chaussettes sous la table, où personne ne les verrait ni ne sentirait leur odeur, et il examina ses pieds. Ses orteils étaient humides et d'un vilain cramoisi. À l'endroit où la chaussure frottait sur la peau, une inflammation s'était créée ; l'ampoule formait un renflement compact. Il frotta ses plantes de pied dans l'herbe fraîche et ferma les yeux, fatigué, mais conscient qu'il ne devait pas s'endormir. S'il faisait une trop longue pause, il aurait du mal à repartir.

— Profitez-en tant qu'il en est encore temps !

Harold se retourna, craignant de se trouver face à quelqu'un de sa connaissance. Ce n'était que le patron du pub, qui éclipsait partiellement le soleil. Il était aussi grand qu'Harold, mais plus solidement bâti, et vêtu d'un polo de rugby, d'un bermuda et de ces sandales que Maureen trouvait semblables à des chaussons à la viande. Harold rangea en toute hâte ses pieds dans ses chaussures.

— Ne vous dérangez pas pour moi, lança l'homme d'une voix forte, sans bouger d'un centimètre.

Selon l'expérience d'Harold, les cafetiers semblaient souvent considérer qu'il était de leur devoir d'alimenter une conversation, même inexistante, et que c'était extrêmement distrayant.

— Avec ce beau temps, les gens ont envie de se bouger. Prenez ma femme. Dès que le soleil pointe son nez, elle nettoie à fond les placards de la cuisine.

Maureen semblait nettoyer toute l'année.

— Dans une maison, le ménage ne se fait pas tout seul, marmonnait-elle.

Parfois, elle repassait là où elle venait juste de faire la poussière. Plus qu'une histoire de maison, c'était une question d'acharnement. Harold ne le dit pas, toutefois. Il se contenta de le penser.

— Je ne vous ai encore jamais vu ici, dit le cafetier. Vous êtes en voyage ?

Harold expliqua qu'il était de passage. Il avait pris sa retraite six mois plus tôt après avoir travaillé à la brasserie, expliqua-t-il. Il était de la vieille époque où les représentants prenaient le volant tous les matins et où il y avait moins de technologie.

— Dans ce cas, vous avez dû connaître Napier ?

La question le prit au dépourvu. Harold s'éclaircit la gorge, puis répondit que Napier était son patron jusqu'à ce qu'il perde la vie dans l'accident de voiture, cinq ans plus tôt.

— Je sais qu'on ne doit pas dire du mal des morts, déclara le cafetier, mais ce type était un enfoiré de première. Une fois, je l'ai vu massacrer un type. Il a fallu le sortir de force.

Harold sentit ses tripes se nouer. Mieux valait éviter le sujet de Napier. Il préféra expliquer comment, étant parti pour poster la lettre à Queenie, il s'était rendu compte que cela ne suffisait pas. Avant que son interlocuteur ne le remarque, il reconnut qu'il n'avait ni téléphone, ni cartes, ni chaussures de randonnée et qu'il devait avoir l'air ridicule.

— Queenie, c'est un prénom qu'on n'entend pas souvent, constata le patron du pub. Ça fait vieux jeu.

Harold approuva et ajouta qu'elle-même était une

63

personne vieux jeu. Calme, et toujours vêtue d'un tailleur de laine marron, même en été.

L'homme croisa les bras, qu'il rangea sous l'avancée moelleuse de son estomac, et écarta les pieds, comme s'il allait faire une déclaration qui prendrait un certain temps. Harold espéra que cela ne concernait pas la distance entre le Devon et Berwick-upon-Tweed.

— J'ai connu autrefois une jeune femme. Beau brin de fille. Elle habitait à Tunbridge Wells. C'était la première fille que j'embrassais, et elle m'a permis deux ou trois autres trucs, enfin, vous me comprenez. Elle aurait fait n'importe quoi pour moi, et moi, je n'ai rien vu. J'étais trop occupé à me lancer dans la vie. C'est seulement des années après, quand j'ai été invité au mariage, que j'ai compris la chance qu'avait son époux, le salaud.

Harold se sentit tenu de préciser qu'il n'avait jamais été amoureux de Queenie, pas de cette manière, mais cela aurait été impoli d'interrompre son interlocuteur.

— Ça m'a fichu en l'air. Je me suis mis à boire. Je me suis retrouvé embarqué dans un sale pétrin, si vous voyez ce que je veux dire.

Harold hocha affirmativement la tête.

— J'ai tiré six ans de prison. Aujourd'hui, je fais de l'artisanat d'art, ce qui fait rigoler ma femme. De la décoration de table. J'expédie les babioles et les paniers via Internet. À vrai dire – il se mit l'auriculaire dans l'oreille et l'agita –, on a tous un passé. On a tous des trucs qu'on préférerait avoir faits, ou ne pas avoir faits. Bonne chance ! J'espère que vous retrouverez la dame.

Le patron du pub retira son doigt de son oreille et l'examina, les sourcils froncés.

— Avec un peu de chance, vous arriverez avant la fin de la journée, conclut-il.

Harold ne jugea pas utile de rectifier. Il ne fallait pas s'attendre à ce que les gens comprennent la nature de sa marche, ni même où se trouvait exactement Berwick-upon-Tweed sur la carte. Il remercia l'homme et poursuivit sa route. Queenie, se souvint-il, gardait un carnet dans son sac pour y consigner le nombre de kilomètres qu'ils parcouraient. Ce n'était pas son genre de mentir, du moins pas volontairement. Une pointe de culpabilité propulsa Harold en avant.

Au cours de l'après-midi, son ampoule devint de plus en plus douloureuse. Il s'arrangea pour pousser ses orteils vers le bout de la chaussure, afin d'éviter que le cuir n'entame sa cheville. Il ne pensait pas à Queenie et il ne pensait pas à Maureen. Il ne voyait même pas les haies, ni l'horizon, ni les voitures qui passaient. Il était les mots « Tu ne vas pas mourir », et ces mots étaient aussi ses pieds. Parfois, malgré tout, les mots défilaient dans un ordre différent et il se rendit compte avec stupéfaction que sa tête psalmodiait : « Mourir tu ne vas pas », ou : « Ne pas mourir tu vas », ou simplement : « Ne pas, ne pas, ne pas. » Le ciel au-dessus de sa tête était le même que celui au-dessus de la tête de Queenie Hennessy, et il fut de plus en plus certain qu'elle avait appris ce qu'il avait entrepris et qu'elle l'attendait. Il savait qu'il atteindrait Berwick et qu'il suffisait pour cela de mettre un pied devant l'autre. C'était d'une simplicité désarmante. S'il poursuivait sa progression, il finirait forcément par arriver.

Le calme de son environnement n'était rompu que par la circulation qui faisait bruire les feuilles au passage. Pour un peu, il se serait cru de retour au bord de la mer. Harold se retrouva à mi-chemin d'un souvenir qu'il n'avait pas eu conscience de susciter.

Quand David avait six ans, ils étaient allés à la plage à Bantham, et l'enfant s'était mis à nager.

— David, reviens ! Reviens tout de suite ! avait crié Maureen.

Mais plus elle criait, et plus la tête du petit garçon rapetissait. Harold avait suivi Maureen jusqu'au bord de l'eau et s'était mis à délacer ses chaussures. Il était sur le point de les enlever lorsqu'un garde-côte l'avait dépassé en courant, tout en arrachant son T-shirt qu'il avait fini par lancer derrière lui. L'homme avait couru dans l'eau et, quand il en avait eu jusqu'à la taille, il avait plongé dans les vagues et lutté contre elles jusqu'à ce qu'il parvienne à hauteur de l'enfant. Il était revenu avec David dans les bras. Les côtes du petit garçon saillaient comme des doigts et il avait les lèvres bleues.

— Il a eu de la chance, avait dit le garde-côte.

Il s'adressait à Maureen, pas à son mari ; Harold avait reculé d'un pas ou deux.

— Il y a un courant violent dans le coin.

Ses chaussures de toile blanche luisaient d'humidité au soleil.

Et Maureen ne l'avait jamais dit, mais Harold savait qu'elle le pensait parce qu'il pensait la même chose : pourquoi s'était-il arrêté pour délacer ses chaussures quand son fils unique risquait de se noyer ?

Des années plus tard, il avait demandé à David :

— Pourquoi continuais-tu à nager ? Ce jour-là, sur la plage ? Tu ne nous entendais pas ?

À l'époque, David devait être un jeune adolescent. Il avait rendu son regard à Harold, un beau regard marron qui n'était plus celui d'un enfant et pas encore celui d'un homme, et il avait haussé les épaules.

— J'en sais rien. J'étais déjà dans la merde, alors ça paraissait plus facile de rester dedans que de revenir.

Harold avait fait remarquer qu'il valait mieux ne pas dire de gros mots, surtout quand sa mère était à portée de voix, et David avait répondu quelque chose comme :

— Dégage.

Harold se demanda pourquoi il se rappelait tout ça. Son fils unique s'échappant vers la mer et, longtemps après, lui disant de dégager. Les images lui étaient venues d'un seul bloc, comme si elles appartenaient au même moment dans le temps ; des pointes de lumière tombaient dans la mer, telles des gouttes de pluie, tandis que David regardait Harold avec une intensité qui semblait le détruire. Il avait eu peur ; c'était ça, la vérité. Il avait défait ses lacets parce qu'il était terrifié à l'idée que lorsqu'il n'aurait plus d'excuses, il ne serait pas capable de sauver son fils. Qui plus est, ils le savaient tous : Harold, Maureen, le garde-côte et même David. Harold accéléra.

Il redoutait que d'autres choses encore ne lui reviennent. Les images et les pensées qui se pressaient dans sa tête la nuit et le gardaient éveillé. Des années après, Maureen l'avait accusé à plusieurs reprises d'avoir presque noyé leur fils. Il fixa son attention sur ce qui l'entourait.

La route s'étirait entre les épais couloirs de haies, et la lumière filtrait entre les fentes et les fissures. De jeunes pousses pointaient dans la terre des bas-côtés. Au loin, une horloge sonna trois heures. Le temps passait. Il imprima un mouvement plus rapide à ses pieds.

Harold s'aperçut qu'il commençait à avoir la bouche sèche. Il tenta d'éviter de penser à un verre d'eau, mais, une fois formée dans sa tête, l'image appelait également la sensation et le goût du liquide frais, et le manque affaiblit peu à peu son corps. Il marchait avec précaution, en tentant de stabiliser le sol qui basculait sous ses pieds. Plusieurs voitures ralentirent à sa hauteur, mais il leur fit signe de ne pas s'occuper de lui. Chaque respiration semblait trop saccadée pour franchir les cavités de son torse. Il n'avait pas le choix. Il dut s'arrêter à la première maison. Il referma soigneusement le portail métallique, en espérant qu'il n'y avait pas de chien.

Les briques de la façade étaient neuves et grises et les haies de conifères taillées à ras formaient une sorte de mur. Des tulipes poussaient en rangs coquets dans des plates-bandes débarrassées de la moindre herbe folle. Sur le côté, de la lessive séchait sur une corde : plusieurs chemises de grande taille, des pantalons, des jupes et un soutien-gorge. Il détourna les yeux, par discrétion. À l'adolescence, il avait souvent regardé les corsets, les soutiens-gorge, les gaines et les bas de ses tantes, suspendus par des épingles à linge. Pour la première fois, il s'était alors rendu compte que l'univers des femmes cachait des secrets qu'il avait envie de connaître. Il sonna à la porte de la maison et s'appuya contre le mur.

La femme qui répondit changea de tête en le voyant. Il voulut la rassurer, lui dire de ne pas s'inquiéter, mais il avait l'impression que ses entrailles étaient mises à nu. Il pouvait à peine remuer la langue. Elle alla en toute hâte lui chercher à boire et, lorsqu'il se saisit du verre, ses mains tremblaient. L'eau glacée déferla sur ses dents, ses gencives, son palais, et se rua vers sa gorge. Il en aurait pleuré tellement cela faisait du bien.

— Vous êtes sûr que ça va ? demanda-t-elle après être retournée lui remplir un autre verre qu'il avait vidé de la même manière.

C'était une femme imposante, vêtue d'une robe à plis ; des hanches à mettre des enfants au monde, aurait dit Maureen. Son visage était tellement buriné que la peau semblait battue.

— Vous voulez vous reposer un peu ?

Harold assura qu'il se sentait mieux. Il lui tardait de se retrouver sur la route, et il ne voulait pas déranger quelqu'un qu'il ne connaissait pas. De plus, il pensait avoir déjà rompu une règle tacite en vigueur chez les Anglais en demandant de l'aide. Entre deux mots, il prenait des inspirations saccadées. Il expliqua à la femme qu'il allait loin à pied, mais qu'il avait sans doute du chemin à parcourir avant de trouver son rythme. Il espérait susciter un sourire, mais elle ne semblait pas voir le côté drôle de la chose. Il y avait bien longtemps qu'il n'avait pas fait rire une femme.

— Attendez ici, dit-elle.

Elle disparut de nouveau dans le calme de la maison et revint avec deux chaises pliantes.

Harold l'aida à les ouvrir en répétant qu'il devait

continuer sa route, mais elle s'assit lourdement, comme si elle aussi avait accompli un long trajet, puis elle l'invita à l'imiter.

— Juste un petit moment, déclara-t-elle. Ça nous fera du bien à tous les deux.

Harold déposa sa carcasse sur le siège voisin. Une pesante immobilité le gagna et, après avoir lutté quelque temps, il ferma les yeux. Sous ses paupières, la lumière était rouge et le son des chants d'oiseaux et celui de la circulation se confondaient en un seul, à la fois proche et lointain.

Quand il s'éveilla, son hôtesse avait placé devant ses genoux une petite table sur laquelle était posée une assiette avec du pain, du beurre et des tranches de pomme. Elle désigna l'assiette en ouvrant la main, comme si elle lui montrait le chemin.

— Je vous en prie, servez-vous.

Il n'avait pas conscience d'avoir faim, mais maintenant qu'il voyait la pomme, il sentait le vide dans son estomac. Sans compter qu'il aurait été impoli de ne pas accepter après le mal qu'elle s'était donné. Il mangea voracement, en s'excusant, mais sans pouvoir s'arrêter. La femme l'observait, le sourire aux lèvres, tout en jouant avec un quartier de pomme qu'elle tournait et retournait entre ses doigts, tel un objet bizarre qu'elle aurait ramassé sur le sol.

— On pourrait croire que marcher, c'est simple comme bonjour, dit-elle enfin. Qu'il suffit de mettre un pied devant l'autre. Mais je suis toujours étonnée de voir à quel point les choses censées être instinctives sont en fait difficiles.

Elle humecta sa lèvre inférieure avec sa langue en réfléchissant à la suite.

— Manger, reprit-elle enfin. Pour certaines personnes, c'est un problème. Parler, également. Et même aimer. Tout ça peut être difficile.

Elle ne regardait pas Harold, mais le jardin.

— Dormir, dit-il.

Elle se tourna vers lui.

— Vous ne dormez pas ?

— Pas toujours.

Il tendit la main vers une tranche de pomme supplémentaire.

Un autre silence. Puis elle dit :

— Les enfants.

— Pardon ?

— Ça aussi.

Il jeta de nouveau un coup d'œil vers la corde à linge et les impeccables plates-bandes de fleurs. L'absence d'enfant était criante.

— Vous en avez, vous ? demanda-t-elle.

— Un seul.

Harold pensa à David, mais c'était trop compliqué à expliquer. Il le revoyait à l'époque de ses premiers pas, avec ce teint caramel que lui donnait le soleil. Il aurait aimé décrire les tendres fossettes sur ses genoux et sa façon de marcher avec sa première paire de chaussures, les yeux fixés sur elles, comme s'il avait du mal à croire qu'elles étaient toujours à ses pieds. Il se le rappelait dans son berceau, ses doigts d'une petitesse et d'une perfection incroyables posés sur la couverture de laine. En les voyant, on pouvait craindre qu'ils ne se dissolvent si on les touchait.

La maternité avait été quelque chose de très naturel pour Maureen. C'était comme si une autre femme attendait en elle, prête à sortir. Elle savait se balancer

71

pour endormir le bébé ; lui parler d'une voix douce ; mettre sa main en coupe pour soutenir sa tête. Elle savait régler l'eau de son bain à la bonne température, déterminer à quel moment il avait besoin de dormir, lui tricoter des chaussons de laine bleue. Il ne se doutait pas qu'elle possédait ces compétences et il l'avait observée en spectateur, terriblement impressionné. Cela avait à la fois accru son amour pour elle et la distance entre eux, de sorte qu'au moment où il croyait voir son mariage se renforcer, celui-ci avait semblé s'enliser, ou du moins les installer chacun à une place différente. Il scrutait son petit garçon au regard solennel et il était étreint par la peur. Et s'il avait faim ? S'il était malheureux ? Si les autres le frappaient quand il irait à l'école ? Il fallait le protéger de tant de dangers qu'Harold était dépassé. Il se demandait si d'autres hommes que lui avaient trouvé les nouvelles responsabilités de parent aussi terrifiantes, ou s'il était le seul en cause. Actuellement, ce n'était plus pareil. On voyait des hommes pousser des landaus et nourrir des bébés sans le moindre problème.

— J'espère que je ne vous ai pas perturbé ? demanda la femme à ses côtés.

— Pas du tout.

Il se leva et lui serra la main.

— Je suis contente que vous vous soyez arrêté, dit-elle. Je suis contente que vous ayez demandé un verre d'eau.

Il regagna la route avant qu'elle ne s'aperçoive qu'il pleurait.

72

Les premières collines du Dartmoor s'élevaient sur sa gauche. Il se rendait compte maintenant que la vague masse bleue posée sur le replat de l'horizon était en fait un ensemble de pics violets, verts et jaunes, couronnés pour les plus hauts de blocs de roche et qu'aucun champ ne venait rompre. Un oiseau de proie, sans doute une buse, oscillait au-dessus des terres, effleurant l'air ; en suspension.

Harold se demanda si, beaucoup plus tôt, il n'aurait pas dû insister auprès de Maureen pour qu'ils aient un autre enfant.

— David nous suffit, avait-elle déclaré. Il est tout ce dont nous avons besoin.

Parfois, pourtant, il craignait qu'avoir un fils unique ne soit écrasant. Il se demandait si la douleur de l'amour se diluait au fur et à mesure que la famille s'agrandissait. Voir grandir un enfant, c'était être repoussé en permanence. Lorsque leur fils les avait rejetés pour de bon, ils avaient réagi chacun à sa façon. Pendant un certain temps, ce fut la colère, et ensuite quelque chose d'autre, semblable à du silence, mais doté d'une énergie et d'une violence propres. Finalement, un jour, Harold avait pris froid et Maureen était allée s'installer dans la chambre d'amis. Pour une raison ou pour une autre, aucun des deux n'en avait parlé, et pour une raison ou pour une autre, elle n'était jamais revenue dans leur chambre.

Harold souffrait de son ampoule au talon et de son dos, et maintenant la plante des pieds commençait à le brûler. Même un minuscule caillou lui faisait mal ; il devait sans cesse s'arrêter pour ôter sa chaussure et la vider. De temps en temps, il sentait ses jambes se dérober sous lui, comme si elles étaient en coton, et cela le faisait trébucher. Il avait des élancements dans les doigts, peut-être à cause de leur mouvement de balancier inhabituel. Et pourtant, en dépit de tout cela, il se sentait intensément vivant.

Une tondeuse à gazon démarra au loin et il éclata de rire.

Harold rejoignit l'A3121 en direction d'Exeter et, après avoir parcouru plus de mille cinq cents mètres avec une circulation dense dans le dos, il emprunta la B3372 en marchant sur l'herbe des bas-côtés. Quand un groupe de marcheurs à l'allure expérimentée le rattrapa, Harold se rangea et leur fit signe de passer. Ils échangèrent des propos aimables sur le beau temps et le paysage, mais il ne leur dit pas qu'il allait à Berwick. Il préférait garder cela bien rangé dans sa tête, comme la lettre de Queenie dans sa poche. Lorsqu'ils s'éloignèrent, il remarqua avec intérêt qu'ils avaient tous un sac à dos, que certains étaient vêtus de survêtements amples, et que d'autres étaient équipés de visières, de jumelles et de bâtons de marche télescopiques. Aucun ne portait des chaussures de bateau.

Quelques-uns lui firent un geste de la main et un ou deux se mirent à rire. Harold ignorait si c'était parce qu'ils jugeaient son cas désespéré ou parce qu'ils l'admiraient, mais dans un cas comme dans l'autre, il s'en fichait, en fait. Il était déjà différent de l'homme parti de Kingsbridge et même du petit hôtel. Il n'était pas quelqu'un qui allait poster une lettre. Il marchait vers Queenie Hennessy. C'était un recommencement.

Quand il avait entendu annoncer son arrivée à la brasserie, il avait été surpris.

— Apparemment, il y a une femme qui entre au service financier, avait-il déclaré à Maureen et à David.

Ils déjeunaient dans la « meilleure pièce », à l'époque où Maureen aimait cuisiner et où ils y prenaient les repas familiaux. Maintenant qu'il repensait à cette scène, il se rappelait que c'était à Noël, parce qu'il y avait des chapeaux en papier pour mettre un peu d'animation.

— Ça a un intérêt quelconque ? avait demandé David.

Il devait être en dernière année de lycée. Il était vêtu de noir des pieds à la tête, et ses cheveux frôlaient ses épaules. Il ne portait pas de chapeau en papier. Il avait embroché le sien avec sa fourchette.

Maureen avait souri. Harold ne s'attendait d'ailleurs pas à ce qu'elle le défende, parce qu'elle aimait son fils, avec raison, bien sûr. Parfois, il aurait simplement aimé ne pas se sentir à ce point mis à l'écart, comme si ce qui rapprochait sa femme et son fils était ce qui les dissociait de lui.

— Une femme ne tiendra pas le coup à la brasserie, déclara David.

— Elle a l'air très qualifiée.

— Tout le monde sait que Napier est un voyou. Un capitaliste avec des tendances sado-maso.

— Mr. Napier n'est pas aussi noir que ça.

David éclata de rire.

— Père, dit-il – car c'est ainsi qu'il l'appelait, suggérant qu'ils étaient unis par un trait d'ironie plutôt que par les liens du sang –, il a fait briser les rotules de quelqu'un, c'est connu.

— Je suis sûr que c'est faux.

— Parce qu'il s'était servi dans la caisse des menues dépenses.

Harold ne répondit pas. Il trempa un chou de Bruxelles dans la sauce. Lui aussi, il était au courant des rumeurs, mais il n'aimait pas y penser.

— Espérons que la nouvelle recrue n'est pas une féministe, poursuivit David. Ou une lesbienne. Ou une socialiste. Hein, père ?

Il en avait visiblement terminé avec Mr. Napier et s'apprêtait à traiter de sujets plus familiaux.

Quelques instants, Harold soutint le regard de défi de son fils. À cette époque, ce regard était encore perçant et il mettait mal à l'aise si l'on ne baissait pas rapidement les yeux.

— Ça ne me gêne pas que les gens soient différents, avança-t-il.

David claqua la langue et jeta un coup d'œil à sa mère.

— Tu as lu le *Daily Telegraph*, dit-il.

Ensuite de quoi il repoussa son assiette et se leva, son corps si pâle et si creux qu'Harold osait à peine le regarder.

— Mange donc, mon chéri, lança Maureen.

David secoua la tête. Puis il s'éclipsa, comme si son père était un motif suffisant pour quitter la table du déjeuner de Noël.

Harold s'était tourné vers Maureen, mais elle était déjà debout et débarrassait.

— Il est intelligent, vois-tu, déclara-t-elle.

Et cette remarque contenait implicitement la conviction que l'intelligence était à la fois hors de leur portée et une excuse pour n'importe quoi.

76

— Toi, je ne sais pas, mais moi, je n'ai plus de place pour le *sherry trifle*, poursuivit-elle.

Elle baissa la tête et fit glisser son chapeau en papier, comme s'il était devenu trop petit pour sa tête, puis elle s'en alla laver la vaisselle.

Harold arriva en fin d'après-midi à South Brent. Il foulait de nouveau des pavés, et il fut frappé à la fois par leur petitesse et par leur régularité. Il atteignit des maisons couleur crème, des jardins et des garages avec système de fermeture centralisé, et il éprouva le sentiment de triomphe de celui qui retrouve la civilisation après un long voyage.

Dans une petite boutique, il acheta des pansements adhésifs, de l'eau, un déodorant en spray, un peigne, une brosse à dents, des rasoirs jetables, de la mousse à raser et deux paquets de biscuits. Il prit une chambre à un lit, aux murs ornés de gravures encadrées représentant des espèces disparues de perroquets, et il examina soigneusement ses pieds avant de mettre un pansement sur l'ampoule suintante de son talon et sur les gonflements de ses orteils. Tout son corps était douloureux. Il était épuisé. Jamais auparavant il n'avait marché autant en une journée, mais il avait couvert près de quatorze kilomètres et il lui tardait de continuer. Il allait manger, appeler Maureen depuis un téléphone public, puis se coucher.

Le soleil passa par-dessus le Dartmoor et remplit le ciel d'un nuage rougeoyant. Une ombre bleue opaque obscurcit les collines, et les vaches qui paissaient sur leurs flancs se détachèrent en rose sur le crépuscule. Harold ne put s'empêcher de penser qu'il aurait aimé que David soit au courant de sa marche. Il se demanda si Maureen lui en parlerait, et en quels termes. Une à une, les premières étoiles percèrent le ciel nocturne, de sorte que l'obscurité grandissante tremblota. Il les découvrit au moment même où il leva les yeux.

Pour la seconde fois d'affilée, Harold sombra dans un sommeil sans rêves.

6

Maureen et le mensonge

Au début, Maureen fut convaincue qu'Harold reviendrait. Il téléphonerait, il serait fatigué et transi de froid, elle serait obligée d'aller le chercher en pleine nuit, elle devrait jeter un manteau sur sa chemise de nuit, trouver ses chaussures de conduite, et tout ça serait la faute d'Harold. Elle avait dormi de manière intermittente avec la lampe allumée et le téléphone à côté du lit, mais il n'avait pas téléphoné et il n'était pas rentré.

Elle ne cessait de penser à ce qui s'était passé. Le petit déjeuner, la lettre rose et Harold qui ne disait rien et pleurait en silence. Elle avait tout en tête dans le moindre détail. La façon dont il avait plié deux fois sa réponse et l'avait glissée dans l'enveloppe avant qu'elle ne puisse la voir. Même lorsqu'elle essayait de penser à autre chose, ou à rien du tout, elle ne pouvait s'ôter de l'esprit l'image d'Harold en train de regarder fixement le courrier de Queenie, comme si quelque chose était en train de se défaire en lui. Elle mourait d'envie de parler à David, mais elle ne savait quels mots employer. La marche d'Harold était encore trop perturbante, trop humiliante, et elle craignait de souffrir de son absence si elle en parlait à David, ce qui serait pour elle une douleur insupportable.

Lorsque Harold déclarait qu'il se rendait à pied à Berwick, est-ce que cela signifiait qu'une fois arrivé là-bas, il y resterait ?

Il pouvait bien s'en aller, si c'était sa volonté. Elle aurait dû le sentir arriver. Telle mère, tel fils ; même si elle n'avait jamais fait la connaissance de Joan et qu'Harold ne parlait jamais d'elle. Quel genre de femme était capable de faire sa valise et de partir sans laisser un mot ? Oui, Harold pouvait s'en aller. Elle-même, à certains moments, avait été près de tout laisser tomber. Ce qui la retenait à la maison, c'était David, pas l'amour conjugal. Elle ne se souvenait plus des détails de sa rencontre avec Harold, ni de ce qu'elle avait vu en lui ; juste qu'il l'avait abordée à un bal municipal et que sa mère à elle, en faisant sa connaissance, l'avait trouvé quelconque.

— Ton père et moi avions mieux en tête, avait-elle déclaré avec son accent saccadé.

À cette époque, Maureen n'était pas du genre à écouter les autres. Quelle importance s'il n'était pas instruit ? S'il n'avait aucune classe ? S'il louait une chambre en sous-sol et faisait tellement de petits boulots qu'il dormait à peine ? Elle l'avait regardé et elle avait fondu. Elle serait l'amour qu'il n'avait jamais eu. Épouse, mère, amie. Elle serait tout pour lui.

Parfois, se penchant sur son passé, elle se demandait ce qu'il était advenu de la jeune femme téméraire qu'elle était alors.

Maureen fouilla dans ses papiers, mais elle ne trouva

rien qui puisse expliquer qu'il aille à pied voir Queenie. Il n'y avait pas de lettre. Pas de photo. Pas d'instructions gribouillées. Tout ce qu'elle découvrit dans le tiroir de sa table de nuit, ce fut une photo d'elle peu de temps après leur mariage, et une autre de David en noir et blanc, toute froissée, qu'Harold avait dû dissimuler là, parce qu'elle se souvenait très bien de l'avoir collée dans un album. Le silence lui rappelait que David était parti, et que des mois durant la maison elle-même avait semblé retenir son souffle. Elle alluma la télévision dans le salon et la radio dans la cuisine, mais tout était encore trop vide et trop calme.

Attendait-il Queenie depuis vingt ans ? Queenie Hennessy l'attendait-elle ?

Le lendemain, il faudrait sortir les ordures. Les ordures, c'était le domaine d'Harold. Maureen se connecta à Internet et commanda des brochures de différentes agences proposant des croisières d'été.

Quand la nuit tomba, elle comprit qu'elle devrait s'occuper elle-même des ordures. Elle traîna le sac-poubelle le long de l'allée et le balança contre le portail du jardin, comme si les déchets négligés par Harold étaient aussi responsables de son départ. Rex avait dû la repérer depuis une fenêtre du haut, car, à son retour, il était appuyé à la clôture mitoyenne.

— Tout va bien, Maureen ?

Elle répondit que oui d'un ton vif. Bien sûr, tout allait bien.

— Pourquoi ce n'est pas Harold qui sort la poubelle ce soir ?

Maureen jeta un bref coup d'œil vers la fenêtre de la chambre. Elle reçut avec une telle force la vision de ce vide qu'une soudaine vague de douleur lui déchira les muscles de la face. Sa gorge se serra.

— Il est couché.

Elle s'obligea à sourire.

— Couché ?

Les coins de la bouche de Rex s'abaissèrent.

— Pourquoi donc ? Il est souffrant ?

Rex était du genre à s'inquiéter pour un rien. Une fois, entre les cordes à linge, Elizabeth avait confié à Maureen que la mère de son époux, à force de se tracasser, avait fait de lui un épouvantable hypocondriaque.

— Ce n'est rien, dit-elle. Il a glissé et il s'est foulé la cheville.

Rex ouvrit des yeux grands comme des soucoupes.

— Cela lui est arrivé pendant sa promenade d'hier, Maureen ?

— Un pavé disjoint, tout bêtement. Il va vite s'en remettre, Rex. Il a juste besoin de repos.

— Mais c'est traumatisant, Maureen. Un pavé disjoint ? Oh, mon Dieu !

Il hocha tristement la tête. À l'intérieur de la maison, le téléphone se mit à sonner et le cœur de Maureen bondit dans sa poitrine. C'était Harold. Il rentrait à la maison. Elle se précipita vers la porte, tandis que Rex, resté devant la clôture, lui conseillait :

— Vous devriez vous plaindre à la mairie pour ce pavé.

— Je vais le faire, ne vous inquiétez pas, lança-t-elle par-dessus son épaule.

Son cœur battait si vite qu'elle se demandait si elle allait rire ou pleurer. Elle se rua sur le téléphone et décrocha, mais le répondeur se déclencha et à l'autre bout du fil on raccrocha. Elle composa le 1471 pour connaître le numéro de l'appelant. Malheureusement, celui-ci n'était pas identifié. Elle resta devant l'appareil, attendant qu'Harold rappelle ou qu'il rentre, mais il ne fit ni l'un ni l'autre.

Cette nuit-là fut la pire ; elle n'arrivait pas à comprendre comment les gens pouvaient dormir. Elle ôta les piles du réveil posé sur la table de nuit, mais il n'y avait rien à faire pour empêcher les chiens d'aboyer, ni les voitures de regagner bruyamment le nouveau lotissement à trois heures du matin, ni les mouettes de crier aux premières lueurs de l'aube. Elle restait immobile, dans l'attente de l'inertie, et parfois elle perdait conscience un moment, puis elle se réveillait et tout lui revenait en mémoire. Harold allait retrouver Queenie Hennessy à pied. Et le fait de le savoir de nouveau, après l'ignorance du sommeil, était encore plus douloureux que de l'apprendre pour la première fois au téléphone. C'était une double duperie. Mais c'était ainsi ; elle le savait. Elle devait se relever et continuer à se traîner, incrédule, pour se retrouver de nouveau sonnée, jusqu'à ce que la vérité lui rentre enfin dans le crâne.

Elle ouvrit le tiroir de la table de nuit d'Harold et contempla de nouveau les deux photos qu'il y avait cachées. Sur la première, on voyait David avec sa première paire de chaussures, vacillant sur une jambe, accroché à la main de sa mère et levant l'autre pied comme pour l'examiner. L'autre était une photo d'elle, riant tellement que ses longs cheveux sombres lui balayaient le visage. Elle tenait une courgette qui avait atteint la taille d'un petit enfant. Le cliché avait dû être pris juste après leur arrivée à Kingsbridge.

Lorsque trois grandes enveloppes des agences de croisières arrivèrent, Maureen les jeta aussitôt dans la poubelle de recyclage.

7

Harold et le randonneur
et la femme qui aimait Jane Austen

Harold avait remarqué que certains, à la brasserie, y compris Mr. Napier, avaient mis au point une démarche particulière qui les faisait hurler de rire, comme si elle était irrésistiblement drôle.

— Hé, regardez ! les entendait-il claironner dans la cour.

Et l'un d'eux, coudes pliés façon ailes de poulet, penchait le torse comme pour faire ressortir le bas du corps, puis avançait en se dandinant.

— C'est ça ! Putain, c'est ça ! hurlaient les autres.

Parfois, toute la bande crachait sa cigarette et s'y mettait aussi.

Après les avoir observés plusieurs jours depuis une fenêtre, il avait fini par comprendre que ce qu'ils essayaient de faire, c'était d'imiter la nouvelle employée au service financier. Ils imitaient Queenie Hennessy et son sac à main.

Au réveil, ce souvenir suscita chez Harold le besoin urgent de se retrouver dehors. La lumière du jour

85

volantait les rideaux, comme pour tenter de se frayer un chemin jusqu'à lui. À son grand soulagement, il découvrit que, malgré ses membres rouillés et ses pieds endoloris, il pouvait remuer l'ensemble de son corps, et que son ampoule était moins vilaine. Sa chemise, ses chaussettes et son caleçon étaient étendus sur le radiateur ; il les avait lavés avec de l'eau chaude et de la lessive la veille au soir. Ils étaient raides et pas tout à fait secs, mais cela ferait l'affaire. Il colla une petite rangée de pansements adhésifs sur chaque pied et remballa soigneusement le contenu du sac en plastique.

Harold était le seul hôte dans la salle à manger – en réalité un petit salon avec un canapé et deux fauteuils alignés contre un mur, et une table pour deux installée au milieu. La pièce était éclairée par une lampe à l'abat-jour orange et elle sentait le moisi. Une vitrine abritait une collection de poupées espagnoles et des bleuets aussi secs que des tortillons de papier-tissu. La propriétaire du Bed & Breakfast annonça que c'était le jour de repos de l'employée. Elle prononça l'expression « jour de repos » d'un air dégoûté, un peu comme si la jeune fille était de la nourriture à jeter. Elle déposa le petit déjeuner sur la table et resta à observer Harold, bras croisés, dans l'encadrement de la porte. Harold fut heureux de ne pas avoir à fournir d'explication. Il mangea vite et avec appétit, le regard fixé sur la route qui passait derrière la fenêtre, en calculant mentalement le temps qu'un homme peu habitué à marcher mettrait pour couvrir les dix kilomètres qui le séparaient de Buckfast Abbey, sans compter ensuite les sept cent soixante-douze et des poussières jusqu'à Berwick-upon-Tweed.

Harold relut les termes de la lettre de Queenie,

qu'il connaissait pourtant maintenant par cœur. « Cher Harold, tu seras sans doute surpris de recevoir ce courrier. Notre dernière rencontre date de longtemps, je sais, mais ces temps-ci, j'ai beaucoup pensé au passé. L'an dernier, j'ai été opérée… »

— Je déteste South Brent, dit une voix.

Surpris, Harold leva les yeux. Il n'y avait personne d'autre que lui et la propriétaire, et il semblait peu vraisemblable qu'elle ait parlé. Elle était toujours appuyée au chambranle de la porte, les bras croisés, et elle balançait une jambe, de sorte que sa pantoufle risquait à tout moment de glisser de son pied. Harold retournait à sa lecture et à son café, quand la voix résonna de nouveau.

— Il pleut plus à South Brent que n'importe où dans le Devon.

C'était bien elle, même si elle ne le regardait pas. Elle gardait les yeux fixés sur le tapis, les lèvres en cul de poule, comme si sa bouche parlait de son propre chef. Il aurait bien voulu répondre quelque chose d'aimable, mais il manquait d'inspiration. Et sans doute que son silence ou son écoute suffirent, car elle continua :

— Et même quand il fait beau, je n'en profite pas. Je me dis : Bon, c'est agréable maintenant, mais ça ne va pas durer. Eh oui, quand je ne regarde pas la pluie tomber, j'attends qu'elle tombe.

Harold replia la lettre de Queenie et la remit dans sa poche. Quelque chose le tracassait à propos de l'enveloppe, mais il n'arrivait pas à savoir quoi. En outre, la politesse voulait qu'il consacre toute son attention à l'hôtesse, puisque c'était visiblement à lui qu'elle s'adressait.

— Une fois, j'ai gagné un séjour à Benidorm, poursuivit-elle. Je n'avais qu'à faire ma valise. Mais je n'ai pas pu. Ils m'ont envoyé le bon par la poste et je n'ai jamais ouvert l'enveloppe. Comment ça se fait ? Pourquoi est-ce que j'ai été incapable de saisir la chance de m'échapper ?

Harold plissa le front. Il pensa à toutes les années passées depuis qu'il avait parlé à Queenie.

— Vous aviez peut-être peur, dit-il. J'ai eu une amie, et pourtant il m'a fallu longtemps pour prendre conscience de cette amitié. Le plus drôle, c'est qu'on s'est rencontrés dans un placard à fournitures.

Il se mit à rire à cette évocation, mais la femme resta imperturbable. La scène était sans doute difficile à imaginer.

Elle cessa de balancer son pied et étudia sa pantoufle comme si elle la découvrait.

— Un jour, je partirai, lança-t-elle.

Son regard traversa la pièce miteuse et accrocha celui d'Harold, puis, pour la première fois, elle sourit.

Contrairement à ce qu'avait prévu David, Queenie Hennessy s'avéra n'être ni socialiste, ni féministe, ni lesbienne. C'était une femme à l'allure ordinaire, à la silhouette épaisse et dépourvue de taille, qui gardait son sac à main coincé sous son bras. Tout le monde savait que, pour Mr. Napier, les femmes n'étaient guère plus que des bombes hormonales. Il leur offrait des postes de secrétaire ou de barmaid et attendait en échange une faveur sur le siège arrière de sa Jaguar. L'arrivée de Queenie marqua donc un nouveau virage à la brasserie, que Mr. Napier n'aurait sans doute pas pris si d'autres candidates qu'elle s'étaient présentées pour le job.

Elle était calme et discrète. Harold entendit un jour un jeune collègue déclarer : « Finalement, on oublie que c'est une femme. »

Très vite, la nouvelle se répandit que, grâce à elle, le service financier était enfin en ordre. Mais cela n'empêcha pas les imitations et les rires, qui avaient désormais gagné les couloirs. Harold espérait qu'elle n'entendait rien. De temps en temps, il l'observait à la cantine, avec ses sandwichs enveloppés dans du papier brun. Elle était assise parmi les jeunes secrétaires avec l'air d'être ailleurs, ou seule.

C'est alors qu'il s'apprêtait à rentrer chez lui, un soir, qu'il entendit un bruit étouffé derrière la porte d'un placard. Il tenta de poursuivre son chemin, mais le bruit persista. Il revint sur ses pas.

Quand il entrouvrit la porte, à son grand soulagement il ne vit rien, sauf des rames de papier. Puis le son se reproduisit, plus proche du sanglot cette fois, et il découvrit une silhouette trapue appuyée de profil contre le mur, le tissu de sa veste tendu à craquer.

— Oh, je vous demande pardon, dit-il.

Il était sur le point de refermer la porte et de filer lorsqu'elle lui adressa la parole.

— Excusez-moi, gémit-elle.

— C'est moi qui suis désolé.

Il était là, un pied à l'intérieur du placard et l'autre en dehors, en compagnie d'une quasi-inconnue qui pleurait parmi les enveloppes en papier kraft.

— Je fais bien mon travail, dit-elle.

— Bien sûr.

Il jeta un coup d'œil en direction du couloir, dans

l'espoir de voir apparaître l'un des jeunes employés qui pourrait lui parler. Il n'avait jamais bien su réagir devant les manifestations d'émotion.

— Bien sûr, répéta-t-il, comme si cela pouvait suffire.

— J'ai des diplômes. Je ne suis pas nulle.

— Je sais, dit-il, ce qui n'était évidemment pas tout à fait juste ; il ne savait pas grand-chose d'elle.

— Alors pourquoi Mr. Napier est-il toujours sur mon dos, comme s'il attendait de me prendre en faute ? Pourquoi est-ce qu'ils rient tous ?

Leur patron demeurait un mystère pour Harold. Il ignorait si l'histoire des genoux brisés était exacte, mais il avait vu l'homme ne faire qu'une bouchée des cafetiers les plus coriaces. Pas plus tard que la semaine précédente, Napier avait viré une secrétaire qui avait eu l'audace de toucher à son bureau.

— Je suis certain qu'il vous considère comme une excellente comptable, déclara-t-il.

Il n'avait qu'une envie : qu'elle cesse de pleurer.

— J'ai besoin de ce boulot. Il faut bien payer mon loyer. Mais je vais donner ma démission. Il y a des jours où je n'ai même pas envie de me lever. Mon père me disait toujours que j'étais trop sensible.

C'était plus qu'Harold ne souhaitait savoir.

Queenie baissa la tête, de sorte qu'il aperçut les petits cheveux sur sa nuque. Cela lui rappela David, et la pitié le submergea.

— Ne démissionnez surtout pas, dit-il d'une voix douce en se penchant légèrement.

Il parlait avec son cœur.

— J'ai eu du mal au début, moi aussi. Je ne me sentais pas à ma place. Vous verrez, ça va s'arranger.

Elle ne répondit pas et il se demanda si elle l'avait entendu.

— Que diriez-vous de sortir de ce placard ?

À sa grande surprise, il lui tendit la main et il fut tout aussi étonné de voir qu'elle la prenait. Il sentit la douceur et la tiédeur de sa main dans la sienne.

Elle la retira dès qu'ils furent dans le couloir. Puis elle lissa sa jupe, comme si Harold était un pli dans le tissu et qu'elle devait s'en débarrasser.

— Merci, dit-elle d'un ton un peu froid, bien qu'elle eût le nez rouge vif.

Elle s'éloigna du placard à fournitures, le dos droit et la nuque raide, laissant Harold avec l'impression d'être celui qui avait eu une attitude inhabituelle. Par la suite, il supposa qu'elle avait renoncé à donner sa démission, car chaque jour, lorsqu'il allait voir si elle était à son poste, il la trouvait en train de travailler derrière son bureau, seule et sans bruit. Ils ne parlaient pratiquement jamais. En fait, il remarqua que lorsqu'il entrait au réfectoire, elle avait tendance à remballer ses sandwichs et à s'en aller.

Le soleil matinal déversait de l'or sur les plus hauts sommets du Dartmoor, mais dans les parties à l'ombre le sol était encore recouvert d'une pellicule de gel. Devant Harold, des puits de lumière éclairaient le paysage comme des torches, marquant son itinéraire. La journée s'annonçait bien, elle aussi.

À la sortie de South Brent, Harold croisa un homme en chemise de nuit qui déposait de la nourriture pour les hérissons dans une soucoupe. Il traversa la route pour éviter des chiens, puis, un peu plus tard, il dépassa une jeune femme tatouée qui vociférait, la tête levée vers une fenêtre :

— Je sais que tu es là ! Je sais que tu m'entends !

Elle marchait de long en large en donnant des coups de pied dans les murets des jardins, le corps tremblant de rage, et, chaque fois qu'elle semblait sur le point d'abandonner, elle revenait au pied de la maison et hurlait de nouveau :

— Arran, espèce de salaud, je sais que tu es là !

Harold passa aussi devant un matelas abandonné, les entrailles d'un réfrigérateur vandalisé, plusieurs chaussures désassorties, de nombreux sacs en plastique et un enjoliveur, jusqu'à ce qu'une fois de plus le trottoir se termine et que la route se change en chemin. Il fut étonné d'être aussi soulagé de se trouver de nouveau sous le ciel, entouré de part et d'autre par les arbres et les talus couverts de fougères et de ronces.

Harbourneford. Higher Dean. Lower Dean.

Tout en marchant, il piocha dans le sac les derniers biscuits, qu'il mangea malgré la texture granuleuse de certains et leur petit goût soufré de lessive.

Son rythme était-il assez rapide ? Queenie était-elle encore en vie ? Il ne devait pas s'arrêter pour prendre ses repas, ni pour dormir. Il devait accélérer.

Dans l'après-midi, Harold s'aperçut qu'une douleur lui vrillait de temps à autre le jarret droit, et que l'articulation de sa hanche avait tendance à se bloquer quand il descendait une pente. Même quand il montait, il le faisait avec précaution, en se maintenant les reins avec les paumes, moins parce qu'il avait mal que parce qu'il ressentait le besoin d'un soutien. Il s'arrêta pour vérifier les pansements sur ses pieds et remplaça celui de son talon, où l'ampoule avait saigné.

La route tourna, monta, redescendit. Parfois, les champs et les collines étaient visibles, parfois, il ne voyait rien. Il avait perdu toute notion de l'endroit où il se trouvait à force de penser à Queenie et d'imaginer ce qu'avait pu être sa vie au cours des vingt années écoulées. Il se demandait si elle s'était mariée. Si elle avait eu des enfants. Pourtant, à lire la lettre, il était évident qu'elle avait gardé son nom de jeune fille.

— Je suis capable de chanter le *God Save the Queen* à l'envers, lui avait-elle dit une fois.

Et elle s'était exécutée, tout en suçant un bonbon à la menthe.

— Pareil pour *You Don't Bring Me Flowers*, et j'y arrive presque avec *Jerusalem*.

Harold sourit. Avait-il souri, à l'époque ? Des vaches au pré lui jetèrent un coup d'œil et cessèrent de ruminer. Une ou deux se dirigèrent vers lui, lentement au début, puis au petit trot. Leur corps semblait trop massif pour pouvoir s'arrêter. Il fut soulagé d'être sur la route, même si le sol était plus dur sous ses pieds. Le sac en plastique contenant ses achats lui battait les cuisses et laissait des marques blanches sur ses poignets. Il essaya de le porter à l'épaule, mais il glissait sans cesse vers son coude.

Et peut-être à cause de cette charge trop lourde, il revit soudain son fils devant le revêtement en aggloméré du couloir, les épaules tirées en arrière par son cartable neuf. Ce devait être lors de sa rentrée à l'école primaire, car il avait un uniforme gris. Comme son père, David dépassait d'une tête les autres élèves, ce qui le faisait paraître plus âgé, ou monté en graine. Il avait levé les yeux vers son père en déclarant :

— Je ne veux pas.

Pas de larmes, ni de tentatives pour s'accrocher à Harold. Il avait parlé avec une simplicité et une connaissance de soi désarmantes. Et Harold lui avait répondu... quoi donc, déjà ? Il avait regardé son fils, pour lequel il souhaitait le meilleur, et il était resté sans voix.

« Oui, la vie est effrayante », aurait-il dû dire. Ou : « Oui, mais ça s'arrange ensuite. » Ou encore : « Oui, mais il y a des hauts et des bas. » Mieux, il aurait pu prendre David dans ses bras, faute de mots. Mais il ne l'avait pas fait. Il n'avait rien fait de tout cela. Il percevait l'angoisse de l'enfant avec une telle intensité qu'il était resté paralysé. Le matin où son fils s'était tourné vers son père en demandant de l'aide, Harold n'en avait pas apporté. Il avait couru vers sa voiture et filé à son travail.

Pourquoi fallait-il que ce souvenir lui revienne ?

Il courba le dos et força l'allure, comme s'il s'éloignait de lui-même au lieu d'aller vers Queenie.

Harold atteignit Buckfast Abbey avant la fermeture de la boutique de souvenirs. La silhouette carrée de l'église en calcaire gris se détachait sur un fond de vallons. Il se rendit compte qu'il était déjà venu ici. C'était des années auparavant, quand il avait voulu faire une surprise à Maureen pour son anniversaire. David avait refusé de sortir de la voiture et Maureen avait tenu à rester avec lui. Du coup, ils étaient rentrés à la maison sans même sortir du parking.

Dans la boutique de la communauté monastique, Harold acheta des cartes postales et un stylo-souvenir.

Il envisagea d'y ajouter un pot de miel produit par les moines, mais la route jusqu'à Berwick-upon-Tweed était longue et il n'était pas sûr de le faire tenir dans son sac en plastique, ni d'arriver au bout sans que la lessive se soit renversée dessus. Finalement, il l'acheta quand même, en demandant qu'on l'enveloppe dans une double feuille de papier bulle. Il n'y avait pas de moines, que des touristes. Et la queue pour entrer au Grange Restaurant, récemment réaménagé, était plus longue que celle pour visiter l'abbaye. Il se demanda si les moines l'avaient remarqué, et s'ils s'en souciaient.

Harold choisit une généreuse portion de poulet au curry et emporta son plateau vers une fenêtre donnant sur la terrasse et le jardin de lavande. Il avait si faim qu'il engloutit le contenu de son assiette. À la table voisine, un couple d'une bonne cinquantaine d'années était en pleine discussion, sans doute au sujet d'une carte. Chacun portait un short kaki et un sweat-shirt assorti, des socquettes marron et des chaussures de randonnée, de sorte qu'en les voyant assis face à face à leur table, ils ressemblaient à deux versions de la même personne, l'une masculine et l'autre féminine. Même les sandwichs qu'ils mangeaient et le jus de fruits qu'ils buvaient étaient identiques. Harold tenta en vain d'imaginer Maureen vêtue comme lui. Il entreprit de rédiger ses cartes postales.

Chère Queenie,
J'ai parcouru environ vingt-sept kilomètres. Il faut que tu continues à m'attendre.
Harold (Fry)

Chère Maureen,
Suis arrivé à Buckfast Abbey. Beau temps. Les chaussures tiennent le coup, les pieds et les jambes aussi. H.

Chère jeune fille du garage (À votre service),
Merci. De la part de l'homme qui a dit qu'il allait marcher.

— Puis-je emprunter votre stylo ? demanda le randonneur.

Harold le lui tendit et l'homme entoura à plusieurs reprises un point sur la carte. Sa femme ne dit rien. Peut-être même qu'elle fronça les sourcils. Harold n'avait pas trop envie de vérifier.

L'homme lui rendit le stylo.

— Vous êtes ici pour le Dartmoor Trail ? demanda-t-il.

Harold répondit que non. Il se rendait à pied auprès d'une amie, dans un but précis. Il rassembla ses cartes postales en une pile bien nette.

— Ma femme et moi, nous sommes des marcheurs, bien sûr. Nous venons ici chaque année. Même quand elle s'est cassé la jambe, nous sommes revenus. C'est dire à quel point nous aimons ça.

Harold répondit que son épouse et lui partaient eux aussi chaque année au même endroit, dans un village de vacances d'Eastbourne. Il y avait des distractions tous les soirs et des compétitions parmi les résidants.

— Une fois, mon fils a remporté le concours de twist du *Daily Mail*, précisa-t-il.

Son interlocuteur approuva impatiemment de la tête, comme pour inciter Harold à accélérer.

— Bien sûr, ce qui compte, c'est ce que vous avez aux pieds. Quel genre de chaussures montantes vous avez ?

— Des chaussures de bateau.

Harold sourit. Pas le marcheur.

— Vous devriez mettre des Scarpa. C'est ce que portent les pros. Nous ne jurons que par les Scarpa.

Sa femme leva le nez.

— *Tu* ne jures que par les Scarpa, dit-elle.

Elle écarquillait les yeux, comme si elle portait des lentilles de contact qui lui faisaient mal. Pendant quelques instants, Harold se perdit dans le souvenir d'un jeu qu'affectionnait David : il chronométrait le temps pendant lequel il était capable de fixer quelque chose sans cligner des paupières. Les larmes ruisselaient sur ses joues, mais il ne fermait pas les yeux. Pas le type de concours qu'on organisait au camping d'Eastbourne ; celui-ci était pénible à voir.

— Quel genre de chaussettes portez-vous ? demanda le randonneur.

Harold jeta un coup d'œil à ses pieds. Il était sur le point de répondre « ordinaires », mais l'homme n'attendit pas sa réponse.

— Des chaussettes spéciales sont obligatoires, poursuivit-il. Sinon, mieux vaut rester chez soi. Quelle marque portons-nous ?

Harold n'en avait aucune idée. C'est seulement lorsque l'épouse du randonneur répondit qu'il prit conscience que celui-ci s'adressait à elle et non à lui.

— Des Thorlo, dit-elle.

— Parka en Gore-Tex ?

Harold ouvrit la bouche, puis la referma.

97

— La marche est le ciment de notre mariage. Quel est votre itinéraire ?

Harold expliqua qu'il le choisissait au fur et à mesure, mais que, grosso modo, il se dirigeait vers le nord. Il mentionna Exeter, Bath, et Stroud, éventuellement.

— Je m'en tiens aux grandes routes parce que je me déplace en voiture depuis que je suis adulte. C'est ce que je connais, en fait.

Le randonneur continua à parler. Il était du genre à ne pas avoir besoin d'un interlocuteur pour mener une conversation. Sa femme contemplait ses mains.

— Bien sûr, en fait de randonnée, le Cotswold Trail est très surfait. Je ne me lasse pas du Dartmoor.

— Personnellement, j'ai bien aimé la région des Cotswolds, déclara sa femme. C'est moins vallonné, je sais, mais c'est romantique.

Elle faisait tourner son alliance autour de son doigt avec une telle énergie qu'elle semblait vouloir le dévisser.

— Elle aime Jane Austen, lança le randonneur en riant. Elle a vu tous les films. Moi, je suis plutôt un vrai mâle, si vous voyez ce que je veux dire.

Harold fit un signe de tête affirmatif, mais en réalité il ne voyait pas du tout. Il n'avait jamais été ce que Maureen appelait un macho. Il avait toujours évité les soirées arrosées avec Napier et les collègues à la brasserie. Parfois, il trouvait bizarre d'avoir travaillé pendant tant d'années dans les boissons alcoolisées, alors que l'alcool avait joué un rôle aussi terrible dans sa vie. Peut-être certains étaient-ils attirés par ce qu'ils redoutaient.

— Nous préférons le Dartmoor, déclara le randonneur.

— *Tu* préfères le Dartmoor, corrigea son épouse.

Ils se regardèrent comme s'ils étaient étrangers l'un à l'autre. Dans le silence qui suivit, Harold se remit à ses cartes postales. Il espérait qu'ils n'allaient pas se disputer. Qu'ils n'étaient pas de ces couples qui se disent en public les choses dangereuses qu'ils n'osent formuler chez eux.

Il repensa aux vacances à Eastbourne. Maureen emportait des sandwichs pour la route et ils arrivaient de si bonne heure que le portail était fermé. Harold avait toujours songé avec affection à ces étés, jusqu'au moment où il avait appris par Maureen que David, quand il parlait des périodes de déprime, disait qu'elles étaient sinistres comme ce foutu Eastbourne. Ces temps-ci, bien sûr, Harold et elle préféraient ne pas se déplacer, mais il était certain qu'elle se trompait, à propos du village de vacances. Ils s'y étaient amusés. David s'y était fait des camarades. Il y avait eu la soirée où il avait remporté le concours de danse. Il avait été heureux.

« Sinistres comme ce *foutu* Eastbourne. »

Maureen avait tellement accentué le terme qu'on aurait cru qu'il occupait toute sa bouche.

Le cours de ses pensées fut interrompu par ses voisins, qui avaient élevé la voix. Harold avait envie de partir, mais il attendait en vain la plage de silence qui lui permettrait de se lever et de prendre congé.

La femme qui aimait Jane Austen lança :

— Tu crois que c'était marrant d'être coincée ici avec une jambe dans le plâtre ?

Son mari gardait les yeux fixés sur sa carte, comme

si elle n'avait rien dit, et elle continua à parler comme s'il n'était pas en train de l'ignorer.

— Je ne veux plus jamais revenir ici.

Harold avait envie qu'elle se taise. Il avait envie que son époux lui sourie ou lui prenne la main. Il songea à lui et à Maureen, et aux années de silence au 13, Fossebridge Road. Avait-elle jamais éprouvé le besoin d'énoncer ce genre de vérité sur leur mariage dans un endroit où n'importe qui pouvait entendre ? L'idée ne l'avait jamais effleuré jusque-là, et elle était si inquiétante qu'il se leva aussitôt et se dirigea vers la porte. Le couple ne parut pas remarquer son départ.

Harold prit une chambre dans une modeste maison d'hôtes qui sentait le chauffage central, les abats bouillis et le désodorisant. Il était endolori de fatigue, mais, une fois qu'il eut défait ses quelques affaires et inspecté ses pieds, il resta assis au bord du lit, désœuvré. Il était trop troublé pour dormir. Du rez-de-chaussée montait le son des informations du début de soirée. Maureen devait les regarder, elle aussi, tout en repassant. Harold écouta vaguement, réconforté par la certitude qu'ils étaient au moins réunis de cette façon. Il repensa au couple du restaurant, et sa femme lui manqua tellement qu'il ne cessa plus d'y penser. Cela aurait-il changé quelque chose s'il avait agi autrement ? S'il avait poussé la porte de la chambre d'amis ? Ou même s'il l'avait emmenée faire un séjour à l'étranger ? Mais elle n'aurait jamais accepté. Elle avait trop peur de ne pas parler à David et de manquer la visite qu'elle attendait toujours.

D'autres souvenirs lui revenaient. Les premières

années de leur mariage, avant la naissance de David, elle cultivait des légumes dans le jardin de Fossebridge Road et elle l'attendait tous les soirs au coin de la rue après la brasserie. Ils revenaient à pied à la maison, en prenant parfois par le front de mer et en s'arrêtant sur le quai pour regarder les bateaux. Elle cousait des rideaux dans de la toile à matelas et se confectionnait une robe chasuble avec les chutes. Elle allait à la bibliothèque chercher de nouvelles recettes de cuisine et préparait des currys, des pâtes, des ragoûts, des légumes secs. Au dîner, elle demandait des nouvelles des employés de la brasserie et de leurs épouses, même si pour leur part ils n'assistaient jamais au sapin de Noël de l'entreprise.

Il se souvenait de l'avoir vue vêtue d'une robe rouge qu'elle avait ornée au col d'une petite branche de houx. Pour un peu, en fermant les yeux, il aurait retrouvé son odeur suave. Ils avaient bu du soda au gingembre dans le jardin en regardant les étoiles.

— À quoi bon être avec d'autres gens ? avait dit l'un des deux.

Il la revoyait en train de tenir leur bébé emmailloté et de le lui tendre. Il n'avait pas bougé et elle avait souri.

— Pourquoi tu ne le prends pas dans tes bras ?

Harold avait répondu que le bébé la préférait et peut-être avait-il mis les mains dans ses poches.

Comment était-il possible alors qu'une vérité, qui, cette fois-là, avait suscité chez Maureen un sourire, puis le geste de poser la tête sur son épaule, soit devenue des années plus tard source de tant de fureur et de ressentiment ?

— Tu ne l'as jamais pris dans tes bras, avait-elle

hurlé aux pires moments. Jamais tu ne l'as touché quand il était enfant !

Ce n'était pas tout à fait exact et il lui avait répondu quelque chose dans ce genre, quoiqu'elle eût fondamentalement raison. Il était trop effrayé pour tenir son propre fils dans ses bras. Mais pourquoi n'avait-elle pu comprendre, des années plus tard, ce qu'elle avait compris une fois ?

Il se demanda s'il se pourrait que David approche Maureen, maintenant que lui-même était à bonne distance.

C'était trop pénible de rester à l'intérieur à ruminer ces choses-là et à en regretter bien d'autres. Il prit sa veste et sortit. Au-dehors, un croissant de lune brillait au-dessus de petits nuages floconneux. En apercevant Harold, une femme aux cheveux d'un rose agressif cessa d'arroser ses jardinières et le regarda fixement, comme s'il était quelqu'un de bizarre.

Il appela Maureen d'une cabine, mais elle n'avait rien de nouveau à raconter et leur conversation fut brève et hachée. Elle ne fit allusion qu'une fois à sa marche, lorsqu'elle lui demanda s'il avait pensé à consulter une carte. Harold lui dit qu'il avait l'intention de s'équiper correctement pour la randonnée une fois parvenu à Exeter. Il y aurait plus de choix dans une grande ville, expliqua-t-il. Il montra qu'il savait de quoi il parlait en faisant référence au Gore-Tex.

— Je vois, dit-elle.

Sa voix éteinte suggérait qu'il avait mis les pieds en terrain glissant. Dans le silence qui suivit, il l'entendit claquer la langue et avaler sa salive. Puis elle déclara :

— Je suppose que tu sais combien tout cela va coûter.

102

— Je vais prendre sur mon épargne retraite. Je m'en tiens à un budget.

— Je vois, dit-elle de nouveau.

— Ce n'est pas comme si on avait des projets.

— Non.

— Donc, c'est d'accord ?

— D'accord ? répéta-t-elle, comme si elle entendait le mot pour la première fois.

Pendant quelques instants de désarroi, il eut envie de lui suggérer de l'accompagner, mais il savait parfaitement qu'elle balaierait sa suggestion d'un de ses « Je ne crois pas ». Il préféra donc demander :

— Oui, tu es d'accord ? D'accord pour que je fasse ça ? Que je marche ?

— Il le faut bien, répondit-elle.

Là-dessus, elle raccrocha.

Harold quitta la cabine téléphonique en regrettant qu'elle ne le comprenne pas. Mais ils étaient restés des années durant sur un territoire où le langage n'avait aucun sens. Elle n'avait qu'à le regarder pour être brutalement ramenée vers le passé. C'était plus sûr d'échanger des mots anodins, de rester à la surface. Harold regagna sa chambre et rinça ses vêtements. Il revit en pensée leurs lits séparés au 13, Fossebridge Road et se demanda à quel moment exact elle avait cessé d'ouvrir la bouche lorsqu'il l'embrassait. Était-ce avant ou après ?

Harold s'éveilla à l'aube, surpris et reconnaissant d'être capable de marcher, mais fatigué cette fois. Le chauffage était trop fort et la nuit lui avait paru longue et étouffante. Il ne pouvait s'empêcher de penser que même si Maureen ne l'avait pas formulé ouvertement, ce qu'elle sous-entendait au sujet de son épargne retraite était exact. Il ne devrait pas le dépenser à son seul profit et sans son approbation.

Et pourtant, Dieu sait de quand datait sa dernière tentative pour l'impressionner.

À partir de Buckfast, Harold emprunta la B3352 via Ashburton, avec un arrêt pour la nuit à Heathfield. Il dépassa d'autres marcheurs et ils échangèrent quelques mots sur la beauté de la région et l'arrivée de l'été, avant de se souhaiter mutuellement bon voyage et de poursuivre chacun son chemin. Harold prit des virages, suivit les contours des collines, toujours plus loin. Des corbeaux s'envolèrent des arbres dans un grand battement d'ailes. Une jeune biche jaillit des fourrés. Des voitures surgissaient bruyamment de nulle part, puis disparaissaient. Il y avait des chiens derrière les portails et il aperçut plusieurs blaireaux dans le caniveau, semblables à des haltères de fourrure. Un cerisier portait une parure de fleurs dont un coup de vent fit s'envoler mille pétales comme autant de confettis. Harold était prêt à toutes les surprises, quelle que soit la forme qu'elles pouvaient prendre. Une telle liberté était chose rare.

— Je suis père, avait-il dit à sa mère à l'âge de six ou sept ans.

Elle avait levé les yeux, intéressée, et sa propre audace l'avait surpris. Il n'avait aucune idée de ce qu'il allait faire ensuite. Il n'avait d'autre choix que de mettre la casquette et la robe de chambre paternelles et de poser un regard accusateur sur une bouteille vide. Le visage de sa mère s'était défait et il s'était dit qu'elle allait au moins le gifler. Et puis, étonné et ravi, il l'avait vue rejeter la tête en arrière et émettre un rire cristallin, révélant ses dents parfaites et le rose de ses gencives. Jamais auparavant il n'avait fait rire sa mère de la sorte.

— Quel clown ! s'était-elle exclamée.

Il s'était senti aussi grand que la maison. Adulte. Et malgré lui, il avait ri, lui aussi : d'abord un sourire, puis il avait été secoué de hoquets avant de se plier en deux. Par la suite, il avait cherché à l'amuser par tous les moyens. Il avait appris des blagues. Fait des grimaces. Ça marchait parfois. Pas tout le temps. Parfois, il lui venait à l'esprit des trucs d'une drôlerie involontaire.

Harold parcourait les rues et les chemins. La route se rétrécissait, s'élargissait, montait, tournait. À certains moments, il était presque collé contre les haies, à d'autres, il marchait à l'aise sur le trottoir. Il s'entendit crier à sa mère :

— Ne marche pas sur les fissures du trottoir, il y a des fantômes !

Mais cette fois elle l'avait regardé comme si elle ne l'avait jamais vu et elle était passée exprès sur toutes les fissures, de sorte qu'il avait dû courir derrière elle en agitant désespérément les bras. C'était difficile de suivre une femme telle que Joan.

De nouvelles ampoules se formèrent sur les deux talons d'Harold et, avant la fin de l'après-midi, d'autres firent leur apparition sous ses orteils. Il n'imaginait pas que marcher pouvait être douloureux à ce point. Il ne pensait plus qu'aux pansements.

À partir d'Heathfield, il suivit la B3344 jusqu'à Chudleigh Knighton, et poursuivit jusqu'à Chudleigh. C'était un grand effort d'aller aussi loin en étant épuisé.

Il prit une chambre pour la nuit, déçu d'avoir parcouru à peine huit kilomètres. Le lendemain, toutefois, sans s'écouter, il démarra dès l'aube, couvrant quatorze kilomètres de plus. Le soleil levant dardait ses rayons à travers les arbres et, au milieu de la matinée, le ciel était parsemé de petits nuages tenaces qui, à bien y regarder, ressemblaient à des chapeaux melon gris. Des moucherons voletaient en tous sens.

Cinq jours après avoir quitté Kingsbridge et à environ soixante-neuf kilomètres de Fossebridge Road, Harold avait son pantalon qui flottait à la taille et la peau qui pelait sur son front, son nez et ses oreilles brûlés par le soleil. Quand il consultait sa montre, il s'apercevait qu'il savait déjà l'heure qu'il était. Matin et soir, il examinait soigneusement ses orteils, ses talons et sa voûte plantaire, et il appliquait des pansements ou de la crème là où la peau était entamée ou irritée. Il préférait boire sa citronnade en terrasse et, quand il pleuvait, il s'abritait à l'intérieur avec les fumeurs. Les premiers myosotis formaient des nappes claires au clair de lune.

Harold se jura d'acheter un véritable équipement de randonneur à Exeter, ainsi qu'un autre souvenir pour Queenie. Lorsque le soleil disparut derrière les murs de la ville et que l'air fraîchit, il lui revint en mémoire que quelque chose clochait dans la lettre de Queenie, mais il fut incapable de dire quoi.

8

Harold et le monsieur chic
aux cheveux argentés

Chère Maureen,
Ce petit mot depuis un banc près de la cathédrale.
Deux types donnent un spectacle de rue, mais on dirait
plutôt qu'ils vont s'immoler par le feu. J'ai marqué
ma position avec une croix. H.

Chère Queenie, Tiens bon. Bien à toi, Harold (Fry).

Chère jeune fille du garage (À votre service),
Je me demande si vous priez. Moi, j'ai essayé une
fois, mais c'était trop tard. Ça a réglé la question,
j'en ai peur. Avec mon meilleur souvenir. L'homme
qui marchait.
P-S : Je marche toujours.

On était au milieu de la matinée. Un rassemblement
s'était formé autour de deux jeunes mangeurs de feu
qui se produisaient devant la cathédrale au son d'un
lecteur de CD, tandis qu'un vieil homme vêtu d'une
couverture fouillait une poubelle. Les mangeurs de feu

avaient des vêtements sombres et graisseux et ils étaient coiffés avec une queue-de-cheval ; leur démonstration avait quelque chose de désordonné, comme si elle pouvait mal tourner à tout moment. Ils demandèrent à la foule de reculer, puis ils se mirent à jongler avec des bâtons enflammés sous des applaudissements nerveux. Le vieil homme sembla découvrir leur présence. Il se faufila au premier rang des spectateurs et se plaça entre les deux artistes de rue en rigolant. Ceux-ci lui hurlèrent de dégager, mais il se mit à danser sur la musique. Ses mouvements étaient grossiers et saccadés ; à côté de lui, les mangeurs de feu semblaient soudain habiles et professionnels. Ils éteignirent leur lecteur de CD et remballèrent leurs affaires et la foule se désagrégea, mais le vieil homme continua à danser devant la cathédrale, les bras en croix, les yeux clos, comme si la musique et les spectateurs n'avaient pas disparu.

Harold avait envie de reprendre sa route, mais il se dit qu'étant le seul spectateur qui restait au vieil homme, il se montrerait impoli en l'abandonnant.

Il se souvenait de David en train de se tortiller au village de vacances d'Eastbourne le soir où il avait remporté le concours de twist. Devant cet enfant de huit ans dont le corps se trémoussait à une telle vitesse qu'on n'aurait su dire si c'était de douleur ou de plaisir, les autres concurrents, embarrassés, s'étaient dispersés, le laissant seul. L'animateur s'était mis à battre lentement des mains et avait fait une plaisanterie qui avait provoqué les rires de l'assistance. Perplexe, Harold avait souri aussi, trouvant bien compliqué à ce moment-là d'être le père de son fils. Il avait jeté un coup d'œil à Maureen et découvert qu'elle regardait, les mains sur la bouche. Son sourire s'était effacé et il avait eu l'impression de n'être qu'un traître.

Et puis il y avait eu les années scolaires de David. Les heures qu'il passait enfermé dans sa chambre, ses notes excellentes, son refus d'être aidé par ses parents.

— Cela n'a pas d'importance s'il reste tout seul, disait Maureen, il a d'autres centres d'intérêt.

Après tout, eux-mêmes étaient des solitaires. Une semaine, David voulait un microscope. Une autre, les *Œuvres complètes* de Dostoïevski. Puis une méthode d'apprentissage de l'allemand. Un bonsaï. Intimidés par sa soif de connaissances, ils achetaient tout. Il avait la chance d'avoir une intelligence et des opportunités qu'ils n'avaient jamais eues et, quoi qu'il arrive, ils ne devaient pas le laisser tomber.

— Père, disait-il, tu as lu William Blake ?

Ou bien :

— Tu t'y connais, en vitesse de dérive ?

— Pardon ?

— J'aurais cru.

Sa vie durant, Harold avait baissé la tête pour éviter toute confrontation et voilà que, issu de sa propre chair, quelqu'un était déterminé à soutenir son regard et à s'expliquer avec lui. Il regrettait d'avoir souri le soir du concours de danse.

Le vieil homme s'immobilisa. Il sembla remarquer Harold pour la première fois. Rejetant sa couverture, il salua bien bas, en balayant le sol de la main. Dessous, il portait une sorte de costume, si sale cependant qu'on avait du mal à distinguer la veste de la chemise. Il se releva sans quitter Harold des yeux. Harold se retourna. Les gens passaient sans s'arrêter, peu enclins à se mêler à la scène. C'était donc bien à lui que s'intéressait le vieil homme.

Harold s'avança à petits pas dans sa direction. À mi-chemin, il se sentit tellement embarrassé qu'il prétendit avoir une poussière dans l'œil, mais l'autre attendit. Quand ils furent à moins de cinquante centimètres l'un de l'autre, le vieil homme tendit les bras, comme s'il étreignait les épaules d'un partenaire invisible. Harold n'avait d'autre choix que de l'imiter. Lentement, mala-droitement, leurs pieds se dirigèrent vers la gauche, puis vers la droite. Ils ne se touchaient pas, mais ils dansaient ensemble, et s'il y avait une odeur d'urine, voire de vomi, Harold avait connu pire. On n'entendait que le bruit de la circulation et des passants.

Le vieil homme s'arrêta et salua de nouveau. Ému, Harold hocha la tête. Il le remercia pour la danse, mais le vieil homme avait déjà récupéré sa couverture et s'éloignait en boitillant, comme si la musique était le dernier de ses soucis.

Dans une boutique de souvenirs proche de la cathé-drale, Harold acheta un ensemble de crayons gravés susceptibles de plaire à Maureen. Pour Queenie, il choisit un petit presse-papier avec, en inclusion, un modèle réduit de la cathédrale qui se couvrait de paillettes lorsqu'on le renversait. Il constata que, si étrange que cela paraisse, les touristes achetaient des babioles et des souvenirs des sites religieux parce qu'ils ne savaient que faire d'autre une fois sur place.

Exeter prit Harold par surprise. Il avait intériorisé un rythme lent que la fureur de la grande ville menaçait maintenant de bouleverser. Il s'était senti à l'aise à l'air libre, dans la sécurité de la campagne, où chaque élément était à sa place. Il avait pris conscience d'appartenir à quelque chose d'immense, qui dépassait sa simple existence. En ville, on n'avait aucun recul. N'importe quoi pouvait arriver et il n'était pas prêt.

Il chercha à retrouver sous ses pieds quelques traces de la terre, mais le macadam et les pavés étaient partout. Tout l'inquiétait. La circulation. Les bâtiments. Les gens se bousculaient en vociférant dans leur téléphone. Il souriait à chacun et c'était épuisant de s'adresser à autant de visages étrangers.

Il perdit un jour entier à déambuler. Chaque fois qu'il décidait de partir, il apercevait quelque chose qui le détournait de son but et une heure encore s'écoulait. Il réfléchissait à des achats dont il ne pensait pas auparavant avoir besoin. Devait-il envoyer à Maureen des gants de jardin ? Il laissa une vendeuse lui montrer cinq modèles avant de se souvenir que sa femme ne s'occupait plus de faire pousser des légumes depuis longtemps. Il s'arrêta pour manger et se vit proposer un tel choix de sandwichs qu'il en oublia sa faim et ressortit les mains vides. (Préférait-il du jambon ou du fromage en garniture, ou bien la spécialité du jour, fruits de mer-mayonnaise ? Ou bien souhaitait-il autre chose ? Des sushis ? Un wrap au canard laqué ?) Ce qui lui avait paru si clair lorsqu'il marchait seul, un pied devant l'autre, disparaissait dans cette abondance de choix, de rues, de vitrines et de magasins. Il lui tardait de retourner en pleine nature.

Et maintenant qu'il avait la possibilité d'acheter un équipement de randonnée, il hésitait aussi. Après avoir passé une heure avec un jeune et enthousiaste vendeur australien qui lui montra non seulement des chaussures, mais encore un sac à dos, une petite tente et un podomètre parlant, il se répandit en excuses et ressortit avec une lampe-torche. Jusque-là, pensa-t-il, ses chaussures de bateau et son sac en plastique avaient parfaitement fait l'affaire et, avec un peu d'habileté, il pourrait mettre sa brosse à dents et sa mousse à raser dans une poche et son déodorant et sa lessive dans l'autre. Finalement, il alla dans un café proche de la gare.

Vingt ans plus tôt, Queenie avait dû se rendre à la gare St. David's d'Exeter. De là, avait-elle gagné directement Berwick? Y avait-elle de la famille? Des amis? Elle n'en avait jamais parlé. Une fois, dans la voiture, elle avait fondu en larmes en entendant une chanson à la radio, *Mighty Like a Rose*. Le chanteur avait une voix profonde et ferme. Cela lui rappelait son père, mort récemment, avait-elle expliqué entre deux hoquets.

— Excusez-moi, avait-elle murmuré.

— Mais non, voyons.

— C'était quelqu'un de bien.

— J'en suis certain.

— Vous l'auriez apprécié, Mr. Fry.

Elle avait alors raconté que lorsqu'elle était petite, son père jouait à faire semblant qu'elle soit invisible. « Je suis là, je suis là! » s'écriait-elle en riant, et lui, les yeux braqués sur elle, s'exclamait : « Où es-tu, Queenie? Viens ici tout de suite. »

— C'était vraiment drôle, avait-elle déclaré en tamponnant son nez avec son mouchoir. Il me manque terriblement.

Même dans son chagrin, elle restait d'une dignité à toute épreuve.

Il y avait beaucoup de monde au café de la gare. Harold observa les vacanciers qui se glissaient entre les tables et les chaises, chargés de valises et de sacs à dos, et il se demanda si Queenie s'était assise à cet endroit. Il l'imagina, seule et pâle dans son tailleur démodé, le visage résolument tourné vers l'avenir.

Il n'aurait jamais dû la laisser partir comme ça.

— Excusez-moi, ce siège est-il libre ? demanda une voix agréable.

Il revint à l'instant présent. Un homme élégamment vêtu se tenait à sa gauche et pointait le doigt vers la chaise opposée. Harold s'essuya les yeux, étonné et confus d'avoir encore pleuré. Il répondit par l'affirmative et invita l'homme à s'asseoir.

Celui-ci portait un costume chic et une chemise bleue avec des boutons de manchette en perles. Il avait une silhouette mince et gracieuse. Son épaisse chevelure argentée était rejetée en arrière. Lorsqu'il s'assit, il croisa les jambes de façon que le pli de son pantalon soit dans l'alignement de ses genoux. Il porta les mains au niveau de ses lèvres et les joignit en triangle dans un geste élégant. Harold aurait aimé être ce genre d'homme : distingué, comme aurait dit Maureen. Peut-être son regard était-il insistant, car, lorsque la serveuse eut apporté un pot de thé de Ceylan (sans lait) et un bun chaud, le monsieur déclara sur un ton ému :

— Les adieux sont toujours pénibles.

Puis il versa le thé dans sa tasse et ajouta une tranche de citron.

Harold lui expliqua qu'il se rendait à pied voir une femme qu'il avait abandonnée autrefois. Il espérait que ce n'était pas un adieu, mais que, bien au contraire, son amie allait vivre. Il parlait sans regarder son interlocuteur, les yeux posés sur le bun, qui était de la taille de l'assiette ; le beurre fondu ressemblait à de la mélasse.

L'homme découpa la moitié du bun en petites mouillettes et se mit à manger tout en écoutant Harold. Le café était plein et bruyant, la buée sur les fenêtres si épaisse qu'elles étaient opaques.

— Queenie était le genre de femme que les gens n'apprécient guère, poursuivit Harold. Elle n'avait rien d'une jolie poupée, au contraire des autres employées de la brasserie. Elle avait peut-être même un peu de duvet sur le visage. Pas une moustache, non, mais les autres types rigolaient. Ils lui donnaient des sobriquets et elle en souffrait.

Harold n'était même pas certain que son voisin entendait ce qu'il disait. Il était admiratif devant sa façon impeccable d'insérer les morceaux de bun entre ses dents et d'essuyer ses doigts après chaque bouchée.

— Vous en voulez ? demanda le monsieur chic.

— Merci.

Harold leva les deux mains dans un geste de refus.

— Une moitié me suffit. Ce serait dommage de gâcher l'autre. Je vous en prie, acceptez.

L'homme à la chevelure argentée prit la partie qu'il avait découpée et disposa les morceaux sur une serviette en papier. Il poussa l'assiette contenant la moitié intacte vers Harold.

— Puis-je vous poser une question ? Vous semblez être une personne de confiance.

Harold hocha affirmativement la tête, car il avait déjà la bouche pleine et il ne pouvait décemment pas recracher. Il tenta d'empêcher le beurre de couler avec ses doigts, mais le liquide dégoulina le long de son poignet et souilla sa manche.

— Je passe tous les jeudis à Exeter, poursuivit son voisin. Je prends le train le matin et je rentre en début de soirée. Je viens voir un jeune homme. Nous faisons des choses. Personne ne connaît cet aspect de ma vie.

Il s'interrompit pour remplir de nouveau sa tasse de thé. Harold avait le gâteau coincé dans la gorge. Il sentait que l'homme cherchait son regard, mais il ne pouvait vraiment pas lever les yeux.

— Je continue ? demanda le monsieur chic.

Harold approuva de la tête. Il déglutit et le gâteau passa le barrage de ses amygdales. La descente fut pénible.

— J'aime ce que nous faisons, sinon je ne viendrais pas ici, mais il se trouve que je me suis attaché à lui. Après, il va me chercher un verre d'eau et il bavarde de temps en temps. Son anglais n'est pas terrible. Je crois qu'il a eu la polio étant petit et il lui arrive de boiter.

Pour la première fois, le monsieur chic hésita, comme s'il était aux prises avec un conflit intérieur. Il porta sa tasse de thé à sa bouche, mais ses doigts tremblèrent, de sorte que le liquide déborda et vint tremper son bun.

— Il m'émeut, ce jeune homme. Il m'émeut au-delà des mots.

Harold détourna les yeux. Il se demanda s'il pouvait se lever et conclut que non. Après tout, il avait mangé la moitié du gâteau de l'homme aux cheveux argentés. Pourtant, il se sentait gêné d'être témoin du désarroi de ce monsieur si aimable et si élégant en apparence. Harold regrettait qu'il ait renversé son thé et il espérait le voir l'éponger, mais ce ne fut pas le cas. Son gâteau allait être fichu.

L'homme reprit la parole, non sans difficulté. Son débit était lent et haché.

— Je lèche ses baskets. Cela fait partie de nos pratiques. Pourtant, c'est seulement ce matin que j'ai remarqué un petit trou au bout.

Sa voix se mit à trembler.

— J'aimerais lui en acheter une autre paire, mais j'ai peur de l'offenser. En même temps, je ne supporte pas l'idée qu'il se promène avec un trou dans ses baskets. Il va avoir les pieds mouillés. Que dois-je faire ?

Il se mordit les lèvres, comme pour bloquer une avalanche de souffrance.

Harold demeura silencieux. L'homme aux cheveux argentés n'était en fait pas du tout celui qu'il croyait. C'était un type comme lui, avec une souffrance bien particulière et, pourtant, il était impossible de le savoir si on le croisait dans la rue, ou si l'on était assis face à lui dans un café sans partager son gâteau. Harold se le représenta sur le quai de la gare, un homme bien habillé que rien ne différenciait des autres en apparence. Ce devait être pareil partout en Angleterre. Les gens achetaient du lait, ou bien faisaient le plein d'essence, ou même postaient des lettres. Et ce que les autres ignoraient, c'était à quel point ce qu'ils portaient en eux était lourd. L'effort surhumain qu'il fallait faire parfois pour être normal et participer à la vie ordinaire. La solitude que cela représentait. Ému et mortifié, Harold lui passa sa serviette en papier.

— Si j'étais vous, je lui achèterais des baskets neuves, dit-il.

Il osa lever les yeux et les planter dans ceux du

monsieur chic, dont l'iris était d'un bleu délavé et le blanc si rose qu'il semblait irrité. Harold en eut le cœur serré, mais il ne regarda pas ailleurs. Les deux hommes restèrent ainsi quelques instants sans parler, jusqu'à ce qu'Harold sourie, soudain léger. Il comprenait que dans sa marche pour racheter les fautes qu'il avait commises, il y avait un autre voyage pour accepter les bizarreries d'autrui. Les gens se sentiraient libres de parler et il était libre de les écouter. D'emporter un peu d'eux-mêmes en les quittant. Il avait négligé tant de choses qu'il devait ce petit geste de générosité à Queenie et au passé.

Le monsieur chic lui rendit son sourire.

— Merci, dit-il.

Il s'essuya la bouche et les doigts, puis passa la serviette sur le bord de sa tasse. Au moment où il se levait, il déclara :

— Je ne pense pas que nos chemins se croisent de nouveau, mais j'ai été heureux de vous rencontrer. J'ai été heureux de vous parler.

Ils échangèrent une poignée de main et se séparèrent en laissant les restes de gâteau derrière eux.

9

Maureen et David

Maureen ne savait quel était le pire : le choc qui l'avait assommée en apprenant qu'Harold allait rejoindre Queenie à pied, ou la rage galvanisante qui lui avait succédé. Elle avait reçu ses cartes postales, l'une de Buckfast Abbey et l'autre de la Dartmouth Railway (« J'espère que tu vas bien, H. »), mais aucune n'apportait un début de réconfort ou d'explication. Il lui téléphonait presque tous les soirs, mais il était si épuisé qu'il disait n'importe quoi. L'argent qu'ils avaient économisé pour leur retraite serait dilapidé en quelques semaines. Comment osait-il l'abandonner alors qu'elle l'avait supporté pendant quarante-sept ans ? Comment pouvait-il l'humilier au point qu'elle ne pouvait même pas s'en ouvrir à son fils ? Une petite pile de factures courantes, adressées à Mr. Fry, était posée sur la table de l'entrée et lui rappelait son absence chaque fois qu'elle passait à côté.

Prenant l'aspirateur, elle recherche des traces d'Harold, cheveu ou bouton, et les fit disparaître dans le tuyau. Elle passa une bombe de désinfectant sur sa table de nuit, son armoire et son lit.

Maureen n'avait pas seulement à faire face à la colère. Il y avait aussi la question de ce qu'elle allait dire à leur voisin. Elle commençait à regretter de lui avoir menti en racontant qu'Harold était immobilisé avec une cheville enflée. Tous les jours ou presque, Rex apparaissait à la porte d'entrée et demandait si une visite ferait plaisir à Harold, de menus cadeaux à la main : une boîte de chocolats au lait, un paquet de cartes à jouer, un article sur un engrais pour la pelouse découpé dans le journal local. C'était au point qu'elle n'osait même plus lever les yeux vers la glace dépolie de la porte, de peur de découvrir sa silhouette corpulente. Elle était tentée de déclarer que son mari avait soudain été emmené aux urgences, mais cela inquiéterait tellement Rex qu'elle ne pourrait le supporter. Sans compter qu'il lui proposerait probablement de l'accompagner à l'hôpital. Elle se sentait encore plus prisonnière qu'avant dans sa propre maison.

Une semaine après son départ, Harold appela d'une cabine et lui annonça son intention de passer une seconde nuit à Exeter et de partir de bonne heure le lendemain matin en direction de Tiverton.

— Parfois, ajouta-t-il, je me dis que je fais ça pour David… Tu as entendu, Maureen ?

Elle avait entendu. Mais elle était incapable de parler.

— Je pense beaucoup à lui, reprit-il. Et je me souviens de certaines choses. Quand il était petit. Peut-être que ça peut aider.

Maureen prit une inspiration qui lui donna l'impression d'avoir les dents à nu.

— Es-tu en train de me dire que David veut que tu ailles voir Queenie Hennessy à pied ? demanda-t-elle.

120

Il ne répondit pas.

— Non, dit-il enfin dans un soupir.

C'était un son étouffé, comme si quelque chose tombait.

Elle poursuivit :

— Tu lui as parlé ?

— Non.

— Tu l'as vu ?

De nouveau :

— Non.

— Dans ce cas...

Harold se tut. Maureen se leva et marcha de long en large sur le tapis de l'entrée, mesurant sa victoire à l'aune de ses pieds.

— Si tu vas voir cette femme, si tu as l'intention de parcourir à pied l'Angleterre de bout en bout sans carte, sans téléphone mobile et sans même avoir pris la peine de me prévenir, aie au moins l'obligeance de l'assumer. C'est ton choix, Harold. Ce n'est pas le mien et ce ne serait certainement pas celui de David.

Après cette flambée moralisatrice, elle ne put que raccrocher. Elle le regretta aussitôt et tenta de rappeler, mais le numéro ne fonctionnait pas. Elle disait parfois des choses comme ça, même si elle ne les pensait pas. Elles avaient fini par constituer la trame de son discours. Elle chercha à s'occuper, mais il ne lui restait plus rien à laver, sauf les voilages, et elle n'avait pas le courage de les décrocher. Une autre soirée passa sans que rien se produise.

Maureen dormit de manière intermittente. Elle rêva qu'elle assistait à une soirée où les invités, tous des inconnus, étaient en smoking et robe de soirée. Assise à une table où l'on dînait, elle baissait les yeux et découvrait son foie posé sur ses genoux.

— Ravie de faire votre connaissance, disait-elle à son voisin tout en recouvrant l'organe avec ses mains pour le dissimuler à ses regards.

Et pendant tout ce temps, le foie ondulait sous ses doigts avec d'affreux clapotis, jusqu'à ce qu'elle ne sache plus comment le contenir. Les serveurs commençaient à apporter des plats recouverts d'une cloche d'argent.

Pourtant, elle ne ressentait aucune douleur. C'était plutôt de la panique, une panique si soudaine qu'elle en eut des picotements jusqu'aux cheveux. Comment allait-elle pouvoir replacer le foie à l'intérieur de son corps sans se faire remarquer, alors qu'elle ne sentait aucune fente dans sa chair ? Elle avait beau secouer les doigts sous la table pour tenter de l'en détacher, il y restait collé. Elle tenta de le repousser avec l'autre main, mais celle-ci connut aussitôt le même sort. Elle avait envie de bondir sur ses pieds et de hurler, mais elle savait qu'il ne fallait pas. Elle devait rester sans bouger et sans faire de bruit, et personne ne devait se rendre compte de ce qui se passait avec ses entrailles.

Maureen s'éveilla à quatre heures et quart, trempée de sueur, et alluma la lampe de chevet. Elle pensa à Harold à Exeter, à leur épargne retraite en train de fondre comme neige au soleil, à Rex avec ses cadeaux. Elle songea au silence, qu'aucun nettoyage ne pouvait faire disparaître. Elle n'en pouvait plus.

Peu après le lever du jour, elle parla avec David. Elle lui avoua que son père allait à pied retrouver une femme surgie du passé, et il l'écouta.

— Ni toi ni moi n'avons connu Queenie Hennessy,

déclara-t-elle. Mais elle travaillait à la brasserie. À la compta. La vieille fille type, je dirais. Très seule.

Maureen dit ensuite à David qu'elle l'aimait et qu'elle espérait sa visite. Il promit que c'était pareil pour lui.

— Qu'est-ce que je dois faire pour Harold, mon chéri ? demanda-t-elle. Qu'est-ce que tu ferais, toi ?

Il lui expliqua exactement ce qui se passait avec son père et la poussa à consulter son médecin. Il prononça les mots qu'elle n'osait pas dire, par crainte.

— Mais je ne peux pas quitter la maison, protesta-t-elle. Et s'il revenait et que je ne sois pas là ?

Cela fit rire David. Un peu rudement, certes, mais il n'avait pas l'habitude de mâcher ses mots. Elle avait le choix. Elle pouvait rester à la maison, à attendre. Ou elle pouvait agir. Elle se représenta le sourire de David et les larmes lui vinrent aux yeux. À ce moment-là, il lui dit quelque chose d'inattendu. Il était au courant pour Queenie Hennessy. C'était une femme bien.

Maureen sursauta.

— Mais tu ne l'as jamais rencontrée !

C'était exact. En revanche, lui rappela-t-il, il était faux qu'elle et Queenie ne se soient jamais rencontrées. Queenie était venue à Fossebridge Road avec un message pour Harold. Urgent, avait-elle dit.

Il n'en fallait pas plus. Dès l'ouverture du cabinet médical, Maureen téléphona pour avoir un rendez-vous.

10

Harold et le signe

Le ciel matinal était d'un bleu uniforme rayé par des effilochées de nuages, tandis qu'un croissant de lune s'attardait derrière les arbres. Harold était soulagé d'être de nouveau sur la route. Il avait quitté Exeter de bonne heure, après avoir acheté un dictionnaire des plantes sauvages d'occasion et un guide de la Grande-Bretagne. Il les avait placés dans son sac en plastique avec les deux cadeaux pour Queenie. Il emportait aussi des provisions d'eau, des biscuits et, sur le conseil d'un pharmacien, un tube de vaseline pour ses pieds.

— Je pourrais vous vendre une crème spéciale, avait dit l'homme, mais cela vous ferait perdre votre temps et votre argent.

Il avait aussi annoncé l'arrivée du mauvais temps.

En ville, la ronde des pensées d'Harold s'était figée. Mais, maintenant qu'il était revenu en plein air, les images naviguaient de nouveau librement dans son esprit. En marchant, il libérait le passé qu'il cherchait à éviter depuis vingt ans, et ce passé bavardait et folâtrait comme un fou dans sa tête avec son énergie propre.

Harold n'envisageait plus la distance en termes de kilomètres. Il la mesurait avec ses souvenirs.

En passant devant des jardins ouvriers, il revit Maureen dans celui de Fossebridge Road, vêtue d'un vieux T-shirt à lui, ses cheveux attachés pour résister au vent et le visage maculé de terre, en train de planter des haricots verts. Il aperçut la coquille cassée d'un œuf d'oiseau et se souvint avec une tendresse déchirante de la fragilité du crâne de David à sa naissance. Il entendit le croassement d'un corbeau qui résonnait dans le silence et il se retrouva soudain à l'adolescence, allongé sur son lit et submergé par un sentiment de solitude.

— Où tu vas ? avait-il demandé à sa mère.

Il appréciait de lui arriver tout juste à l'épaule, alors qu'il était déjà plus grand que son père. Elle avait soulevé sa valise et enroulé autour de son cou une longue écharpe de soie, qui pendit dans son dos telle une chevelure.

— Nulle part, avait-elle répondu, mais elle était déjà en train d'ouvrir la porte d'entrée.

— Je veux venir.

Il avait attrapé l'écharpe, au niveau des franges pour qu'elle ne s'aperçoive de rien. Entre ses doigts, la soie était douce.

— Je peux venir ?

— Ne fais pas l'idiot. Tout ira bien. Tu es presque un homme, maintenant.

— Je peux te raconter une blague ?

— Pas maintenant, Harold.

Elle avait dégagé doucement son écharpe et ajouté en s'essuyant les yeux :

— Tu me fais faire la sotte. Mon Rimmel coule ?

— Tu es très jolie.

— Souhaite-moi bonne chance.

Puis, prenant une profonde inspiration comme si elle s'apprêtait à sauter à l'eau, elle était sortie.

Les détails revenaient à Harold avec une telle précision que la scène semblait plus réelle que le sol sous ses pieds. Il sentait le parfum musqué de sa mère. Il visualisait la poudre blanche sur sa peau, et il savait que si elle l'avait laissé l'embrasser à l'époque, il aurait senti le goût de guimauve sur sa joue.

— J'ai pensé que vous aimeriez ça, pour changer, avait dit un jour Queenie Hennessy.

Elle avait ôté le couvercle d'une petite boîte, révélant des carrés de confiserie blanche recouverts de sucre glace. Il avait secoué négativement la tête, concentré sur la conduite. Elle n'avait plus jamais apporté de guimauves par la suite.

Le soleil perçait à travers les arbres, faisant étinceler les jeunes feuilles comme du papier d'aluminium. À Brampford Speke, les maisons avaient maintenant des toits de chaume et la brique n'était plus couleur silex, mais d'un rouge chaud. Des branches de spirée ployaient sous les fleurs et des pousses de delphinium pointaient leur nez dans la terre. À l'aide de son livre, Harold identifia des barbes de Jupiter, des langues de cerf, des compagnons rouges, de l'herbe à Robert, des pieds-de-veau et découvrit que les fleurs en forme d'étoile dont la beauté l'avait émerveillé étaient des anémones des bois. Revigoré, il parcourut les quatre kilomètres qui le séparaient encore de Thorverton, le nez plongé dans son dictionnaire des plantes sauvages. Contrairement à la prédiction du pharmacien, il ne plut pas. Il eut l'impression d'être privilégié.

Le terrain descendait maintenant en pente douce à gauche et à droite, avec les collines dans le lointain. Harold doubla deux jeunes femmes avec des poussettes, un garçon sur une trottinette, coiffé d'une casquette de base-ball multicolore, trois personnes qui promenaient leur chien et un auto-stoppeur. Il passa la soirée avec un travailleur social qui voulait devenir poète. L'homme lui proposa d'ajouter de la bière à sa citronnade, mais Harold refusa, expliquant que l'alcool n'avait autrefois apporté que du malheur, à lui-même et à son entourage. Cela faisait des années qu'il préférait l'éviter. Il parla un peu de Queenie, de sa façon de chanter les chansons à l'envers et de raconter des devinettes, de sa gourmandise, aussi. Ses sucreries préférées étaient les bonbons anglais, les pétillants au citron et les rouleaux de réglisse. Parfois, elle avait la langue colorée en rouge ou en violet vif, mais il n'avait jamais voulu le lui dire.

— Je lui apportais un verre d'eau et je me disais que ça ferait l'affaire.

— Vous êtes un saint, lui dit l'homme quand Harold lui annonça qu'il se rendait à pied à Berwick.

Harold mordit dans un amuse-gueule à la couenne de porc et répondit qu'il n'avait rien d'un saint.

— Ma femme serait tout à fait d'accord avec moi là-dessus.

— Si vous voyiez les gens auxquels j'ai affaire, soupira le travailleur social. C'est à vous dégoûter du métier. Vous croyez vraiment que Queenie Hennessy vous attend ?

— Oui.

— Et que vous allez arriver à Berwick ? Avec des chaussures de bateau aux pieds ?

128

— Oui, répéta Harold.

— Vous n'avez pas peur ? Tout seul, comme ça ?

— Au début, si. Mais je m'y suis habitué. Je sais à quoi m'attendre.

Le travailleur social haussa les épaules.

— Et les autres gens ? Le genre de ceux dont je m'occupe ? Qu'est-ce qui se passera quand vous tomberez sur l'un d'eux ?

Harold pensa aux personnes qu'il avait rencontrées jusque-là. Leur histoire l'avait ému et surpris, et aucune ne l'avait laissé indifférent. Il existait maintenant dans le monde un plus grand nombre d'êtres qui comptaient pour lui.

— Je ne suis qu'un homme ordinaire, un simple passant. Quelqu'un qu'on ne remarque pas. Et je ne gêne personne. Quand je dis aux gens ce que je suis en train de faire, j'ai l'impression qu'ils comprennent. Ils contemplent leur propre existence et ils ont envie que j'arrive au bout. Ils veulent autant que moi que Queenie vive.

Le travailleur social écoutait avec tant d'attention que cela donna chaud à Harold. Il desserra sa cravate.

Cette nuit-là, il rêva pour la première fois. Il se leva avant que les images aient eu le temps de s'imprimer dans sa mémoire, mais un souvenir persista, celui du sang jaillissant de ses phalanges, et, s'il n'y prenait pas garde, d'autres encore pires suivraient. Il resta à contempler le ciel noir derrière la fenêtre, et songea à son père fixant sans relâche d'un regard rageur la porte d'entrée le jour du départ de sa mère, comme si, par sa seule obstination, il pouvait forcer cette porte à s'ouvrir de nouveau sur elle. Des heures, il était resté ainsi, installé sur une chaise avec deux bouteilles.

— Elle va revenir, avait-il dit, et Harold avait attendu dans son lit, le corps tendu comme un arc à force de prêter l'oreille, avec l'impression d'être non plus un enfant, mais un bloc de silence.

Au matin, les robes de sa mère étaient éparpillées dans leur petite maison comme des dépouilles maternelles. Certaines étaient même sur le carré d'herbe qu'ils appelaient la pelouse du devant.

— Que s'est-il passé ? avait demandé la voisine.

Harold avait réuni les vêtements entre ses bras avant de les rouler en boule. L'odeur de sa mère était si vivace qu'il était impossible d'imaginer qu'elle ne reviendrait pas. Il avait dû enfoncer ses ongles dans la chair de ses coudes pour ne pas crier. Tout en revivant la scène, il regarda l'obscurité refluer dans le ciel. Une fois qu'il eut repris son calme, il se recoucha.

Quelques heures plus tard, un changement incompréhensible était intervenu. Il avait du mal à se déplacer. Il arrivait à supporter les ampoules en les protégeant par des pansements, mais, chaque fois qu'il portait son poids sur son pied droit, une vive douleur lui déchirait l'arrière de la cheville jusque dans le mollet. Il se livra à ses activités habituelles : il se doucha, mangea et remplit son sac en plastique avant de payer sa note. Mais la douleur dans le bas de sa jambe était toujours là. Le ciel était d'un bleu cobalt froid et, avec le soleil très bas sur l'horizon, les traînées de vapeur blanche étincelaient. Harold suivit Silver Street en direction de l'A396, sans rien voir de ce qui l'entourait. Il devait s'arrêter toutes les vingt minutes pour baisser sa chaussette et pincer le muscle. À son grand soulagement, il n'y avait aucun signe de lésion.

Il essaya de penser à autre chose, à Queenie, ou à

David, par exemple, mais sans y parvenir. Dès qu'il retrouvait un souvenir, celui-ci disparaissait. Il se rappelait que son fils lui disait :

— Je parie que tu n'arrives pas à nommer tous les pays d'Afrique.

Pourtant, dès qu'il tentait de se souvenir d'un seul d'entre eux, la douleur lui traversait la jambe et il oubliait ce qu'il était en train de faire. Au bout de quelques centaines de mètres, il eut l'impression d'avoir le mollet déchiré ; il ne parvenait plus à s'appuyer sur sa jambe. Il devait faire un très grand pas avec la gauche et un tout petit saut avec la droite. Vers le milieu de la matinée, une épaisse couverture de nuages avait obscurci le ciel. Harold ne pouvait s'empêcher de penser que cette marche vers le nord, vers le haut de l'Angleterre, finissait par ressembler à l'escalade d'une colline. Même les portions de route les plus plates paraissaient soudain être des côtes.

Il ne pouvait se sortir de l'esprit l'image de son père, affalé sur une chaise, attendant sa mère. L'image avait toujours été là, mais il avait l'impression de la voir pour la première fois. Peut-être son père avait-il souillé son pantalon de pyjama. Mieux valait éviter de respirer avec le nez.

— Va-t'en ! avait-il dit.

Mais son regard avait dévié si vite vers les murs qu'on n'aurait su dire si ce n'était pas plutôt après eux qu'il en avait.

En apprenant ce qu'il s'était passé, les voisins avaient consolé son père. Joan était indépendante, avaient-ils déclaré, et, finalement, c'était mieux comme ça ; au moins, il était encore assez jeune pour refaire sa vie. Soudain, il y eut pléthore de présences féminines dans la maison. Les fenêtres furent ouvertes, les placards vidés, les draps et les couvertures aérés. Des pâtés en croûte, de la viande en gelée et des plats mijotés apparurent, accompagnés de puddings, de confitures et de cakes aux fruits enveloppés dans du papier brun. Jamais auparavant la nourriture n'avait été aussi abondante ; sa mère n'avait rien d'une cuisinière. Des photos en noir et blanc disparurent au fond des sacs à main. Dans la salle de bains, les rouges à lèvres se volatilisèrent, tout comme les flacons de parfum maternels. Harold voyait sa mère à tous les coins de rue. Il l'apercevait même en train de l'attendre à la sortie de l'école, pour découvrir, lorsqu'il se précipitait vers elle, qu'il s'agissait d'une inconnue portant l'une de ses jupes ou l'un de ses chapeaux. Joan aimait les couleurs vives. Harold fêta son treizième anniversaire sans avoir eu la moindre nouvelle d'elle. Au bout de six mois, il ne retrouvait même plus son odeur dans l'armoire de toilette. Son père se mit à remplir les espaces qu'avait occupés son épouse avec des parentes éloignées.

— Dis bonjour à ta tante Muriel.

Il avait abandonné sa robe de chambre et portait à la place un costume épaulé. Et il se rasait.

— C'est pas croyable ce qu'il est grand !

La femme, une face de lune qui émergeait d'un manteau de fourrure, tenait un sachet de macarons entre ses doigts pareils à des saucisses.

— Il en veut un ?

Le souvenir lui mit l'eau à la bouche. Il mangea tous les biscuits du sac plastique pour satisfaire ce qu'il pensait être une fringale de nourriture, mais la nourriture ne l'apaisa pas. Sa salive était épaisse et blanche comme de la colle. En croisant des passants, il dissimula sa bouche derrière son mouchoir pour ne pas les inquiéter. Il acheta un litre de lait stérilisé et le but à grandes goulées, le liquide dégoulinant sur son menton. Il avalait trop vite, mais il n'arrivait pas à contrôler son envie violente. Il tétait le carton sans relâche. Le lait ne coulait pas assez vite à son gré. Un peu plus loin, il dut s'arrêter pour vomir. Il ne cessait de penser au moment où sa mère était partie.

En faisant sa valise, elle l'avait privé non seulement de son rire, mais encore de la seule personne qui le dépassait par la taille. Si Joan n'était pas affectueuse, au moins elle se tenait entre son fils et les nuages. Les tantes lui donnaient des friandises, tentaient de lui pincer la joue ou même lui demandaient son avis sur une robe, mais soudain le monde lui semblait dépourvu de limites et il évitait leur contact.

— Je ne dis pas qu'il est bizarre, avait déclaré la tante Muriel. C'est juste qu'il ne vous regarde pas.

Harold parvint à Bickleigh, où, d'après son guide touristique, il était intéressant de visiter le petit château en brique rouge niché sur la rive de l'Exe. Mais un homme au visage long, vêtu d'un pantalon vert olive, l'informa que le guide n'était pas à jour en ce qui concernait le château, à moins de vouloir le louer pour un mariage luxueux ou y passer un week-end « meurtre et mystère ». Il orienta Harold vers la boutique d'artisanat du Bickleigh Mill, le vieux moulin où il trouverait sans doute quelque chose de plus conforme à ses goûts et à son budget.

Harold contempla la verroterie, les sachets de lavande et une sélection régionale de mangeoires à oiseaux. Rien ne lui parut tentant, ni même utile, et cela l'attrista. Il voulut quitter la boutique, mais il était le seul visiteur, et, comme la vendeuse le regardait, il se sentit obligé de ne pas ressortir les mains vides. Il acheta quatre sets de table plastifiés représentant des vues du Devon pour Queenie. Pour sa femme, il choisit un stylo-bille qui émettait une vague lueur rouge lorsqu'on appuyait sur la pointe, de sorte qu'elle pourrait écrire dans le noir, si l'envie lui en prenait un jour.

Harold J'ai-pas-de-mère : c'était le surnom que lui donnaient les autres garçons à l'école. Il commença à manquer un jour par-ci, une semaine par-là, jusqu'à ce que ses camarades de classe lui semblent tellement étrangers qu'il avait l'impression d'appartenir à une espèce différente. Sa tante Muriel lui écrivait des billets d'excuse : « Harold avait mal à la tête », « Harold n'est pas dans son assiette. » Parfois, elle s'armait d'un dictionnaire et faisait preuve de plus de créativité : « Harold a eu un accès de maladie hépatique mardi vers 18 heures. » Quand il échoua à ses examens, il abandonna complètement l'école.

— Il est OK, déclara sa tante Vera, qui prit le côté du lit de Muriel une fois celle-ci partie. Il connaît de bonnes blagues. Simplement, il marmonne la fin entre ses dents.

Triste et fatigué, Harold commanda un repas au Fisherman's Cot, au bord de la rivière. Il parla avec des clients de l'auberge qui lui apprirent que Simon et Garfunkel s'étaient inspirés de ce site pour écrire leur célèbre chanson *Bridge on Troubled Water*. Il avait beau sourire, hocher la tête et tenter de se comporter comme quelqu'un d'attentif, il était en fait préoccupé par son voyage, par le passé et par sa jambe. Était-ce grave ? Est-ce que ça allait s'arranger ? Il alla se coucher de bonne heure, en se promettant que le sommeil réglerait tout. Ce ne fut pas le cas.

« Chair fils, disait Joan dans son unique lettre. La Nouvel Zélande est un endroi extra. Il falait que je parte. La materenité, c'était pas mon truc. Salut ton père pour moi. » Le pire, ce n'était pas qu'elle soit partie. C'était qu'elle n'ait même pas été capable d'orthographier correctement son explication.

Au dixième jour de la marche d'Harold, il n'y eut pas un seul moment où son mollet droit ne se rappela pas à lui. Il se remémorait la hâte avec laquelle il avait promis à l'infirmière du centre de soins palliatifs de se rendre à pied auprès de Queenie et cela lui paraissait enfantin et inadéquat. Même sa conversation avec le travailleur social lui faisait honte. C'était comme si, du jour au lendemain, sa marche et sa foi en elle s'étaient séparées en deux parties distinctes, le laissant seulement avec l'effort acharné. Pendant dix jours, il avait marché, et il avait consacré toute son énergie à mettre un pied devant l'autre. Mais, maintenant qu'il avait découvert qu'il faisait confiance à ses pieds, les inquiétudes terre à terre avaient été remplacées par quelque chose de beaucoup plus insidieux.

Les cinq kilomètres et demi le long de l'A396 jusqu'à Tiverton furent la partie la plus pénible. Il n'avait guère d'espace pour se mettre à l'abri des voitures, et si les bordures de haies, récemment taillées, permettaient d'apercevoir ici et là la surface argentée de l'Exe, cela leur donnait également un aspect barbare et il préférait ne pas regarder. Les conducteurs le klaxonnaient en lui hurlant de se ranger. Il s'en voulait d'avoir aussi peu avancé ; s'il continuait à ce rythme, Noël serait là avant qu'il n'atteigne Berwick. Un enfant aurait fait mieux.

Il repensa à David en train de danser comme un démon. Il le revit nageant vers le large à Bantham. Il se rappela la fois où il avait essayé de raconter une blague à l'enfant, qui avait plissé le front.

— Mais je ne comprends pas, avait déclaré David, au bord des larmes.

Harold avait expliqué que la plaisanterie était quelque chose de drôle, destiné à faire rire. Il l'avait racontée de nouveau.

— Je ne comprends toujours pas, avait protesté l'enfant.

Plus tard, Harold l'avait entendu la raconter à Maureen pendant qu'il prenait son bain.

— Il a dit que c'était drôle, se plaignait-il. Il l'a racontée deux fois et ça m'a pas fait rire.

Même à cet âge, le mot avait une connotation sombre dans sa bouche.

Harold se rappela ensuite son fils à dix-huit ans, avec ses cheveux qui lui arrivaient plus bas que les épaules, et ses bras et ses jambes trop longs pour ses vêtements. Il se le remémora allongé sur son lit, les pieds sur l'oreiller, le regard perdu dans le vide, au point qu'il s'était demandé un instant si David ne voyait pas des choses qui lui échappaient. Ses poignets étaient décharnés.

Harold s'était entendu lui dire :

— Ta mère m'a appris que tu entrais à Cambridge.

David n'avait pas bougé. Il avait continué à fixer le néant.

Harold avait eu envie de le serrer dans ses bras. Il avait eu envie de lui dire : « Oh, mon merveilleux fils, comment fais-tu pour être aussi intelligent alors que je ne le suis pas ? » Mais il avait contemplé son visage impénétrable et il avait déclaré :

— Eh bien, en voilà une bonne nouvelle ! Ça alors !

David avait ricané, comme s'il venait d'entendre une blague aux dépens de son père. Et Harold avait refermé la porte de la chambre en se promettant qu'un jour, une fois son fils devenu un véritable adulte, peut-être, les choses seraient plus faciles.

Après Tiverton, Harold décida de continuer à emprunter les axes principaux, estimant que c'était le chemin le plus court. Il suivrait le Great Western Way, puis rejoindrait l'A38 par les petites routes. Taunton devait être à une trentaine de kilomètres.

Un orage se préparait. Des nuages recouvraient la terre comme un capuchon et laissaient filtrer une lumière inquiétante sur les Blackdown Hills. Pour la première fois, Harold regretta de ne pas avoir pris son téléphone ; il ne se sentait pas préparé à ce qui l'attendait et il aurait aimé parler à Maureen. Bientôt, le faîte des arbres, luisant sur la voûte de granit du ciel, fut balayé par les premiers coups de vent. Feuilles et brindilles volèrent dans les airs. Les oiseaux protestèrent. Au loin, des rideaux de pluie apparurent et s'interposèrent entre Harold et les collines. Il se recroquevilla à l'intérieur de sa parka quand les premières gouttes tombèrent.

Aucun abri en vue. La pluie s'abattit sur le tissu imperméable, coula le long de sa nuque et s'insinua même sous l'ourlet élastique des manches. Les gouttes étaient dures comme des grains de poivre. Elles formaient des mares tournoyantes et des ruisseaux le long des fossés et, chaque fois qu'une voiture passait, les chaussures d'Harold étaient trempées. Au bout d'une heure, ses pieds baignaient dans l'eau et le frottement des vêtements mouillés lui irritait la peau. Il était incapable de dire s'il avait faim et il ne se rappelait même plus s'il avait mangé. La douleur irradiait dans son mollet droit.

Une voiture le serra de près, aspergeant copieusement son pantalon. Il ne s'en préoccupa pas. Il ne pouvait être plus mouillé. La vitre descendit du côté du passager, libérant une odeur de cuir neuf et de chauffage. Harold se pencha.

Le visage de l'autre côté était jeune et sec.

— Vous êtes perdu ? Vous avez besoin d'un renseignement ? interrogea-t-il.

— Je sais où je vais. Merci quand même.

La pluie piquait les yeux d'Harold.

— Personne ne devrait être dehors avec un temps pareil, insista le visage.

— J'ai fait une promesse, dit Harold en se redressant. Mais c'est très gentil de vous préoccuper de moi.

Il passa le kilomètre suivant à se demander s'il n'aurait pas dû accepter de l'aide. Plus il passerait de temps à marcher et moins il serait vraisemblable que Queenie reste en vie. Et pourtant, il était certain qu'elle l'attendait. S'il n'exécutait pas sa part du marché, même déraisonnable, il craignait de ne plus la revoir.

Que dois-je faire ? Envoie-moi un signe, Queenie, dit-il, peut-être à voix haute, peut-être non. Il ne savait plus très bien maintenant où était la frontière entre lui-même et le monde extérieur.

Un énorme camion surgit dans un bruit de tonnerre, klaxon à fond, et l'éclaboussa de boue des pieds à la tête.

138

Pourtant, quelque chose d'autre arriva, et ce fut l'un de ces instants dont on se rend compte au moment où ils se produisent qu'il va être important. Dans le courant de l'après-midi, la pluie cessa si brutalement qu'on aurait pu croire qu'il n'avait pas plu. À l'est, les nuages se déchirèrent et une ceinture de lumière d'argent apparut, très bas dans le ciel. Harold regarda la masse grise se scinder encore et encore, révélant de nouvelles couleurs : bleu, brun ambré, pêche, vert, pourpre. Puis un rose atténué se diffusa dans le nuage, comme si les couleurs brillantes s'étaient mêlées et diluées avant de déteindre. Harold n'osait pas bouger. Il tenait à observer le moindre changement. Sur la campagne, la lumière était d'or ; sa peau même en était réchauffée. À ses pieds, la terre craquait et murmurait. Une odeur verte et pleine de promesses emplissait l'atmosphère. Une petite brume s'éleva, pareille à des volutes de fumée.

Harold était si fatigué qu'il avait peine à soulever ses pieds et, pourtant, il était empli d'un espoir d'une telle intensité qu'il en avait le vertige. Il savait que s'il continuait à regarder au-delà de sa simple personne, il réussirait à atteindre Berwick.

11

Maureen et le remplaçant du médecin

La réceptionniste se répandit en excuses : à cause de l'automatisation du service, elle n'était plus en mesure d'enregistrer l'arrivée de Maureen pour son rendez-vous avec le docteur.

— Mais je suis là, devant vous, dit Maureen. Comment se fait-il que ce soit impossible ?

La femme pointa l'index vers un écran installé un peu plus loin, et lui affirma que la nouvelle procédure était un jeu d'enfant.

Maureen en eut les mains moites. Le système automatique lui demanda si elle était une femme ou un homme, et elle s'arrangea pour appuyer sur la mauvaise touche. Il lui réclama ensuite sa date de naissance, et elle tapa le mois avant le jour. Il fallut qu'un jeune patient vienne l'aider, non sans éternuer sur son épaule. Entre-temps, une petite queue de gens grognons et mal fichus s'était formée derrière elle. Quand la formule « Veuillez vous rendre à l'accueil » s'afficha enfin sur l'écran, la file hocha la tête avec un bel ensemble.

La réceptionniste s'excusa une fois encore. Le médecin référent de Maureen avait dû s'absenter inopinément, mais elle pouvait obtenir un rendez-vous avec un remplaçant.

— Vous n'auriez pas pu me le dire à mon arrivée ? s'écria Maureen.

Troisième tournée d'excuses. C'était le nouveau système, expliqua la réceptionniste. Tout le monde devait s'enregistrer électroniquement.

— Même les gens âgés, précisa-t-elle.

Elle demanda à Maureen si elle préférait attendre ou revenir le lendemain matin. Maureen fit signe qu'elle restait. Si elle rentrait chez elle, elle craignait de ne pas avoir le courage de revenir.

— Voulez-vous un verre d'eau ? demanda la femme. Vous êtes toute pâle.

— J'ai juste besoin de m'asseoir un moment.

Bien sûr, David avait eu raison de lui dire qu'elle pouvait quitter la maison sans inquiétude, mais il ne se doutait pas de l'anxiété qu'elle éprouverait en se rendant au cabinet médical. Ce n'était pas qu'Harold lui manquait, avait-elle pensé, mais le fait de se retrouver seule dans le monde extérieur était encore un traumatisme. Autour d'elle, tous les gens vaquaient à leurs occupations. Ils conduisaient leur voiture, poussaient une poussette, promenaient le chien et rentraient chez eux, comme si la vie n'avait pas changé, alors que ce n'était pas le cas. Tout était nouveau et rien n'allait. Elle avait boutonné son manteau jusqu'en haut et remonté son col, mais l'air était trop froid, le ciel trop vaste, les formes et les couleurs étaient trop violentes. Elle s'était précipitée dans Fossebridge Road avant que Rex pût l'apercevoir et avait filé vers le centre-ville. Le long du quai, les pétales des jonquilles étaient d'un brun fané.

Dans la salle d'attente, elle essaya de se distraire en lisant des magazines, mais n'arrivait pas à relier les mots entre eux. Il y avait là des couples semblables à celui qu'elle formait avec Harold, qui se tenaient compagnie, serrés l'un contre l'autre. Des grains de poussière tournoyaient dans la lumière crépusculaire, comme si l'air étouffant avait été remué avec une cuillère.

Quand un jeune homme ouvrit la porte de la salle d'attente et marmonna le nom d'un patient, Maureen ne bougea pas. Elle attendit que quelqu'un se lève et se demanda pourquoi cela prenait tant de temps, jusqu'au moment où elle se rendit compte qu'il s'agissait de son propre nom. Elle se mit précipitamment debout. Le remplaçant avait l'air de sortir tout juste de la fac et il nageait dans son costume sombre. Ses chaussures cirées luisaient comme des marrons ; l'image des chaussures que mettait David pour aller en classe vint soudain à l'esprit de Maureen et son cœur se serra. Elle regretta d'avoir demandé l'aide de son fils. Elle aurait mieux fait de rester chez elle.

— Alors, qu'est-ce qui vous arrive ? demanda le remplaçant en s'installant dans son fauteuil.

Les mots semblaient glisser sans bruit de sa bouche et elle dut tendre l'oreille pour les saisir au vol. Si elle n'y prenait pas garde, il allait lui proposer un test d'audition.

Maureen lui expliqua que son époux était allé rendre visite à une femme qu'il n'avait pas vue depuis vingt ans, convaincu de pouvoir la guérir ainsi d'un cancer. Il en était à son onzième jour de marche, précisa-t-elle en roulant son mouchoir en boule.

— Il n'arrivera jamais à Berwick ! Il n'a ni carte

ni chaussures adéquates et il est parti en oubliant son téléphone à la maison.

Le fait d'exposer cet événement à un inconnu lui fit brutalement prendre conscience de sa réalité, et elle eut peur de fondre en larmes. Elle jeta un coup d'œil au médecin. On aurait cru que quelqu'un lui avait dessiné sur le visage des plis soucieux au crayon noir. Sans doute en avait-elle trop dit.

Il se mit à parler avec lenteur, comme s'il essayait de se souvenir de ce qu'il devait dire.

— Votre mari pense qu'il va sauver son ex-collègue ?

— Oui.

— La guérir de son cancer ?

— Oui.

Elle commençait à être impatiente. Elle n'avait pas l'intention d'expliquer quoi que ce soit ; il fallait qu'il comprenne d'instinct. Elle n'était pas ici pour défendre Harold.

— Et par quel moyen pense-t-il réussir ?

— Apparemment, il est persuadé que marcher suffit.

Il grimaça, ce qui accentua encore les sillons autour de sa bouche.

— Il pense qu'une marche peut guérir le cancer ?

— C'est une jeune fille qui lui a donné l'idée, répondit-elle. Elle travaille dans un garage. Elle lui a préparé un burger. Harold ne mange jamais de burgers à la maison.

— Une jeune fille lui a dit qu'il pouvait guérir un cancer ?

Si la consultation continuait dans cette voie, le visage du pauvre garçon allait s'allonger jusqu'au sol.

144

Maureen secoua la tête pour tenter de remettre ses idées en ordre. Elle était soudain épuisée.

— Je me fais du souci pour la santé d'Harold, dit-elle.

— Est-ce qu'il est en forme ?

— Il est un peu presbyte et a du mal à lire sans lunettes. Il a deux couronnes de chaque côté des dents de devant. Mais ce n'est pas ça qui m'inquiète.

— Malgré tout, il croit pouvoir soigner cette femme en la rejoignant à pied ? Je ne comprends pas. Il est très religieux ?

— Harold ? Les seules fois où il prononce le nom de Dieu, c'est quand il doit tondre la pelouse.

Elle sourit, pour que le remplaçant comprenne bien qu'elle essayait d'être drôle. L'homme paraissait déconcerté.

— Harold a pris sa retraite il y a six mois. Depuis, il est très...

Elle se tut, cherchant le mot juste, tandis que le remplaçant hochait négativement la tête, pour montrer qu'il ne pouvait pas le lui fournir.

— ... calme, dit-elle enfin.

— Calme ? répéta-t-il.

— Il passe toutes ses journées dans le même fauteuil.

À ces mots, le regard du remplaçant s'éclaira et il approuva du menton, l'air soulagé.

— Ah, déprimé !

Il prit son stylo et ôta le capuchon d'un geste vif.

— Je ne dirais pas qu'il est déprimé.

Elle sentit son rythme cardiaque s'accélérer.

— En fait, Harold a l'Alzheimer.

Voilà. Elle l'avait dit.

La bouche de son interlocuteur s'ouvrit et sa mâchoire produisit un claquement déconcertant. Il reposa le stylo sur son bureau sans le reboucher.

— Il a la maladie d'Alzheimer et il se rend à pied à Berwick ?

— Oui.

— Quel traitement suit votre mari, Mrs. Fry ?

Le silence qui suivit était si solennel que Maureen frissonna.

— J'ai parlé d'Alzheimer, mais le diagnostic n'a pas encore été fait.

Le remplaçant se détendit de nouveau. C'est tout juste s'il n'éclata pas de rire.

— Vous voulez dire qu'il a des oublis ? De ces moments d'égarement propres aux seniors ? Ce n'est pas parce qu'on oublie son téléphone qu'on a la maladie d'Alzheimer.

Maureen approuva d'un petit hochement de tête. Elle se demandait ce qui l'énervait le plus, la façon dont il lui avait lancé le mot « seniors » ou le sourire condescendant qu'il lui adressait maintenant.

— C'est dans sa famille, dit-elle. Je reconnais les signes.

Elle se lança dans un bref résumé de l'histoire d'Harold, précisant que son père était revenu du front alcoolique et avec des tendances dépressives. Elle raconta qu'Harold avait été un enfant non désiré et que sa mère avait fait sa valise pour ne jamais revenir. Son père avait ensuite connu une ribambelle de femmes et mis Harold dehors le jour de ses seize ans. Après ça, les deux hommes ne s'étaient pas revus pendant de nombreuses années.

— Et puis un beau jour, poursuivit Maureen, une

femme a téléphoné à mon mari, en se présentant comme sa belle-mère. « Vous feriez bien de venir récupérer votre père, a-t-elle déclaré, il a complètement perdu la boule. »

— C'était la maladie d'Alzheimer ?

— Je lui ai trouvé une maison de retraite, mais il est mort avant ses soixante ans. On est allés le voir plusieurs fois. Il criait beaucoup et jetait tout partout. Il ne savait plus qui était Harold. Et maintenant, mon époux suit le même chemin. Il ne fait pas qu'oublier les choses. Il y a d'autres symptômes.

— Est-ce qu'il emploie un mot à la place d'un autre ? Est-ce qu'il oublie des conversations entières ? Laisse-t-il des objets dans des endroits bizarres ? A-t-il des changements d'humeur subits ?

— Oui, oui.

Elle agita impatiemment la main.

— Je vois, dit le remplaçant en se mordillant la lèvre inférieure.

Maureen sentit la victoire proche. Le regard fixé sur lui, elle lança :

— Dites-moi… Si vous, en tant que médecin, vous pensiez qu'Harold se mettait en danger en marchant ainsi, est-ce qu'on pourrait l'arrêter ?

— L'arrêter ?

— Oui.

Elle avait la gorge en feu.

— Pourrait-on le forcer à rentrer à la maison ?

Le sang battait si fort à ses tempes que c'en était douloureux.

— Il ne pourra pas parcourir huit cents kilomètres à pied. Il ne pourra pas sauver Queenie Hennessy. Il faut qu'on l'oblige à revenir.

Les mots de Maureen résonnaient dans le silence. Elle posa les mains sur ses genoux, paumes jointes, puis elle rapprocha ses pieds. Elle avait dit ce qu'elle avait eu l'intention de dire, mais elle n'éprouvait pas ce qu'elle avait eu l'intention d'éprouver, et elle devait physiquement maîtriser l'émotion qui montait en elle.

Son interlocuteur s'était immobilisé. Elle entendit un enfant pleurer au-dehors et pensa : « Par pitié, que quelqu'un le prenne dans ses bras. »

— Il semble que nous soyons devant un cas qui, à l'évidence, nécessite l'intervention de la police, dit le médecin. Votre mari a-t-il déjà été interné ?

Maureen quitta le cabinet médical, morte de honte. En exposant le passé d'Harold et sa démarche, elle avait pour la première fois été forcée de voir les choses de son point de vue à lui. Et si l'idée de son mari était démente et contraire à sa personnalité, elle n'était pas due à la maladie d'Alzheimer. Elle avait même une certaine beauté, ne fût-ce que parce qu'enfin Harold faisait quelque chose en quoi il croyait, envers et contre tout. Finalement, Maureen avait dit au médecin qu'elle allait réfléchir et qu'elle se tracassait sans raison ; Harold était juste en train de vieillir. Il serait bientôt de retour. Peut-être même était-il déjà rentré. Elle était sortie du cabinet avec une ordonnance de légers somnifères à prendre elle-même.

Tandis qu'elle se dirigeait vers le quai, la vérité lui apparut, aussi lumineuse qu'un fanal trouant l'obscurité. Si elle était restée avec Harold durant toutes ces années, ce n'était pas à cause de David. Ce n'était même pas parce qu'elle était désolée pour son mari.

Elle était restée parce que, même si elle se sentait seule à ses côtés, le monde aurait été encore plus désolé sans lui.

Elle acheta une côte de porc et une tête de brocoli jaunissante au supermarché.

— C'est tout ? demanda la caissière.

Maureen fut dans l'impossibilité de répondre.

Elle s'engagea dans Fossebridge Road et pensa au silence qui l'attendait dans la maison. À la pile bien rangée et néanmoins impressionnante de factures à régler. Elle sentit son corps s'alourdir, son pas ralentir.

Rex était en train de tailler sa haie au sécateur lorsqu'elle atteignit le portail du jardin.

— Comment va notre patient ? demanda-t-il. Il se remet ?

Elle fit un signe de tête affirmatif et rentra chez elle.

12

Harold et les mères à bicyclette

Curieusement, c'était Mr. Napier qui, à l'époque, avait fait faire équipe à Harold et à Queenie. Il avait convoqué Harold dans son bureau orné de boiseries pour lui dire qu'il chargeait Queenie d'aller vérifier sur place les livres de comptes des pubs. Il n'avait pas confiance dans les patrons des établissements et tenait à les prendre par surprise. Mais, comme elle ne conduisait pas, il fallait que quelqu'un l'accompagne. Il avait mûrement réfléchi, expliqua-t-il en tirant sur sa cigarette, et Harold, en tant que l'un des représentants les plus anciens, et aussi l'un des rares à être marié, lui avait paru le candidat le plus approprié. Mr. Napier était planté les jambes écartées, comme si, en occupant un maximum d'espace au sol, il en imposait à tout le monde, alors qu'en réalité c'était un petit bonhomme matois vêtu d'un costume luisant, qui arrivait à peine à l'épaule d'Harold.

Harold ne put qu'accepter. Intérieurement, pourtant, il était mal à l'aise. Il n'avait plus reparlé à Queenie depuis l'embarrassant épisode du placard. En outre, il considérait que le temps qu'il passait dans sa voiture lui appartenait en propre. Il n'était pas sûr qu'elle aimerait écouter Radio 2, par exemple. Et il espérait qu'elle ne serait pas portée sur la conversation. Il avait déjà du mal avec ses collègues masculins et il ne connaissait rien aux histoires de femmes.

— Parfait. Content que ce soit réglé, dit Mr. Napier en lui tendant la main.

Elle était fluette et moite et Harold eut l'impression de saisir un petit reptile.

— Comment va madame ?

— Bien, merci, bredouilla Harold. Et comment va… ?

Il eut un instant de panique. Mr. Napier en était à sa troisième épouse en six ans, une jeune femme aux cheveux blonds coiffés en hauteur qui avait brièvement travaillé comme barmaid, et il n'aimait pas que les gens oublient son prénom.

— Veronica est dans une forme éblouissante. J'ai appris que votre fils était entré à Cambridge.

Mr. Napier sourit. L'enchaînement de ses pensées était imprévisible et Harold ne savait jamais à quoi s'attendre.

— Tout dans la tête et rien dans le pantalon, énonça-t-il en crachant la fumée sur le côté.

Il attendit en rigolant que son employé réplique, tout en sachant pertinemment qu'il ne le ferait pas.

Harold baissa la tête. Sur le bureau de Mr. Napier était posée sa collection de clowns en verre de Murano, certains avec un visage bleu, d'autres couchés sur le dos, d'autres encore jouant d'un instrument de musique.

— N'y touchez pas, dit Napier en braquant l'index sur lui tel un revolver. Ils appartenaient à ma mère.

Tout le monde savait qu'il tenait énormément à ces objets, mais Harold les trouvait affreux et difformes, avec leurs membres et leur face tordus comme de la vase asséchée et leurs couleurs coagulées. Il ne pouvait s'empêcher de penser qu'ils se moquaient de lui. Oui, même ces clowns de verre. Il sentit une vague de colère se former dans les profondeurs de son ventre.

Mr. Napier écrasa sa cigarette dans le cendrier et se dirigea vers la porte.

Au moment où Harold la franchissait à son tour, il ajouta :

— Faites attention à Queenie Hennessy, voulez-vous ? Vous savez comment sont ces garces.

Il pointa cette fois l'index vers son nez, comme pour désigner un secret partagé, sauf qu'Harold n'avait évidemment aucune idée de ce dont il s'agissait.

Harold se demanda si Mr. Napier n'était pas déjà en train d'essayer de se débarrasser d'elle, en dépit de ses compétences. Son patron ne faisait jamais confiance aux gens qui étaient meilleurs que lui.

La première tournée eut lieu quelques jours plus tard. Queenie s'approcha de sa voiture, agrippée à son sac à main carré, l'air de s'apprêter à faire des courses plutôt que de vérifier les livres de comptes d'un pub. Harold connaissait le cafetier, un type peu fiable. Il craignit un peu pour elle.

— Il paraît que c'est vous qui m'emmenez, Mr. Fry, dit-elle sur un ton légèrement autoritaire.

Ils roulèrent en silence. Elle se tenait sagement assise à côté de lui, les mains nouées sur les genoux telle une boule de chair rose. Harold n'avait jamais fait autant attention à la façon dont il prenait les virages, appuyait sur la pédale d'embrayage, ou tirait sur le frein à main à l'arrivée. Il se précipita pour ouvrir la portière du côté passager et attendit, tandis que la jambe de Queenie apparaissait et cherchait à tâtons le trottoir. Les chevilles de Maureen étaient si fines qu'elles rendaient Harold malade de désir. Celles de Queenie, au contraire, étaient épaisses. Physiquement, se disait-il, elle était mal dégrossie, un peu comme lui.

Lorsqu'il leva les yeux, il s'aperçut, mortifié, qu'elle avait les siens fixés sur lui.

— Merci, Mr. Fry, dit-elle enfin en se dirigeant vers le pub, le sac à son bras.

Il fut donc surpris, lorsqu'il alla vérifier les niveaux de bière, de découvrir que le patron de l'établissement, rouge comme une tomate, avait la sueur au front.

— Putain ! gémit-il, cette bonne femme est un démon. On ne peut rien lui cacher.

Harold ressentit une certaine admiration, teintée de fierté.

Sur le chemin du retour, elle fut de nouveau tranquille et silencieuse. Il se demanda même si elle ne dormait pas, mais il se refusa à vérifier, pour ne pas paraître impoli le cas échéant. Lorsque la voiture pénétra dans la cour de la brasserie, elle déclara soudain :

— Merci.

Il balbutia que cela avait été un plaisir.

— Je veux dire, merci pour ce qui s'est passé il y a quelques semaines. Dans le placard à fournitures.

— N'en parlons plus, répondit Harold.

Il le pensait vraiment.

— J'étais vraiment mal. Vous avez été très gentil avec moi. J'aurais dû vous remercier plus tôt, mais j'étais gênée. J'ai eu tort.

154

Il ne pouvait croiser son regard, mais il savait d'instinct qu'elle était en train de se mordre la lèvre.

— J'étais heureux de pouvoir être utile, répondit-il en reboutonnant ses gants de conduite.

— Vous êtes un homme bien, dit-elle.

Elle ouvrit sa portière avant qu'il n'ait eu le temps de le faire pour elle et sortit de la voiture. Il la suivit des yeux tandis que d'un pas régulier elle traversait la cour dans son tailleur marron, et il fut ému par sa simplicité, par son honnêteté.

Ce soir-là, en se couchant, il s'était promis en silence de respecter la remarque de Mr. Napier, quel que fût le sens que celui-ci lui donnait. Il allait faire attention à Queenie Hennessy.

La voix de Maureen avait résonné dans le noir :

— J'espère que tu ne vas pas te mettre à ronfler.

Le douzième jour, une couche grise obscurcit le ciel et le paysage, apportant des rideaux de pluie qui noyèrent formes et couleurs. Harold, le regard fixé devant lui, cherchait à conserver des repères, ou à retrouver la trouée dans les nuages qui l'avait tellement ravi, mais c'était comme de voir de nouveau le monde à travers un voile. Tout se ressemblait. Il cessa de consulter ses guides, car leurs informations ne faisaient qu'accentuer son impression de ne rien savoir. Il lui semblait mener une lutte perdue d'avance contre son corps.

Ses vêtements n'arrivaient plus à sécher. Ses chaussures avaient tellement pris l'eau que le cuir n'avait plus de forme. Whitnage. Westleigh. Whiteball. Que des endroits commençant par « W ». Des arbres. Des haies. Des poteaux télégraphiques. Des maisons. Des poubelles de tri sélectif. Il abandonna son rasoir et sa mousse à raser dans la salle de bains commune d'une maison d'hôtes et n'eut pas le courage de les remplacer. En inspectant ses pieds, il découvrit avec inquiétude que la brûlure qu'il ressentait dans le mollet était maintenant visible sous forme d'une virulente tache écarlate sous la peau. Pour la première fois, il eut très peur.

À Sampford Arundel, il appela Maureen. Il avait besoin d'entendre sa voix et il voulait qu'elle lui rappelle pourquoi il marchait, même si c'était avec fureur. Comme il ne voulait pas qu'elle soupçonne les doutes qui l'habitaient, ni les problèmes de sa jambe, il lui demanda si tout se passait bien pour elle à la maison. Elle lui répondit que oui, pour l'une et l'autre. Maureen à son tour lui demanda s'il était toujours en train de marcher et il répondit qu'il avait dépassé Exeter et Tiverton et se dirigeait vers Bath, via Taunton. Voulait-il qu'elle lui fasse parvenir quelque chose ? Son téléphone, sa brosse à dents, son pyjama, des vêtements de rechange ? Il y avait de la douceur dans la voix de Maureen, mais il se dit qu'il devait se faire des idées.

— Je vais bien, déclara-t-il.

— Donc, tu ne dois pas être loin du Somerset ?

— On peut le penser.

— Combien de kilomètres aujourd'hui ?

— Je n'en sais rien. Onze, quelque chose comme ça.

— Bien, bien.

La pluie battait le toit de la cabine téléphonique et, derrière les vitres, le jour gris ressemblait à du liquide. Harold avait envie de rester là, à parler avec Maureen, mais le silence et la distance qu'ils cultivaient depuis vingt ans avaient atteint un tel niveau que même les clichés sonnaient creux, ce qui était douloureux.

Finalement, elle déclara :

— Je dois y aller maintenant, Harold. J'ai du pain sur la planche.

— Oui. Moi aussi. Je voulais juste te faire un petit signe. Vérifier que tu allais bien.

— Oh, je vais très bien. Je suis très occupée. Le temps passe à toute vitesse. C'est à peine si je m'aperçois de ton absence. Et toi ?

— Je vais très bien moi aussi.

— Parfait.

— Oui.

Ils en restèrent là. Il se contenta de dire : « Alors, au revoir », simplement parce que c'était une phrase. Il n'avait pas plus envie de raccrocher que de marcher.

Il observa la pluie, attendant qu'elle cesse, et découvrit la présence d'un corbeau, tête penchée, ses plumes si mouillées qu'elles luisaient comme du goudron. Il aurait aimé le voir s'en aller, mais l'oiseau, seul et trempé, ne bougeait pas. Maureen était si occupée qu'elle s'était à peine aperçue de son absence.

Le dimanche, c'était presque l'heure du déjeuner lorsqu'il s'éveilla. Sa jambe le faisait toujours autant souffrir et la pluie n'avait pas cessé. Il entendait la rumeur du monde extérieur, qui continuait à tourner ; la circulation, les gens, tous pressés de vaquer à leurs occupations. Personne ne savait qui il était, ni où il était. Il resta immobile, refusant d'affronter une autre journée de marche, mais sachant qu'il ne pouvait revenir en arrière. Il se souvint de Maureen allongée près

157

de lui et il revit en pensée sa nudité menue dans toute sa perfection. La douceur de la caresse de ses doigts sur sa peau lui manquait affreusement.

La semelle de ses chaussures de bateau était devenue aussi fine que du papier à cigarette. Il s'abstint de se doucher, de se raser et d'examiner ses pieds, bien qu'il eût l'impression en se chaussant de les fourrer dans des cageots. Il s'habilla en faisant le vide dans son esprit, parce que s'il pensait, il en viendrait à la conclusion qui s'imposait. La propriétaire lui proposa un petit déjeuner malgré l'heure tardive, mais il refusa. S'il acceptait son offre aimable, si même il ne faisait que croiser son regard, il risquait de fondre en larmes.

Harold quitta Sampford Arundel et poursuivit sa route, mais chaque pas lui coûtait. Il gardait les dents serrées pour lutter contre la douleur. Ce que les gens penseraient n'avait aucune importance ; il était à l'écart, de toute façon. Son corps avait beau réclamer du repos, il ne s'arrêterait pas. Il était furieux contre lui-même d'être aussi fragile. La pluie le frappait de biais. Ses chaussures étaient tellement usées qu'il aurait pu aussi bien aller pieds nus. Maureen lui manquait et il était incapable de penser à autre chose.

Comment leur relation avait-elle pu se dégrader ainsi ? Ils avaient été heureux, à une époque. Si David, en grandissant, avait ouvert une brèche entre eux, elle s'accompagnait de complicité. « Où est David ? » demandait Maureen, et Harold répondait simplement qu'il avait entendu claquer la porte d'entrée en se lavant les dents. « Ah bon », répondait-elle, pour montrer que ce n'était pas un problème qu'à dix-huit ans, leur fils ait pris l'habitude d'errer la nuit dans les rues.

Si Harold avait évoqué ses propres angoisses, cela n'aurait fait qu'accentuer celles de sa femme. Et puis, elle cuisinait encore à cette époque. Elle partageait encore le lit d'Harold.

Mais ces tensions informulées ne pouvaient être dissimulées indéfiniment. C'est juste avant la disparition de Queenie que la faille s'était définitivement creusée, faisant tout voler en éclats. Maureen l'avait insulté. Elle avait sangloté. Elle avait martelé le torse d'Harold de ses poings.

— Et tu prétends être un homme ? avait-elle hurlé.

Et une autre fois :

— C'est ta faute. Tout ça, c'est ta faute. Tout se serait bien passé, autrement.

Ç'avait été intolérable d'entendre ces mots, et même si, ensuite, Maureen avait pleuré dans ses bras en s'excusant, ils flottaient dans l'atmosphère quand il était seul et ils ne pouvaient être retirés. Tout venait d'Harold.

Puis cela s'était arrêté. Les paroles, les cris, les regards qui cherchaient le sien. Ce silence était différent de celui d'avant. Alors qu'à une époque chacun essayait d'épargner à l'autre un surcroît de souffrance, il n'y avait désormais plus rien à sauver. Maureen n'avait même plus besoin de formuler ce qu'elle pensait. Il suffisait à Harold de la regarder pour savoir qu'aucun mot, aucun geste de sa part à lui ne pourrait arranger quoi que ce soit. Elle avait cessé de le blâmer. Elle avait cessé de pleurer devant lui ; elle ne lui accordait plus le réconfort de la tenir dans ses bras. Elle emporta ses affaires dans la chambre d'amis et il resta seul dans le lit conjugal, sans pouvoir aller vers elle parce qu'elle ne voulait pas de lui, mais torturé par ses sanglots. Le matin venu, ils utilisaient la salle de bains à des moments différents. Il s'habillait et prenait son petit déjeuner tandis qu'elle allait d'une pièce à l'autre, comme s'il n'était pas là, comme si le fait d'être en permanence en mouvement était la seule manière de contenir ses émotions.

— Je sors.

— D'accord.

— À plus tard.

— Entendu.

Les mots n'avaient aucun sens. Ils auraient aussi bien pu parler chinois. Rien ne pouvait combler ce fossé entre deux êtres humains. Juste avant de prendre sa retraite, Harold avait proposé d'assister pour une fois à la fête de Noël de la brasserie et elle l'avait regardé, bouche bée, comme s'il avait commis une agression.

Harold cessa de regarder les collines, le ciel et les arbres. Il cessa de chercher les panneaux de signalisation qui jalonneraient son voyage vers le nord. Il avançait contre le vent, tête baissée, avec la pluie pour seul horizon. L'A38 était pire que tout ce qu'il avait imaginé. Il restait sur le bas-côté et marchait si possible derrière la glissière de sécurité, mais les voitures passaient à une telle vitesse qu'il était trempé et sans cesse en danger. Au bout de quelques heures, il se rendit compte que, perdu dans ses pensées moroses, il avait fait trois kilomètres dans la mauvaise direction. Il n'avait d'autre choix que de revenir sur ses pas.

Rebrousser chemin fut encore plus pénible. Il avait l'impression de faire du sur-place. Pire, de ronger une partie de lui-même. À l'ouest de Bagley Green, il renonça et s'arrêta dans une ferme qui proposait des chambres.

L'hôte, l'air soucieux, lui déclara qu'il lui en restait une de libre. Les autres étant occupées par six femmes, des cyclotouristes qui allaient de Land's End à John o'Groats.

— Ce sont toutes des mères de famille, dit-il. À mon avis, elles sont là pour s'éclater.

Il conseilla à Harold de garder profil bas.

Harold dormit mal. Il rêvait de nouveau, tandis que les cyclistes mères de famille semblaient faire la fête. Il passait du sommeil à l'éveil, craignant la douleur de sa jambe, mais bien décidé à l'oublier. La voix des femmes devenait celle des tantes qui avaient remplacé sa mère. Il y avait des rires, et un grognement au moment où son père déchargeait. Harold resta allongé les yeux ouverts, avec des élancements dans la jambe, souhaitant que la nuit se termine au plus vite et qu'il puisse être ailleurs.

Au matin, la douleur avait empiré. Au-dessus du talon, la chair était marbrée de stries violettes et si enflée qu'elle n'arrivait pas à rentrer dans sa chaussure. Il dut forcer, grimaçant de douleur. Il surprit son reflet dans le miroir. Son visage hagard et brûlé était couvert d'une barbe de plusieurs jours semblable à des épingles. Il avait l'air mal en point. L'image qui lui vint était celle de son père dans la maison de retraite, avec ses pantoufles enfilées au mauvais pied.

— Dites bonjour à votre fils, avait dit l'aide-soignante.

En apercevant Harold, son père s'était mis à trembler.

Harold espérait avoir fini son petit déjeuner avant le réveil des cyclotouristes, mais elles envahirent la salle à manger dans une débauche de rires et de Lycra fluo, au moment où il avalait son café.

— Vous savez quoi ? lança l'une d'elles. Je me demande comment je vais pouvoir remonter sur mon vélo.

Les autres éclatèrent de rire. La femme était la plus bruyante des six, et elle donnait l'impression d'être la meneuse. Harold espérait qu'en se faisant tout petit, il parviendrait à passer inaperçu, mais elle accrocha son regard et lui fit un clin d'œil.

— J'espère que nous ne vous dérangeons pas, dit-elle.

Elle avait la peau sombre, le visage osseux, et ses cheveux étaient coupés si court que son cuir chevelu semblait exposé. Il ne put s'empêcher de regretter qu'elle ne porte pas de chapeau. Ses compagnes étaient son kit de survie, confia-t-elle à Harold. Elle se demandait où elle en serait sans elles. Elle habitait un petit appartement avec sa fille.

— Je ne suis pas du genre à vivre en couple, ajouta-t-elle. Je n'ai pas besoin d'un homme.

Elle énuméra toutes les choses qu'elle pouvait faire sans, et la liste parut bien longue à Harold, même si elle avait un débit si rapide qu'il devait se concentrer sur sa bouche pour saisir ses paroles. Il devait faire un effort pour suivre et pour comprendre, alors qu'intérieurement il souffrait horriblement.

— Je suis libre comme un oiseau, dit-elle, et elle ouvrit les bras pour illustrer son propos.

Elle avait des touffes de poils noirs sous les bras.

Il y eut des sifflements approbateurs, assortis de « Vas-y ma poule ! ». Harold avait envie de participer, mais il ne put aller au-delà d'un petit applaudissement. La femme claqua joyeusement sa paume contre celle des autres et pourtant il y avait dans sa déclaration d'indépendance quelque chose de fébrile qui le gênait pour elle.

— Je couche avec qui je veux. La semaine dernière, c'était le prof de piano de ma fille. J'ai eu aussi un bouddhiste pendant ma retraite de yoga et pourtant il avait fait vœu de chasteté.

Plusieurs de ses compagnes poussèrent des cris excités.

Harold n'avait couché qu'avec une femme, Maureen. Même quand elle avait mis ses livres de cuisine à la poubelle, qu'elle avait fait couper ses cheveux et qu'il l'entendait fermer sa porte à clé le soir, il n'avait pas cherché à en voir une autre. Il savait que les autres types de la brasserie avaient des aventures. Il y avait bien eu une barmaid qui avait ri à ses blagues, y compris les plus minables, et poussé un whisky vers lui de manière à frôler ses doigts sur le comptoir. Mais il n'avait pas eu le cran d'aller plus loin. Il ne pouvait s'imaginer avec quelqu'un d'autre que Maureen ; ils avaient partagé trop de choses. Vivre sans elle équivaudrait pour lui à arracher ses organes vitaux pour ne conserver qu'une fragile enveloppe de peau. Faute de savoir comment se comporter, il félicita la cyclotouriste, puis se leva pour prendre congé. Une douleur fulgurante remonta alors dans sa jambe, le faisant vaciller. Il dut se retenir à la table. Il fit semblant de se gratter le bras tandis que la douleur se calmait un peu, puis réapparaissait.

— Bon voyage, lui dit en français la cyclotouriste.

Elle se leva pour l'étreindre, répandant un arôme d'agrumes et de sueur pas vraiment plaisant. Puis elle recula, les bras posés sur ses épaules, et se mit à rire.

— Libre comme un oiseau, répéta-t-elle, le visage animé.

Harold eut un pincement au cœur. Sur la face interne du bras, entre le coude et le poignet, elle avait deux profondes cicatrices. Sur l'une d'elles, on voyait encore par endroits un peu de croûte. Il hocha la tête avec raideur et lui souhaita bonne chance.

Harold ne pouvait plus marcher maintenant au-delà d'un quart d'heure sans avoir besoin de s'arrêter pour reposer sa jambe droite. Son dos, sa nuque, ses bras et ses épaules étaient si endoloris qu'il avait du mal à penser à autre chose. Les gouttes de pluie qui jaillissaient des toits et rebondissaient sur le macadam étaient autant de piqûres d'épingle sur sa peau. Au bout d'une heure seulement, il titubait et n'avait plus qu'une envie : s'arrêter. Il aperçut devant lui des arbres et quelque chose de rouge qui ressemblait à un drapeau. Les gens laissaient vraiment des objets incongrus au bord de la route.

La pluie s'écrasait sur les feuilles, les faisant frissonner, et l'air était empli de l'odeur du tapis de feuilles en décomposition qu'il foulait. Quand Harold s'approcha de la tache rouge, il découvrit que c'était en fait un T-shirt imprimé de l'équipe de foot de Liverpool, suspendu à une croix de bois.

Il était déjà passé devant plusieurs autels en mémoire d'un mort élevés au bord de la route, mais aucun ne

164

le perturba autant que celui-ci. Il savait qu'il ferait mieux de traverser et de ne pas le regarder et pourtant il ne put résister. L'installation l'attirait, comme quelque chose d'interdit. Un proche ou un ami avait décoré la croix avec des guirlandes de Noël en forme de sapin et une couronne de houx en plastique. Harold examina les fleurs décolorées qui se fanaient sous la Cellophane et la photo placée dans un étui transparent. L'homme, brun et trapu, avait la quarantaine, et l'on voyait une main d'enfant posée sur son épaule. Il souriait à l'appareil. *Au meilleur papa du monde*, pouvait-on lire sur une carte détrempée.

Quel éloge funèbre écrirait-on pour le pire des pères ?

— Va te faire foutre ! avait craché David, tandis que ses jambes se dérobaient sous lui et qu'il semblait en danger de tomber la tête la première dans l'escalier. Va te faire foutre !

Harold essuya la pluie sur la photo avec un coin propre de son mouchoir et ôta les gouttes d'eau des fleurs d'une chiquenaude. En reprenant sa marche, il fut incapable de penser à autre chose qu'à la cyclotouriste. Il se demandait à quel moment elle s'était sentie désespérée au point de se taillader les veines des poignets et de laisser le sang couler. Qui l'avait trouvée et que s'était-il passé ensuite ? Avait-elle voulu être sauvée ? Ou bien l'avait-on ramenée à la vie au moment où elle pensait s'en être libérée ? Il regrettait de ne pas lui avoir dit quelque chose, des mots qui l'auraient définitivement empêchée de recommencer. S'il l'avait réconfortée, il aurait pu la laisser partir. Or il savait que parce qu'il l'avait rencontrée et écoutée, il portait maintenant un poids de plus et il s'interrogeait sur la capacité de son cœur à en supporter davantage. Malgré la douleur et son corps transi, malgré le trouble de son esprit, il s'obligea à forcer l'allure.

Harold atteignit les faubourgs de Taunton à la fin de l'après-midi. Les maisons, serrées les unes contre les autres, étaient hérissées de paraboles. Des voilages gris ornaient les fenêtres, dont certaines étaient pourvues de volets métalliques. La pluie avait couché les rares jardins qui avaient échappé au béton. Les pétales d'une fleur de cerisier disséminés sur le trottoir ressemblaient à du papier mouillé. Les voitures qui passaient à toute vitesse faisaient un tel vacarme que c'en était douloureux et les routes paraissaient couvertes d'une couche d'huile.

Un souvenir, l'un de ceux qu'il redoutait, lui revint soudain en mémoire. En temps normal, il les refoulait parfaitement. Il tenta de penser à Queenie, mais même cela ne fonctionna pas. Il balança les coudes afin d'accélérer le rythme et allongea tant le pas qu'il fut vite essoufflé. Mais rien ne pouvait le mettre à l'abri du souvenir de cet après-midi où tout s'était arrêté, vingt ans plus tôt. Il voyait sa main tendue vers la porte en bois ; il sentait la chaleur du soleil sur ses épaules ; il respirait l'odeur de moisi dans l'air réchauffé ; il entendait le calme d'un silence différent de ce qu'il aurait dû être.

— Non ! hurla-t-il en boxant la pluie.

Soudain, il sentit son mollet exploser comme si la peau s'était fendue en deux. Le sol bascula et sembla monter à sa rencontre. Il tendit une main pour l'arrêter, mais au même moment ses genoux se dérobèrent sous lui et son corps heurta le sol. Il sentit une brûlure sur ses mains et ses genoux.

« Pardonne-moi. Pardonne-moi. De t'avoir abandonné. »

Tout ce dont il se souvint, c'est que quelqu'un le tirait par la manche et demandait à grands cris qu'on appelle une ambulance.

13

Harold et le médecin

Dans sa chute, Harold s'entailla les mains et les genoux et s'écorcha les deux coudes. La femme était à la fenêtre de sa salle de bains quand il était tombé et s'était précipitée à son secours. Elle l'aida à se relever, récupéra le contenu de son sac en plastique, puis le soutint pour traverser la rue en agitant les bras pour que les voitures les laissent passer.

— Médecin ! Médecin ! criait-elle.

Une fois chez elle, elle l'installa dans un fauteuil et desserra sa cravate. La pièce, peu meublée, avait un aspect froid ; une télévision était posée sur une boîte en carton. Un chien aboyait derrière une porte close. Harold n'était pas très à l'aise avec les chiens.

— Quelque chose de cassé ? demanda-t-il.

Elle prononça des mots qu'il ne comprit pas.

— Il y avait un pot de miel, reprit-il d'une voix plus inquiète. Il est intact ?

La femme fit oui de la tête et lui prit le pouls. Elle posa le bout de ses doigts sur son poignet et compta à mi-voix en regardant dans le vide comme si elle voyait des formes au-delà des murs. Elle était

169

jeune, mais elle avait les traits tirés et son ensemble de jogging qui flottait sur elle appartenait visiblement à quelqu'un d'autre. Un homme, sans doute.

— Je n'ai pas besoin d'un docteur, déclara Harold d'une voix rauque. S'il vous plaît, ne faites pas venir d'ambulance, ni de médecin.

Il ne voulait pas rester chez elle. Il ne voulait pas lui faire perdre son temps, ni se rapprocher d'une autre personne inconnue, et il avait peur qu'elle ne le renvoie chez lui. Il voulait parler à Maureen, mais il craignait en même temps de ne pas trouver les mots qu'il faudrait pour la rassurer. Il regrettait de s'être laissé aller à tomber malgré sa volonté de continuer sa route.

La jeune femme lui apporta un mug de thé, en lui présentant l'anse de façon qu'il ne se brûle pas les doigts. Elle parlait de nouveau et il ne saisissait toujours pas le sens de ses paroles. Il tenta de sourire, comme s'il avait compris, mais elle ne le quittait pas des yeux, dans l'attente de sa réponse. Elle répéta alors sa phrase, plus fort et moins vite :

— Qu'est-ce que vous foutiez sous la pluie ?

Il s'apercevait maintenant qu'elle avait un fort accent. D'Europe de l'Est, peut-être. Maureen et lui avaient lu des trucs sur les gens comme elle dans la presse. Ils venaient ici pour bénéficier des avantages sociaux, disaient les journaux. Pendant ce temps, le chien se déchaînait et, au bruit, il ressemblait plus à un animal sauvage qu'à un chien. Il se jetait de toutes ses forces sur les parois de sa prison temporaire et risquait fort de mordre au moins l'un des deux quand on le libérerait. On parlait aussi de ce genre de chiens dans la presse.

Harold déclara à la jeune femme qu'il partirait dès

170

qu'il aurait bu son thé. Il raconta son histoire, qu'elle écouta en silence. C'était pour cette raison qu'il ne voulait pas s'arrêter, ni consulter un docteur ; il avait fait une promesse à Queenie et il devait la tenir. Il avala une gorgée de thé et contempla la fenêtre. Un gros tronc d'arbre se dressait juste devant. Ses racines étaient certainement en train d'endommager la maison et il avait besoin d'être élagué. Au-delà, la circulation était dense. Harold appréhendait de retourner à l'extérieur et pourtant il n'avait pas le choix. Lorsqu'il reposa les yeux sur la jeune femme, elle était toujours en train de le regarder, et elle ne souriait toujours pas.

— Mais vous êtes dans un état de merde.

C'était dit sans l'ombre d'une émotion ou d'un jugement.

— Oui, approuva Harold.

— Vos chaussures sont dans un état de merde. Votre corps, pareil. Et aussi vos lunettes.

Elle brandit ses lunettes en deux moitiés, une dans chaque main.

— De tous les côtés, c'est la merde. Comment vous croyez réussir à parvenir à Berwick ?

Cela lui rappela la façon délibérée de jurer qu'avait David ; comme s'il avait bien réfléchi et qu'étant donné ses sentiments à l'égard de son père, seules les expressions les plus ordurières convenaient.

— Vous avez raison, je suis comme vous dites dans un état de merde.

Harold baissa la tête. Son pantalon était maculé de boue et effiloché aux genoux. Ses chaussures étaient détrempées. Il regrettait de ne pas les avoir ôtées en arrivant.

— Je reconnais que la route est affreusement longue

171

jusqu'à Berwick. Je reconnais que je ne suis pas habillé comme il faut. Et je reconnais que je n'ai ni l'entraînement ni les capacités physiques pour une telle marche. Je ne saurais expliquer pourquoi je pense que je peux y arriver, alors que tout s'y oppose. Mais je le pense. Même si une grande partie de moi-même me dit que je devrais renoncer, c'est impossible. Même si je ne veux plus avancer, je continue malgré tout.

Il parlait d'une voix mal assurée, parce que ce qu'il disait était difficile et l'angoissait.

— Je suis vraiment désolé, mais je crois que mes chaussures ont mouillé votre moquette.

À sa grande surprise, lorsqu'il regarda la jeune femme à la dérobée, il vit qu'elle souriait pour la première fois. Elle lui proposa de l'héberger pour la nuit.

Au bas des escaliers, elle donna un coup de pied dans la porte derrière laquelle se trouvait le chien furieux et demanda à Harold de la suivre. Comme il avait peur du chien et qu'il ne voulait pas inquiéter la jeune femme avec sa douleur, il essaya de monter aussi vite qu'elle. À vrai dire, depuis sa chute, il avait l'impression d'avoir des pointes enfoncées dans les paumes et les genoux, et il ne pouvait s'appuyer sur sa jambe droite. La jeune femme lui dit qu'elle s'appelait Martina et qu'elle venait de Slovaquie. Elle demanda à Harold d'excuser ce trou à rats et aussi le bruit.

— On a pensé que cet endroit de merde serait temporaire, précisa-t-elle.

Harold s'efforça de paraître familier avec ce genre de langage. Il ne tenait pas à avoir l'air de quelqu'un qui critique.

172

— Je jure beaucoup trop, reconnut-elle, comme si elle lisait dans ses pensées.

— Vous êtes chez vous, Martina. Vous avez le droit de dire ce que vous voulez.

En bas, le chien continuait à aboyer et à s'escrimer sur la porte.

— Ferme ta gueule, enfoiré ! hurla-t-elle.

Harold aperçut les plombages de ses dents du fond.

— Mon fils voulait un chien, déclara-t-il.

— Il n'est pas à moi. C'est celui de mon compagnon.

Elle ouvrit la porte d'une pièce à l'étage et s'effaça pour le laisser entrer.

La pièce avait l'odeur du vide et de la peinture fraîche. Les murs étaient blancs et, sur le dessus-de-lit pourpre, assorti aux rideaux, trois coussins ornés de sequins recouvraient les oreillers. Harold fut touché de voir que Martina, malgré toute son âpreté, s'était donné autant de mal pour l'aménagement. Les branches supérieures et les feuilles de l'arbre s'écrasaient contre la fenêtre.

— J'espère que vous serez bien ici, dit-elle.

Il l'assura que ce serait le cas. Une fois seul, il se laissa aller sur le lit et la douleur lui déchira tous les muscles. Il savait qu'il devait examiner les entailles et les nettoyer, mais il n'avait pas le courage de lever le petit doigt. Il n'avait même pas le courage d'ôter ses chaussures.

Il ignorait comment il allait pouvoir continuer ainsi. Il avait peur et il se sentait seul. Cela lui rappelait son adolescence, lorsqu'il se cachait dans sa chambre tandis que son père s'effondrait parmi ses bouteilles ou faisait l'amour aux tantes. Il regrettait d'avoir accepté l'offre de Martina pour la nuit. Peut-être était-elle déjà en train de téléphoner à un médecin ? Il l'entendait parler au rez-de-chaussée, mais il avait beau tendre l'oreille, il ne reconnaissait aucun des mots qu'elle prononçait. Peut-être discutait-elle avec son compagnon. Peut-être son compagnon insisterait-il pour le raccompagner chez lui.

Il sortit la lettre de Queenie de sa poche, mais, sans ses lunettes, les mots se chevauchaient.

Cher Harold, tu seras sans doute surpris de recevoir ce courrier. Notre dernière rencontre date de longtemps, je sais, mais ces temps-ci, j'ai beaucoup pensé au passé. L'an dernier, j'ai été opérée d'une tumeur, mais le cancer s'est disséminé et il n'y a plus rien à faire. Je suis en paix et je ne souffre pas, mais je voulais te remercier de l'amitié dont tu as fait preuve envers moi autrefois. Transmets mes amitiés à ta femme. Je pense toujours à David avec affection. Bien amicalement.

Il entendait sa voix calme et posée comme si elle était en face de lui. Mais la honte… La honte d'être celui qui avait laissé tomber une femme bien et n'avait jamais cherché à réparer.

— Harold, Harold !

Il devait aller là-bas. Il devait aller à Berwick. Il devait la trouver.

— Est-ce que ça va ?

Il s'agita. La voix n'était pas celle de Queenie. Elle appartenait à la femme qui l'hébergeait, Martina. Il avait du mal à faire la part du passé et du présent.

— Je peux entrer ? demanda-t-elle.

Harold tenta de se lever, mais la porte s'ouvrit avant qu'il soit sur ses pieds et la jeune femme le surprit dans une bizarre position accroupie, mi-debout, mi-assis sur le lit. Elle resta sur le seuil, une cuvette pleine d'eau à la main et deux serviettes sur le bras. Dans l'autre main, elle tenait une trousse de premiers secours en plastique.

— Pour vos pieds, précisa-t-elle en désignant de la tête les chaussures de bateau.

— Il n'est pas question que vous me laviez les pieds.

Harold était debout, maintenant.

— Je ne suis pas venue les laver, mais vous marchez bizarrement. Je dois jeter un coup d'œil.

— Ils vont bien. Pas de souci.

Elle fronça impatiemment les sourcils et posa la cuvette en plastique sur sa hanche pour alléger la charge.

— Vous les soignez comment ?

— Je mets des pansements adhésifs.

Martina rit, mais pas comme quelqu'un qui trouverait cela drôle.

— Harold, si vous pensez aller jusqu'à votre foutu Berwick, nous devons vous mettre d'aplomb.

C'était la première fois que quelqu'un parlait de sa marche en s'y associant. Il en aurait pleuré de reconnaissance, mais il se contenta d'acquiescer de la tête et se rassit.

Martina s'agenouilla. Elle ajusta sa queue-de-cheval, puis étala soigneusement l'une de ses serviettes sur le tapis en lissant bien les bords. On n'entendait plus que le bruit de la circulation, et le crissement des branches de l'arbre poussées contre la vitre par la pluie et le

175

vent. Le jour baissait, mais elle n'alluma pas de lampe. Elle attendit, les mains ouvertes en coupe.

Malgré la douleur, Harold se pencha pour ôter ses chaussures et ses chaussettes, et décoller les pansements les plus récents. Il sentait sur lui le regard attentif de Martina. Quand il mit ses pieds nus côte à côte, il les considéra comme s'ils appartenaient à un autre et cela lui fit un choc. Ils étaient d'un blanc maladif tirant sur le gris, et l'empreinte de ses chaussettes marquait la peau. Il avait des ampoules sur les orteils, les talons et le cou-de-pied ; certaines saignaient, d'autres étaient des poches de pus enflammées. L'ongle du gros orteil, aussi dur que de la corne, était violacé à l'endroit où il butait contre le bout de la chaussure. Au talon, la callosité qui s'était formée était fissurée et sanguinolente par endroits. Il évita de respirer l'odeur.

— Vous n'avez pas besoin d'en voir plus, n'est-ce pas ?

— Si, répondit-elle. Retroussez votre bas de pantalon.

Le contact du tissu sur son mollet droit le fit grimacer. Jusque-là, aucune personne inconnue n'avait touché sa peau nue. Il se souvint du soir de ses noces à Holt, quand il avait observé d'un œil critique son torse nu dans le miroir de la salle de bains avec la peur que Maureen ne soit déçue.

Martina attendait.

— Ne vous inquiétez pas, je sais ce que je fais, dit-elle. J'ai la formation qu'il faut.

Le pied droit d'Harold se réfugia de son propre chef derrière sa cheville gauche et y resta caché.

— Vous voulez dire que vous êtes infirmière ?

Elle lui jeta un regard sardonique.

176

— Médecin. De nos jours, il y a des femmes dans la profession, vous savez. J'ai été formée dans un hôpital en Slovaquie. C'est là que j'ai rencontré mon compagnon. Il y travaillait, lui aussi. Donnez-moi votre pied, Harold. Je vous promets de ne pas vous renvoyer chez vous.

Il n'avait pas le choix. Avec délicatesse, elle souleva sa cheville et il sentit la douce tiédeur de ses paumes sur sa peau. Elle descendit ensuite jusqu'à la plante de ses pieds. En apercevant le bleu au-dessus de la cheville droite, elle s'arrêta, le front plissé, et en rapprocha son visage. Ses doigts coururent sur le muscle abîmé, ce qui déclencha un feu d'artifice d'élancements dans la jambe.

— Ça fait mal ?

Oui, ça faisait mal. Très mal. Il devait serrer les fesses pour ne pas grimacer.

— Pas vraiment, dit-il.

Elle souleva sa jambe et examina le dessous.

— L'hématome remonte jusqu'à l'arrière du genou, constata-t-elle.

— Ça ne fait pas mal, répéta-t-il.

— Si vous continuez à marcher avec une jambe dans cet état, ça va s'aggraver. Et il faut soigner ces ampoules. Je vais drainer les plus importantes. Ensuite, je vous banderai les pieds. Il faudra apprendre à le faire.

Il l'observa sans broncher pendant qu'elle perçait la première poche de pus avec une aiguille. Elle appuya pour évacuer le liquide en veillant bien à laisser le lambeau de peau intact. Harold la laissa guider son pied gauche vers la cuvette emplie d'eau tiède. C'était un geste d'une grande intimité, entre cette femme et son pied, pouvait-on dire, à l'exclusion du reste de sa personne. Il choisit de regarder au plafond pour éviter de poser les yeux là où il ne fallait pas. Terriblement anglais, comme comportement, mais pas question de faire autrement.

Il avait toujours été trop anglais ; autrement dit, il se trouvait ordinaire. Manquant de relief. Les autres connaissaient des histoires intéressantes ou avaient des questions à poser. Il n'aimait pas poser des questions, parce qu'il n'aimait pas offenser. Il mettait chaque jour une cravate, mais il se demandait parfois s'il ne s'accrochait pas à un ordre ou à un ensemble de règles qui n'avaient jamais vraiment existé. Peut-être que tout aurait été différent s'il avait reçu une véritable instruction. Terminé sa scolarité. Fréquenté l'université. En fait, son père lui avait offert un manteau le jour de ses seize ans et lui avait montré la porte. Le manteau n'était pas neuf ; il sentait l'antimite et il y avait un ticket de bus dans la poche intérieure.

— C'est triste de le voir partir, avait déclaré sa tante Sheila, sans pour autant avoir la larme à l'œil.

De toutes les tantes, elle était sa préférée. Elle s'était penchée vers lui pour l'embrasser, répandant de telles ondes parfumées qu'il avait dû s'éloigner de peur d'avoir la sottise de l'étreindre.

Il avait été soulagé de laisser son enfance derrière lui. Et même s'il avait accompli ce que son père n'avait jamais fait – il avait trouvé du travail, subvenu aux besoins de sa famille et aimé sa femme et son fils, à sa façon –, Harold se rendait parfois compte que le silence de ses jeunes années l'avait suivi au domicile conjugal et était venu se nicher sous le tapis et derrière le papier peint et les rideaux. Le passé était le

178

passé ; on ne pouvait échapper au début de sa vie. Même avec une cravate.

David n'en était-il pas la preuve ?

Martina posa le pied d'Harold sur sa cuisse et le sécha avec une serviette moelleuse en prenant soin de ne pas frotter. Elle déposa un peu de pommade antibiotique sur son doigt et l'appliqua à petites touches. Une rougeur marbrait le doux sillon au-dessous de sa gorge. Son visage était crispé par la concentration.

— Vous devriez porter deux paires de chaussettes, pas une seule, dit-elle sans lever les yeux Et pourquoi n'avez-vous pas de chaussures de randonnée ?

— J'avais l'intention d'en acheter à Exeter, mais après tout ce temps sur la route, j'ai changé d'avis. Les chaussures que j'avais aux pieds m'ont semblé très bien. Je ne vois pas pourquoi il m'en faudrait des nouvelles.

Martina croisa son regard et sourit. Sans doute avait-il dit quelque chose qui lui plaisait et créait un lien entre eux. Elle lui confia que son compagnon aimait marcher. Ils avaient d'ailleurs l'intention d'aller passer quelques jours en été dans les collines du Lake District.

— Vous pourriez peut-être emprunter ses vieux bottillons ? Il en a acheté une nouvelle paire. Ils sont encore dans leur boîte au fond de mon armoire.

Harold répondit qu'il était très heureux avec ses chaussures de bateau. Il leur devait une espèce de fidélité, ajouta-t-il.

— Mon compagnon, quand il a des ampoules terribles, il les entoure de ruban adhésif pour continuer à avancer.

D'un geste souple et rassurant, Martina essuya ses mains avec une serviette en papier.

— Vous devez être un très bon médecin, déclara Harold.

Elle leva les yeux au ciel.

— En Angleterre, on ne me propose que des ménages. Vous trouvez que vos pieds sont épouvantables. Si vous voyiez l'état des putains de chiottes que je dois récurer !

Ils rirent tous les deux, puis elle demanda :

— Est-ce que votre fils a fini par avoir son chien ?

Une douleur violente parcourut Harold. Les doigts de Martina s'immobilisèrent et elle lui jeta un coup d'œil, inquiète à l'idée qu'elle ait pu toucher un nouveau bleu. Il se contracta et s'obligea à respirer calmement jusqu'à ce qu'il soit capable de former des mots.

— Non, répondit-il enfin, j'aurais bien aimé, mais ça n'a pas été le cas. J'ai été en dessous de tout avec mon fils il y a vingt ans, j'en ai peur.

Martina se pencha en arrière, comme si elle avait besoin d'une nouvelle perspective.

— Avec votre fils et avec Queenie ? Vous avez été en dessous de tout avec les deux ?

Elle était la première personne à poser des questions sur David depuis bien longtemps. Harold avait envie d'ajouter quelque chose, mais il ne savait par où commencer. Il était assis là, le pantalon remonté jusqu'aux genoux, dans une maison inconnue, et son fils lui manquait terriblement.

— Ça ne rattrapera rien, dit-il.

Les larmes lui vinrent aux yeux. Il cligna des paupières pour les refouler.

Martina prit un morceau de coton pour nettoyer les

entailles sur ses paumes. L'antiseptique lui piqua la
peau, mais il ne broncha pas. Il tendit les mains et la
laissa les nettoyer.

*

Martina lui prêta son téléphone, mais, lorsqu'il
appela Maureen, la communication était mauvaise. Elle
ne semblait pas comprendre où il se trouvait, malgré
ses explications.

— Tu es chez qui ? répétait-elle sans cesse.

Ne tenant pas à lui parler de sa jambe, ni de sa
chute, il lui dit que sa marche se déroulait bien. Le
temps passait à toute allure.

Martina lui donna un analgésique léger, mais il
dormit mal. Le bruit de la circulation le réveillait sans
cesse, tout comme la pluie qui s'abattait sur l'arbre
près de la fenêtre. De temps à autre, il vérifiait l'état
de son mollet en pliant sa jambe dans l'espoir d'une
amélioration, mais sans oser s'appuyer dessus. Il revit
en imagination la chambre de David, avec ses rideaux
bleus, puis la sienne, avec l'armoire qui ne contenait
rien d'autre que ses costumes et ses chemises, et enfin
la chambre d'amis qui gardait l'odeur de Maureen,
jusqu'à ce qu'il finisse par s'endormir.

Le lendemain matin, à son réveil, Harold étira
d'abord son côté gauche, puis son côté droit, articulation après articulation, en bâillant jusqu'à ce que
ses yeux pleurent. Il n'entendait plus la pluie. La
lumière qui provenait de la fenêtre passait à travers
les feuilles, projetant des ombres qui venaient former
des vaguelettes sur le mur blanc. Il s'étira de nouveau

et se rendormit sur-le-champ pour ne se réveiller qu'à onze heures.

Après avoir examiné sa jambe, Martina déclara qu'elle avait l'air d'aller un peu mieux, mais elle déconseilla à Harold de marcher. Elle changea les pansements de ses pieds et lui demanda s'il voulait bien se reposer encore un jour chez elle ; le chien de son compagnon apprécierait une présence pendant qu'elle irait travailler. L'animal était trop souvent seul.

— J'ai eu une tante qui avait un chien, dit Harold. Il me mordait quand personne ne le voyait.

Martina se mit à rire et il l'imita, même si, à l'époque, il avait mal vécu cette situation, à l'origine d'une certaine souffrance et d'une grande solitude.

— Ma mère a quitté la maison un peu avant mes treize ans. Mon père et elle étaient très malheureux. Lui buvait et elle avait envie de voyager. C'est tout ce dont je me souviens. Après son départ, il est allé encore plus mal pendant quelque temps, et puis les voisines ont appris ce qui s'était passé. Elles se sont fait un plaisir de le materner. Du coup, mon père s'est épanoui. Il a ramené une kyrielle de tantes à la maison. C'est devenu une espèce de Casanova.

Jamais, auparavant, Harold n'avait parlé avec une telle franchise de son passé. Il espérait ne pas avoir l'air trop pitoyable.

Un sourire joua sur les lèvres de Martina.

— Des tantes ? C'étaient des vraies ?

— Il s'agit d'une métaphore, bien sûr. Il les rencontrait dans des pubs. Elles restaient un moment, puis elles disparaissaient. Chaque mois, la maison sentait un nouveau parfum. Il y avait toujours des sous-vêtements différents en train de sécher sur la corde à linge. Je

182

passais mon temps allongé dans l'herbe, le nez en l'air. Je n'avais jamais rien vu d'aussi beau.

Le sourire de Martina se transforma en un autre rire. Harold remarqua que son visage s'adoucissait lorsqu'elle était heureuse, et que le rouge était joli sur ses joues. Une mèche de cheveux s'échappa de sa queue-de-cheval stricte. Il apprécia qu'elle ne la remette pas en place.

Pendant quelques instants, il revit en imagination le visage de Maureen jeune, levé vers le sien avec une expression dépouillée de tout artifice, sa bouche tendre entrouverte dans l'attente de ce qu'il allait dire ensuite. Le souvenir de l'excitation qu'il éprouvait en retenant son attention était si vif qu'il aurait aimé continuer à amuser Martina, mais il ne sut que dire.

— Vous n'avez jamais revu votre mère ? demanda-t-elle.

— Non.

— Vous ne l'avez jamais recherchée ?

— Il m'arrive de le regretter. J'aurais aimé lui dire que j'allais bien, au cas où elle se serait souciée de mon sort. Mais elle n'était pas faite pour la maternité. Au contraire de Maureen qui, elle, a visiblement su aimer David dès le début.

Il se tut et Martina l'imita. Il savait qu'il n'avait rien à craindre pour ses confidences. Cela avait été pareil avec Queenie. Il était sûr que s'il lui disait des choses dans la voiture, elle les garderait au chaud parmi ses pensées, sans porter de jugement ni s'en servir contre lui à l'avenir. Il supposait que c'était ça, l'amitié, et il regrettait de s'en être passé pendant tant d'années.

*

Dans l'après-midi, pendant que Martina faisait ses ménages, Harold rafistola ses lunettes avec du spara-drap, puis il maintint la porte de derrière ouverte afin de nettoyer le petit jardin. Le chien le regarda faire avec intérêt, mais il n'aboya pas. Harold trouva les outils du compagnon de Martina et tailla la bordure de la pelouse ainsi que la haie. Il avait la jambe raide et, comme il ne se rappelait plus ce qu'il avait fait de ses chaussures, il marchait pieds nus. La poussière tiède était un velours sous ses talons et dénouait la tension. Il se demanda s'il avait le temps d'attaquer l'arbre qui obscurcissait la fenêtre de la chambre, mais il était trop haut et il n'y avait pas d'échelle.

À son retour du travail, Martina lui tendit un sac de papier brun dans lequel il découvrit ses chaussures de bateau ressemelées et cirées. Elle avait même mis des lacets neufs.

— La Sécurité sociale n'offre pas ce genre de ser-vices, dit-elle.

Puis elle s'éloigna avant qu'il n'ait eu le temps de la remercier.

Ce soir-là, ils dînèrent ensemble et Harold lui rap-pela qu'il tenait à la dédommager pour la chambre. Elle répondit qu'ils se reverraient le lendemain matin, mais il hocha négativement la tête. Il partirait aux premières lueurs du jour, car il devait rattraper le temps perdu. Le chien était assis à ses pieds, la tête sur ses genoux.

— Je regrette de n'avoir pu faire la connaissance de votre compagnon, dit-il.

Martina fronça les sourcils.

— Il ne reviendra pas.

Il vacilla comme s'il avait reçu un coup de poing. Il devait brusquement considérer Martina et sa vie sous un autre angle et c'était assez brutal.

— Je ne comprends pas, dit-il. Où est-il ?

— Je n'en sais rien.

Le visage de Martina s'assombrit. Elle repoussa son assiette, encore à demi pleine.

— Comment ça, vous n'en savez rien ?

— Vous devez me croire foutrement cinglée.

Harold pensa aux gens qu'il avait rencontrés depuis le début de son voyage. Ils étaient tous différents, mais pas un seul ne lui avait paru bizarre. Il considéra sa propre vie et se dit qu'elle devait sembler bien ordinaire, vue de l'extérieur, alors qu'en réalité elle possédait tant de zones sombres et troublées.

— Je ne vous crois pas du tout cinglée, dit-il.

Il lui tendit la main et elle la considéra comme si une main était quelque chose qu'elle n'avait encore jamais envisagé de tenir. Puis elle posa les doigts sur les siens.

— On est venus en Angleterre pour qu'il trouve un meilleur travail. Au bout de quelques mois, un samedi, une femme débarque avec deux valises et un bébé. « Il a un enfant », qu'elle me dit.

Martina serra la main d'Harold dont elle pressa douloureusement l'alliance.

— Je n'étais pas au courant pour cette autre femme. Ni pour l'enfant. Quand il est revenu, je me suis dit qu'il allait les jeter dehors. Je savais combien il m'aimait. Mais il ne l'a pas fait. Il a pris son petit dans les bras et c'était comme si j'étais devant un inconnu. J'ai dit que je sortais faire un tour. À mon retour, ils étaient partis.

La peau de Martina était si pâle qu'on voyait les veines sur ses paupières.

— Il a laissé toutes ses affaires. Son chien. Ses outils de jardinage. Même ses nouvelles chaussures de randonnée. Il aime marcher. Chaque jour, au réveil, je me dis : « Aujourd'hui, il va revenir. » Et chaque jour, il ne revient pas.

Pendant quelques instants, il n'y eut que le silence. Harold fut de nouveau frappé par la rapidité avec laquelle la vie pouvait basculer.

— Il va peut-être revenir.

— Ça fait un an.

— Qui peut savoir ?

— Moi, je sais.

Elle renifla, comme si elle avait attrapé un rhume, sans qu'aucun des deux soit dupe pour autant.

— Et vous, vous allez jusqu'à Berwick-upon-Tweed à pied, dit-elle.

Il craignit de l'entendre répéter qu'il n'y arriverait pas, mais elle ajouta :

— Si seulement j'avais un peu de votre foi.

— Mais vous l'avez !

— Non. J'attends quelque chose qui n'arrivera jamais.

Elle restait là, immobile, et il savait qu'elle pensait au passé. Il savait aussi que sa propre foi, telle qu'elle était, était une chose fragile.

Harold débarrassa l'assiette de Martina et l'emporta à la cuisine, où il fit couler de l'eau chaude dans l'évier et rinça les casseroles sales. Il donna les restes au chien en pensant à elle, qui attendait un homme qui ne reviendrait pas. Il pensa à sa femme, qui nettoyait des taches qu'il ne voyait pas. Il eut l'impression étrange qu'il comprenait mieux et il aurait aimé pouvoir le dire à Maureen.

Plus tard, tandis qu'il remplissait son sac en plastique dans sa chambre, un léger frottement dans le couloir, suivi d'un coup frappé contre le battant, lui fit ouvrir la porte. Martina lui tendit deux paires de chaussettes de randonnée ainsi qu'un rouleau d'adhésif bleu. Puis elle lui passa au poignet un sac à dos et lui glissa une boussole en cuivre dans la main. Ces objets avaient appartenu à son compagnon. Il était sur le point de jurer qu'il ne pouvait plus rien emporter, mais elle tendit son visage vers le sien et lui planta un baiser sur la joue.

— Portez-vous bien, Harold, dit-elle. Et vous ne me devez rien pour la chambre. Vous êtes mon invité.

La boussole était tiède et lourde dans la main d'Harold.

Il partit comme il l'avait annoncé, aux premières lueurs de l'aube. Il déposa une carte postale sur l'oreiller, avec un mot de remerciement pour Martina, ainsi que les sets de table plastifiés, car ils lui seraient certainement plus utiles qu'à Queenie. À l'est, une fissure s'était ouverte dans la nuit, révélant une pâle bande de lumière qui commença à monter et à remplir le ciel. Il tapota la tête du chien au bas de l'escalier.

Harold referma doucement derrière lui la porte d'entrée pour ne pas réveiller Martina, mais elle l'observait depuis la fenêtre de sa salle de bains, le nez contre la vitre. Il ne regarda pas en arrière. Il ne fit pas un signe d'adieu. Quand il aperçut son profil, il se mit en marche d'un pas aussi assuré que possible, tout en se demandant si elle s'inquiétait pour ses ampoules, et en regrettant de la laisser seule avec pour unique compagnie un chien et des chaussures de randonnée. C'était dur d'avoir été son hôte. C'était dur de comprendre un peu les choses, puis de s'en aller.

14

Maureen et Rex

Après sa conversation avec le médecin remplaçant, Maureen perdit un peu plus le moral. Elle pensait à la visite que lui avait faite Queenie vingt ans auparavant et elle se sentait honteuse de ne pas s'être montrée plus gentille avec elle.

Maintenant, en l'absence d'Harold, les journées s'écoulaient en un flot continu et elle les regardait passer avec apathie, sans savoir comment les remplir. Elle décidait par exemple de changer les draps, pour se rendre compte ensuite que c'était inutile, dans la mesure où il n'y avait plus personne pour la voir refermer brutalement le panier à linge ou l'entendre gémir qu'elle pouvait se débrouiller sans aide, merci. Elle posait la carte routière dépliée sur la table de la cuisine, mais chaque fois qu'elle y jetait un coup d'œil pour tenter de suivre la progression d'Harold, cela ne faisait que renforcer son sentiment de solitude. Son vide intérieur était tel qu'elle avait l'impression d'être invisible, elle aussi.

Maureen se fit chauffer une petite boîte de soupe à la tomate. Comment en étaient-ils arrivés à ce qu'Harold soit en train de marcher jusqu'à Berwick tandis qu'elle restait oisive à la maison ? À quel moment avait-elle trébuché ? Contrairement à lui, elle avait fait des études correctes. Elle avait pris des cours de secrétariat, puis suivi les cours de français par correspondance de l'Université ouverte quand David était à l'école primaire. Elle aimait jardiner. Le moindre carré de leur parcelle de Fossebridge Road produisait des fruits ou des fleurs. Elle avait cuisiné tous les jours, lu les livres de recettes d'Elizabeth David et pris plaisir à rechercher de nouveaux ingrédients.

— Aujourd'hui, on est en Italie, *buon appetito* ! lançait-elle avec un grand rire à Harold et à David en déboulant dans la salle à manger avec un risotto aux asperges.

Maintenant, les regrets la submergeaient. Où était passé tout cet esprit d'initiative ? Toute cette énergie ? Pourquoi n'avait-elle jamais voyagé ? Pas eu plus de rapports sexuels quand elle le pouvait encore ? Elle avait ôté toute saveur et toute vie à chaque moment de veille de ces vingt dernières années. Tout plutôt que de ressentir. Tout plutôt que de croiser le regard d'Harold et de dire l'indicible.

Une vie sans amour n'était pas une vie. Maureen jeta la soupe dans l'évier, s'assit à la table et enfouit son visage dans ses mains.

L'idée qu'elle avoue à Rex la vérité sur la marche d'Harold vint de David. Un matin, il lui déclara qu'il avait réfléchi à sa situation et qu'à son avis, ce serait une bonne chose pour elle de parler. Elle rit et répliqua qu'elle connaissait à peine cet homme, mais il lui fit remarquer que Rex était son voisin ; évidemment qu'ils se connaissaient.

— Ça ne veut pas dire qu'on parle ensemble, dit-elle. Ils n'étaient là que depuis six mois quand sa femme est morte. Par-dessus le marché, je n'ai pas besoin de parler à d'autres personnes puisque je t'ai, mon chéri.

David répondit que c'était exact, mais que cela ferait sans doute du bien à Rex si elle se montrait honnête avec lui. Elle ne pourrait dissimuler la vérité jusqu'à la fin des temps. Maureen était sur le point de dire à David combien il lui manquait lorsqu'il ajouta qu'elle devait le faire tout de suite.

— Je te revois bientôt ? interrogea-t-elle.

Il promit que oui.

Maureen trouva Rex dans son jardin, où il était en train d'égaliser la bordure du gazon avec une lame en forme de demi-lune. Elle resta près de la clôture, légèrement oblique à cause de la déclivité, qui séparait leurs deux jardins, et lui demanda d'un ton léger comment il allait.

— Je m'occupe. C'est encore ce que je peux espérer de mieux. Et Harold, comment est-il ?

— Il va bien.

Elle avait les jambes qui tremblaient. Même ses doigts lui semblaient faibles. Elle prit une longue inspiration, comme si elle entamait un nouveau paragraphe.

— À vrai dire, Rex, il n'est pas à la maison. Je vous ai menti. Je suis désolée.

Elle tapota ses lèvres du bout des doigts, pour se forcer à s'arrêter là. Elle était incapable de lever les yeux.

Dans un silence pesant, elle entendit qu'il posait à

terre le coupe-bordure. Puis elle le sentit se rapprocher. Une odeur de dentifrice à la menthe lui parvint tandis qu'il disait :

— Vous croyez que je ne me suis pas aperçu qu'il se passait quelque chose ?

Rex tendit la main et la posa sur son épaule. C'était la première fois depuis bien longtemps que quelqu'un la touchait, et elle éprouva un soulagement si intense qu'une vague de chagrin monta en elle et que les larmes coulèrent sur ses joues. Elle avait tout lâché.

— Pourquoi n'entreriez-vous pas ? demanda-t-il. Je vais mettre l'eau à chauffer pour le thé.

Maureen n'avait pas pénétré chez Rex depuis les obsèques d'Elizabeth. Elle s'était imaginé qu'il y aurait une épaisse couche de poussière et un bazar généralisé, parce que ce n'était pas le genre de choses auquel les hommes faisaient attention, surtout quand ils étaient en deuil. Mais à son grand étonnement, tout était nickel. Des cactus en pot étaient posés sur le rebord de la fenêtre, à intervalles aussi réguliers que s'ils étaient mesurés avec une règle graduée. On ne voyait nulle part une pile de lettres attendant d'être ouvertes. Ni des traces de pas boueuses sur la moquette beige. Il était même possible que Rex ait acheté et posé dans l'entrée un panneau en plastique pour protéger le sol, parce qu'elle était sûre qu'il n'y était pas du vivant d'Elizabeth. Maureen se regarda dans le miroir rond et se moucha. Elle était pâle, l'air fatigué et son nez ressemblait à un gyrophare rouge. Elle se demanda ce que son fils dirait, sachant qu'elle avait pleuré face à un voisin. Elle faisait tout pour retenir ses larmes quand elle parlait à David.

Depuis la cuisine, Rex lui cria de l'attendre dans le séjour.

— Vous ne voulez vraiment pas que je vous aide ? demanda-t-elle, mais il tint à ce qu'elle s'installe confortablement.

Le séjour, comme l'entrée, était si paisible et si net que Maureen eut l'impression d'être une intruse. Elle se dirigea vers le manteau de la cheminée et jeta un coup d'œil aux photos d'Elizabeth dans leur cadre. Elizabeth avait été une grande femme à la mâchoire bovine et au rire graveleux qui arborait l'allure non-chalante d'une invitée à un cocktail. Maureen ne l'avait jamais dit à personne, sauf à David, mais en fait elle s'était toujours sentie un peu subjuguée par Elizabeth. Elle n'était même pas sûre de l'apprécier.

Des tasses tintèrent, puis la porte s'ouvrit. Elle se retourna et découvrit Rex sur le seuil avec un plateau. Il versa le thé sans en renverser une goutte. Il avait même pensé au pot de lait.

Une fois lancée, Maureen s'étonna d'avoir autant de choses à dire sur la marche d'Harold. Elle parla à Rex de la lettre de Queenie et de la soudaine décision de son mari de s'en aller. Elle lui raconta sa visite au médecin et sa honte.

— J'ai peur qu'il ne revienne pas, avoua-t-elle enfin.

— Bien sûr qu'il va revenir !

Il y avait une telle évidence dans la voix légèrement onctueuse de Rex qu'elle fut aussitôt rassurée. Bien sûr qu'Harold allait revenir. Elle se sentit soudain allégée d'un poids et eut envie de rire.

Rex lui tendit une tasse. Elle était en porcelaine fine, comme la soucoupe assortie. Maureen se représenta la façon dont Harold préparait le café, qu'il servait dans un mug tellement rempli qu'on était obligé d'en renverser un peu et de se brûler les doigts. Même cette image lui parut drôle.

— Au début, dit-elle, j'ai cru que c'était la crise de la cinquantaine. Sauf que, concernant Harold, elle a franchement du retard.

Rex se mit à rire, sans doute par politesse, mais au moins la glace était rompue. Il lui tend une assiette avec des biscuits fourrés et une serviette. Elle prit un biscuit et s'aperçut qu'elle mourait de faim.

— Vous êtes sûre qu'Harold va y arriver ? demanda Rex.

— C'est la première fois qu'il se lance dans une telle aventure. Il a passé la nuit dernière dans la maison d'une jeune Slovaque. Qu'il ne connaissait même pas.

— Mon Dieu !

Rex mit la main en coupe sous son menton pour rattraper les miettes d'une gaufrette rose.

— J'espère qu'il va bien.

— Apparemment, il pète des flammes.

Ils échangèrent un sourire, puis un silence s'installa et sembla les séparer, de sorte qu'ils échangèrent un autre sourire, plus par politesse cette fois.

— On devrait peut-être partir à sa recherche pour s'en assurer, suggéra Rex. J'ai fait le plein de la Rover. Si vous voulez, je prépare quelques sandwichs et on fonce.

— Pourquoi pas ?

Maureen réfléchit en se mordant les lèvres. Harold lui manquait autant que David. Elle avait terriblement envie de le voir. Mais lorsqu'elle imagina la suite, le moment où elle rattrapait son mari, elle perdit pied.

194

Qu'éprouverait-elle s'il ne voulait pas d'elle, après tout ? Elle hocha négativement la tête.

— À dire vrai, nous ne nous parlons plus. Plus maintenant. Plus véritablement. Le matin de son départ, Rex, je lui ai cassé les pieds avec une histoire de pain et de marmelade. De marmelade ! Pas étonnant qu'il soit parti.

Maureen eut une nouvelle bouffée de tristesse en pensant à leurs chambres séparées et aux paroles qu'ils échangeaient, superficielles et dépourvues de sens.

— Depuis vingt ans, Rex, notre mariage n'en est plus un.

Rex porta sa tasse à ses lèvres et elle fit de même pendant qu'il demandait :

— Queenie Hennessy, vous l'aimiez bien ?

Ce n'était pas la question à laquelle elle s'attendait. Elle dut avaler brusquement sa gorgée de thé, absorbant par la même occasion un petit bout de biscuit au gingembre, ce qui la fit tousser.

— Je ne l'ai rencontrée qu'une fois et c'était il y a longtemps.

Elle se tapota la poitrine pour aider le biscuit à passer.

— Queenie a brutalement disparu. C'est tout ce dont je me souviens. Un jour, Harold est allé au travail et, à son retour, il a annoncé qu'il y avait quelqu'un de nouveau à la compta. Un homme, je pense.

— Pour quelle raison Queenie a-t-elle disparu ?

— Je l'ignore. Des bruits ont couru. Mais c'était une période difficile pour Harold et moi. Il ne m'a jamais rien dit et je n'ai jamais rien demandé. Nous sommes ainsi, Rex. Aujourd'hui, tout le monde déballe ses secrets les plus intimes. Quand je lis les magazines

195

people chez le médecin, j'en ai le vertige. Mais pour nous, c'était différent. Une fois, nous nous sommes dit beaucoup de choses. Des choses que nous n'aurions pas dû dire. Au sujet de la disparition de Queenie, je n'avais pas envie de savoir.

Elle hésita, craignant d'avoir été trop loin dans la confidence et ne sachant comment poursuivre.

— J'ai appris qu'elle avait fait quelque chose qu'il ne fallait pas à la brasserie. Leur patron était un type très désagréable. Pas du genre à passer l'éponge. C'était sans doute globalement mieux qu'elle disparaisse.

Maureen se représenta Queenie Hennessy telle qu'elle l'avait vue à l'époque sur le seuil de Fosse-bridge Road, les yeux gonflés, un bouquet de fleurs à la main. Soudain, le séjour de Rex lui parut glacial et elle serra ses bras autour d'elle.

— Vous, je ne sais pas, dit Rex, mais moi, un petit xérès ne me ferait pas de mal.

Rex l'emmena en voiture dans une auberge de la plage de Slapton Sands, la Start Bay Inn. Elle sentit la fraîcheur de l'alcool dans sa gorge se changer en brûlure et dénouer les tensions. Elle expliqua à Rex que cela lui faisait un effet bizarre de remettre les pieds dans un pub ; depuis qu'Harold était devenu abstinent, elle buvait rarement. Ils furent d'accord pour dire qu'aucun des deux n'avait envie de faire la cuisine et ils commandèrent un plat et un verre de vin. Ils portèrent un toast au voyage d'Harold et elle sentit au creux de son ventre une impression de légèreté qui lui rappela l'époque où elle était une jeune femme, amoureuse pour la première fois.

Dans la mesure où il faisait encore jour, ils marchèrent le long de la langue de terre qui s'étendait entre la mer et la ligne tellurique. Les deux verres qu'elle avait bus la réchauffaient et lui tournaient légèrement la tête. Un vol de mouettes dansait sous le vent. Rex lui apprit qu'on trouvait ici des fauvettes et des grèbes huppés.

— Elizabeth ne s'intéressait pas aux oiseaux, ajouta-t-il. Pour elle, ils se ressemblaient tous.

Maureen écoutait d'une oreille distraite. Elle pensait à Harold et revivait en imagination la scène de leur rencontre, quarante-sept ans plus tôt. C'était bizarre qu'elle ait laissé de côté pendant aussi longtemps les détails de cette soirée.

Elle avait tout de suite remarqué Harold. Impossible de le manquer. Il se trémoussait tout seul au milieu de la piste de danse, les pans de son manteau en tissu pied-de-poule battant comme des ailes. On aurait dit qu'il tentait de se débarrasser de quelque chose bloqué à l'intérieur de lui-même. Elle n'avait jamais rien vu de pareil ; les jeunes gens que sa mère lui présentait étaient tous du genre attitude guindée et nœud papillon. Peut-être avait-il senti son regard, malgré le monde et la pénombre, parce qu'il s'était soudain arrêté et l'avait fixée. Ensuite, il s'était remis à danser et elle avait continué à l'observer. Elle était fascinée. Ce qui la bouleversait, c'était l'énergie brute qu'il dégageait, sa personnalité d'un seul bloc. Il s'était arrêté de nouveau. L'avait de nouveau regardée dans les yeux. Puis il s'était frayé un chemin dans la foule et il s'était assis si près qu'elle sentait l'odeur de sa peau échauffée.

Maintenant, elle revoyait tout comme si elle y était ;

la façon dont il se penchait, la bouche près de son oreille, et relevait une mèche de ses cheveux pour pouvoir lui parler. L'audace de ce geste avait fait passer un petit courant électrique le long de sa nuque et, aujourd'hui encore, elle ressentait un lointain frémissement sous sa peau. Qu'avait-il donc dit ensuite ? Quelque chose de drôle, de toute façon, qui les avait fait rire au point de déclencher un embarrassant accès de hoquets. Elle se souvenait de la façon dont son manteau volait derrière lui quand il était allé à grands pas lui chercher un verre d'eau au bar. Elle l'avait attendu sans bouger. À cette époque, le monde ne s'éclairait que lorsque Harold était près d'elle. Qui étaient donc ces deux jeunes gens qui avaient dansé et ri avec un tel abandon ?

Maureen se rendit compte que Rex s'était tu. Il l'observait.

— À quoi pensez-vous, Maureen ?

Elle secoua la tête en souriant.

— À rien.

Côte à côte, ils contemplèrent la surface de l'eau. Le soleil couchant traçait un chemin rouge entre l'horizon et le rivage. Elle se demanda où dormait Harold. Elle aurait aimé pouvoir lui souhaiter bonne nuit. Maureen leva la tête vers le ciel et fouilla des yeux le crépuscule, à la recherche des premières étoiles.

15

Harold et le renouveau

Avec la fin de la pluie, la végétation repartit de plus belle. Les fleurs et les arbres semblaient exploser de couleurs et de senteurs. Sur les branches frémissantes des marronniers se balançaient de nouvelles grappes de fleurs en forme de cierge. Les ombelles du cerfeuil des bois poussaient en rangs serrés sur le bord des routes. Les roses grimpantes montaient à l'assaut des murs dans les jardins et les premières pivoines rouge sombre s'ouvraient telles des fleurs de papier. Les pommiers commençaient à éparpiller leurs pétales et portaient des bourgeons à fruit ; dans les sous-bois, les jacinthes sauvages s'étalaient comme de l'eau. Les pissenlits étaient déjà des aigrettes de poils prêtes à se disperser.

Pendant six jours, Harold marcha sans relâche. Il traversa Othery, les Polden Hills, Street, Glastonbury, Wells, Radstock, Peasedown St John, et atteignit Bath un lundi dans la matinée. Il parcourait un peu plus de treize kilomètres par jour et, sur le conseil de Martina, il avait fait provision de crème solaire, coton hydrophile, coupe-ongles, pansements adhésifs, bandes propres, pommade antiseptique, pads antifrottements et barres chocolatées Kendal Mint Cake pour les urgences. Il avait racheté des produits de toilette et de la lessive, qu'il avait soigneusement rangés dans le sac à dos du compagnon de Martina avec le ruban adhésif. Quand il passait devant une vitrine, le reflet qu'elle lui renvoyait était celui d'un homme à la silhouette si droite et à la démarche si assurée qu'il avait du mal à croire qu'il s'agissait de lui. L'aiguille de la boussole indiquait fermement le nord.

Harold était persuadé que son voyage débutait pour de bon. Il croyait l'avoir entamé au moment où il avait décidé de gagner Berwick à pied, mais il comprenait maintenant qu'il s'était montré naïf. Les départs pouvaient avoir lieu plus d'une fois, ou prendre des formes différentes. On pouvait se croire en train de recommencer alors qu'en réalité ce qu'on faisait continuait comme avant. Il avait affronté ses insuffisances, il les avait surmontées et donc c'était seulement maintenant que les choses sérieuses commençaient pour la marche.

Chaque jour, le soleil pointait son nez au-dessus de l'horizon, gagnait le zénith et se couchait, et ainsi de suite. Harold passait de longs moments à observer le ciel et la façon dont le paysage changeait en dessous. Au lever du soleil, le sommet des collines devenait de l'or et les fenêtres qui reflétaient sa lumière étaient d'un orange si vif qu'on aurait pu croire à un incendie. Le soir, les ombres s'allongeaient sous les arbres, telle une autre forêt faite d'obscurité. Il marchait dans la brume du matin et souriait aux pylônes qui pointaient le nez à travers cette suave fumée blanche. Les collines s'aplanissaient et s'ouvraient devant lui, vertes et douces. Il traversa les étendues plates des marais du Somerset, où les cours d'eau brillaient comme des aiguilles d'argent. La colline de Gastonbury Tor s'élevait à l'horizon. Au-delà s'étendaient les Mendip Hills.

Petit à petit, l'état de sa jambe s'améliora. L'hématome passa du violet au vert, puis à un jaune moins impressionnant, et il cessa d'avoir peur. Il était plutôt plus assuré. Le trajet entre Tiverton et Taunton avait été plein de souffrance et de colère. Physiquement, il avait exigé de lui plus qu'il ne pouvait donner et sa marche avait fini par devenir une lutte contre lui-même, qu'il avait perdue. Maintenant, il faisait quelques légers étirements matin et soir et il se reposait toutes les deux heures. Il soignait ses ampoules avant qu'elles ne s'infectent et avait toujours de l'eau fraîche avec lui. À l'aide de son livre de botanique, il identifiait les fleurs des haies et apprenait leur usage ; lesquelles portaient des baies, toxiques ou consommables, lesquelles avaient des feuilles aux vertus médicinales. L'ail des ours remplissait l'atmosphère de son odeur âcre. De nouveau, il fut surpris de voir quelles richesses ignorées se trouvaient à ses pieds.

Il continuait d'envoyer des cartes postales à Maureen et à Queenie pour les informer de sa progression. De temps en temps, il écrivait aussi à la jeune fille du garage. Suivant les instructions de son guide touristique, il s'intéressa au musée de la Chaussure de Street et jeta un coup d'œil à la boutique de Clarks Village tout en restant persuadé qu'il aurait tort d'abandonner ses chaussures de bateau après être allé si loin avec. À Wells, il acheta à Queenie un quartz rose qu'elle pourrait suspendre à sa fenêtre, et à Maureen un crayon taillé dans une petite branche. Incité par quelques charmants membres du Women's Institute à acheter un gâteau de Savoie, il préféra choisir deux bonnets en laine tricotés main dans les teintes marron qu'affectionnait Queenie. Il visita la cathédrale et s'assit dans la lumière froide qui se déversait sur lui. Il se souvenait que des siècles auparavant, des hommes avaient construit des églises, des ponts et des navires qui, à bien y réfléchir, étaient autant d'actes de foi et de folie. Discrètement, il se mit à genoux et sollicita une protection pour ceux qu'il avait laissés derrière lui et ceux qu'il allait rencontrer. Il demanda qu'on lui donne la volonté de poursuivre sa route. Et il s'excusa de n'être pas croyant.

Harold croisa des employés, des gens qui promenaient leur chien, d'autres en train de faire leurs courses, des enfants sur le chemin de l'école, des mamans avec leur poussette, des randonneurs comme lui et plusieurs groupes de touristes. Il rencontra un inspecteur des impôts qui était un druide et n'avait pas chaussé une paire de souliers depuis dix ans. Il bavarda avec une jeune femme qui recherchait son père biologique, un prêtre qui avouait tweeter pendant la messe, des sportifs qui s'entraînaient pour le marathon et un Italien accompagné d'un perroquet chanteur. Il passa un après-midi en compagnie d'une sorcière blanche de Glastonbury, d'un sans-abri qui n'avait plus de maison parce qu'il avait tout dépensé en alcool, de quatre cyclistes qui cherchaient la M5 et d'une mère de six enfants qui lui confia qu'elle n'aurait jamais pensé être aussi seule dans la vie. Harold fit un bout de chemin avec ces inconnus tout en les écoutant. Il ne portait de jugement sur personne, même si, au fur et à mesure que les jours passaient et que le temps et les lieux commençaient à se confondre, il avait un peu de mal à se souvenir si l'inspecteur des impôts était dépourvu de chaussures ou s'il portait un perroquet sur l'épaule. Tout cela n'avait désormais plus d'importance. Il avait appris que chez les autres, c'était cette petitesse qui l'émerveillait et l'attendrissait, et aussi la solitude que cela impliquait. Le monde était constitué de gens qui mettaient un pied devant l'autre ; et une existence pourrait paraître ordinaire simplement parce qu'il en était ainsi depuis longtemps. Désormais, Harold ne pouvait plus croiser un inconnu sans reconnaître que tous étaient pareils et que chacun était unique ; et que c'était cela le dilemme de la condition humaine.

Il marchait d'un pas si sûr que c'était comme s'il avait attendu toute sa vie le moment de se lever de sa chaise.

Au téléphone, Maureen lui déclara qu'elle avait quitté la chambre d'amis pour s'installer dans la chambre principale. Il avait passé tant d'années à dormir seul que, sur le moment, il fut surpris, puis cela le réjouit car des deux pièces, c'était la plus grande et la plus agréable, et elle avait la vue sur Kingsbridge. Mais cela voulait sans doute dire aussi qu'elle avait emballé et emporté ses affaires à lui dans la chambre d'amis.

Il pensait à toutes les fois où il avait contemplé la porte close, en sachant qu'elle avait mis entre eux une distance infranchissable. Parfois, il avait touché la poignée, comme s'il s'agissait d'une partie sensible d'elle-même.

La voix de Maureen s'insinua dans le silence.

— J'ai pas mal pensé au moment de notre rencontre.

— Pardon ?

— C'était à un bal à Woolwich. Tu m'as touché la nuque, puis tu as dit quelque chose de drôle. Et l'on a ri sans pouvoir s'arrêter.

Il plissa le front dans un effort pour visualiser la scène. Il se rappelait vaguement le bal, mais l'image de Maureen, si belle et si délicate, prenait toute la place. Il se souvenait d'avoir dansé comme un idiot et aussi des longs cheveux soyeux de Maureen qui encadraient son visage. Mais n'arrivait pas à croire qu'il ait eu le culot de fendre la foule et de venir l'inviter. Ni qu'il l'ait fait rire à ce point. Il se demanda si elle ne le confondait pas avec quelqu'un d'autre.

— Bon, je vais te laisser, dit-elle. Je sais que tu es très occupé.

Elle avait pris la voix avec laquelle elle parlait au docteur, pour montrer qu'elle ne voulait pas le déranger. Puis elle ajouta :

— Je regrette d'avoir oublié ce que tu m'as dit au bal. C'était vraiment trop drôle.

Et elle raccrocha.

Pendant le reste de la journée, Harold eut l'esprit occupé par Maureen et la façon dont ça s'était passé entre eux au début. Il pensa à leurs sorties au cinéma et à la cafétéria, le Lyons Corner House. Jamais il n'avait vu quelqu'un manger avec une telle discrétion. Maureen découpait les aliments en morceaux minuscules avant de les porter à sa bouche. Déjà, à cette époque, il avait commencé à mettre de l'argent de côté pour leur avenir. Il avait trouvé un emploi d'éboueur tôt le matin et de receveur de bus l'après-midi. Deux fois par semaine, il travaillait de nuit à l'hôpital et le samedi il était employé à la bibliothèque. Parfois, il était si épuisé qu'il se glissait sous les rayonnages et s'endormait.

Maureen s'était mise à prendre le bus devant chez elle et elle y restait jusqu'au terminus. Harold délivrait les tickets et sonnait à l'intention du conducteur, mais il ne voyait qu'elle dans son manteau bleu, avec sa peau de porcelaine et ses yeux verts au regard plein de vie. Elle venait aussi à la bibliothèque et feuilletait des livres de cuisine, et il l'observait depuis le bureau principal, vacillant sous l'effet du désir et du manque de sommeil.

Le mariage avait été modeste, avec des invités gantés et chapeautés qu'il ne connaissait pas. Il avait envoyé une invitation à son père, qui n'était pas venu, à son grand soulagement.

Quand il s'était enfin retrouvé seul avec sa jeune épouse, il l'avait regardée déboutonner sa robe à l'autre bout de la chambre. Il mourait d'envie de poser les mains sur elle et en même temps il tremblait de peur. Tout en ôtant sa cravate et la veste aux manches un peu trop courtes qu'il avait empruntée à un collègue du dépôt de bus, il avait levé les yeux et découvert Maureen assise en petite culotte sur le lit. Elle était si belle que cela avait été trop pour lui. Il avait dû se précipiter dans la salle de bains.

— Harold, c'est à cause de moi ? avait-elle demandé à travers la porte au bout d'une demi-heure.

Cela lui faisait mal de se remémorer ce genre de choses, alors qu'elles étaient désormais hors de portée. Il cligna plusieurs fois les paupières pour tenter d'effacer les images, mais elles revenaient quand même.

Tandis qu'Harold traversait à pied les villes qui résonnaient du bruit des autres gens et marchait le long des routes qui les reliaient entre elles, il comprenait certains événements de sa vie comme s'ils venaient de se produire. Parfois, il était persuadé d'appartenir plus au temps du souvenir qu'au présent. Il revivait des scènes de sa vie tel un spectateur bloqué à l'extérieur. Voyant ses erreurs, ses incohérences, ses mauvais choix, et pourtant incapable d'y remédier.

Il se revoyait en train de prendre l'appel téléphonique annonçant le décès subit de la mère de Maureen, deux mois après celui de son père. Il l'avait serrée dans ses bras pour lui apprendre la nouvelle.

— Nous ne sommes plus que toi et moi, avait-elle sangloté.

Il avait tendu la main vers son ventre arrondi et promis que tout irait bien. Il veillerait sur elle, avait-il dit. Et il le pensait. Harold ne désirait rien tant que de rendre Maureen heureuse.

À ce moment-là, elle le croyait. Elle croyait sincèrement qu'Harold était tout ce dont elle avait besoin. Il l'ignorait à l'époque, mais il le savait maintenant. La paternité avait été le vrai test et la cause de sa perte. Il se demandait s'il allait devoir passer le reste de sa vie dans la chambre d'amis.

*

Au fur et à mesure qu'Harold progressait vers le nord et le Gloucestershire, son pas était parfois si sûr qu'il avançait sans effort. Il n'avait pas à penser à lever un pied, puis l'autre. La marche était le prolongement de sa certitude qu'il pouvait permettre à Queenie de vivre et son corps était partie prenante du processus. Il pouvait attaquer les collines sans difficulté ; ce qui, supposait-il, signifiait qu'il commençait à être en forme.

Certains jours, il était plus absorbé par ce qu'il voyait. Il essayait de trouver les mots justes pour décrire chaque changement ; il arrivait toutefois que tout se mélange un peu, comme les gens qu'il avait rencontrés. Mais il y avait aussi des jours où il n'était plus conscient de lui-même, ni de la marche ni du paysage. Il ne pensait plus à rien, du moins à rien qui fût en relation avec les mots. Il était, tout simplement. Il sentait le soleil sur ses épaules, observait le vol silencieux d'un faucon crécerelle, tandis que la plante du pied repoussait du sol son talon, que le poids de son corps passait d'une jambe sur l'autre et ainsi de suite. Rien d'autre.

Seules les nuits lui posaient problème. Il continuait à chercher un hébergement modeste, mais son univers intérieur semblait dresser une barrière entre lui et son intention. Il éprouvait un besoin viscéral de laisser une part de lui-même à l'extérieur. Les rideaux, le papier peint, les gravures encadrées, les gants et les serviettes de toilette assorties, tout cela était devenu superflu et dénué de sens. Il ouvrait les fenêtres en grand, de façon à continuer à sentir la présence du ciel et de l'air, mais il dormait mal. Il était de plus en plus souvent tenu éveillé par des images du passé, ou bien il rêvait que ses pieds se soulevaient et tombaient. Réveillé de très bonne heure, il contemplait la lune par la fenêtre et se sentait pris au piège. Généralement, le jour n'était pas encore levé lorsqu'il payait avec sa carte bancaire et s'en allait.

Marchant dans les lueurs de l'aube, il regardait, émerveillé, le ciel flamboyer, puis s'apaiser dans un

207

bleu uniforme. C'était comme s'il se trouvait dans une version différente de la journée, où rien ne serait ordinaire. Il aurait aimé pouvoir le décrire à Maureen.

*

La question de savoir quand et comment Harold atteindrait Berwick était passée à l'arrière-plan. Il savait que Queenie l'attendait, aussi sûrement qu'il voyait sa propre ombre. Il prenait plaisir à s'imaginer en train d'arriver tandis qu'elle était assise au soleil sur une chaise, près d'une fenêtre. Ils auraient mille choses à se raconter. Des choses du passé. Il lui rappellerait le jour où elle avait sorti une barre Mars de son sac et la lui avait offerte pour le trajet du retour.

— Vous allez me faire grossir, avait-il dit.

Elle s'était mise à rire.

— Vous ? Mais vous n'avez que la peau et les os !

Cela avait été un moment bizarre, pas gênant au sens négatif du terme, mais il marquait une différence dans la façon dont ils s'adressaient l'un à l'autre. Il était le signe qu'elle lui portait attention et qu'il comptait pour elle. Après ça, elle lui avait apporté chaque jour une friandise et ils s'étaient tutoyés. Ils parlaient facilement pendant qu'ils roulaient. Une fois, ils s'étaient arrêtés dans un petit self au bord de la route et s'étaient trouvés à court de mots.

— Que dit une vache qui trouve un gant dans le pré ? l'entendit-il demander.

Cette fois, ils étaient dans la voiture.

— Pardon ?

— C'est une blague.

208

— Ah ? Je donne ma langue au chat. Que dit-elle donc ?

— Tiens, un soutien-gorge !

Queenie avait mis la main sur sa bouche, mais elle était secouée de hoquets et un rire fusa soudain entre ses doigts, tandis que son visage virait à l'écarlate.

— Mon père adorait cette devinette.

Finalement, ils avaient tous deux piqué un tel fou rire qu'il avait dû arrêter la voiture. Le soir, au-dessus d'un plat de spaghettis à la carbonara, il avait rapporté la blague à David et à Maureen, et ils l'avaient regardé d'un air si inexpressif que la chute avait paru non pas hilarante, mais vaguement cochonne.

Harold et Queenie parlaient souvent de David. Il se demandait si elle se souviendrait aussi de cela. Comme elle n'avait pas d'enfants, et pas non plus de neveux ou de nièces, elle suivait avec beaucoup d'intérêt son évolution à Cambridge. Comment David trouve-t-il la ville ? demandait-elle. Est-ce qu'il s'est fait beaucoup d'amis ? Est-ce qu'il aime canoter ? Harold répondait que son fils vivait des moments fantastiques, même si en réalité David ne répondait presque jamais aux lettres et aux appels de Maureen. Il n'était jamais question d'amis, ni d'études. Et encore moins de canotage.

Harold ne dit rien à Queenie des bouteilles de vodka vides qu'il avait trouvées entassées dans le cagibi de David après les vacances, ni du cannabis dans une enveloppe en papier kraft. D'ailleurs, il n'en avait parlé à personne, même pas à sa femme. Il avait mis le tout dans un carton et s'en était débarrassé en allant au travail.

— Maureen et toi, vous devez être très fiers, Harold, déclarait Queenie.

Il repassait dans sa tête les moments passés ensemble à la brasserie, où ni l'un ni l'autre ne se mélangeaient pourtant à leurs collègues. Queenie se rappellerait-elle la barmaid irlandaise qui prétendait être enceinte de Mr. Napier et s'était subitement arrêtée de travailler ? D'après la rumeur, Napier avait prévu qu'elle fasse passer l'enfant et il y avait eu des complications. À un autre moment, l'un des nouveaux représentants, un jeune homme, s'était tellement soûlé qu'on l'avait retrouvé en caleçon, ligoté aux grilles de la brasserie. Mr. Napier avait parlé de lâcher les chiens sur lui dans la cour. Comme une bonne blague. À la fin, le jeune homme avait poussé des cris. Un liquide brun coulait le long de ses jambes.

En y repensant, Harold éprouvait un sentiment de honte qui lui donnait mal au cœur. David ne s'était pas trompé sur Napier. Et c'était Queenie qui avait fait preuve de courage.

Il la revoyait sourire comme elle le faisait toujours, lentement, comme si même les moments heureux étaient voilés de tristesse.

Il l'entendait dire :

— Il s'est passé quelque chose à la brasserie. C'était pendant la nuit.

Il la voyait vaciller. Ou était-ce lui ? Il avait cru s'effondrer et il s'était retrouvé avec sa petite main qui lui agrippait la manche et la secouait. Elle ne l'avait pas touché depuis l'épisode du placard à fournitures. Elle était d'une pâleur mortelle.

— Tu m'écoutes ? avait-elle dit. Parce que c'est sérieux, Harold. Très sérieux. Napier ne le laissera pas passer.

C'était la dernière fois qu'il la voyait. Il savait qu'elle avait deviné la vérité.

Harold se demandait pourquoi elle avait écopé pour lui et si elle comprenait à quel point il regrettait ce qu'il avait fait. De nouveau, il s'interrogea sur la raison pour laquelle, toutes ces années auparavant, elle n'était pas passée chez lui pour dire au revoir. Et tout en agitant ces pensées, il hochait la tête et poursuivait sa route vers le nord.

Elle avait été virée sur-le-champ. Les insultes de Napier avaient été entendues d'un bout à l'autre de la brasserie. On avait même raconté qu'il avait jeté à la tête de Queenie un petit objet rond, un cendrier ou peut-être un presse-papier, qui avait manqué de peu sa cible. Par la suite, la secrétaire de Mr. Napier avait confirmé à certains représentants qu'il n'avait jamais aimé cette femme. Elle confirma aussi que Queenie avait tenu bon. Elle n'avait pas entendu ses paroles exactes, car la porte était fermée, mais, d'après les hurlements de Mr. Napier, on en devinait le sens, quelque chose du genre : « Il n'y a pas de quoi faire autant d'histoires. J'ai simplement voulu me rendre utile. » « Si elle avait été un homme, déclara quelqu'un à Harold, Mr. Napier lui aurait cassé la gueule. » À l'époque, Harold était au pub. Pris de nausées, il avait attrapé son cognac double et l'avait avalé d'un seul coup.

À ce souvenir, Harold se voûta. Il avait agi avec une impardonnable lâcheté, mais au moins il essayait de rattraper ça, maintenant.

La ville de Bath apparut dans le lointain, avec ses rues et ses maisons en croissant qui mordaient telles de petites dents dans le flanc de la colline, et la pierre blanc crème flamboyant au soleil levant. La journée s'annonçait chaude.

— Papa ! Papa !

Surpris, il regarda autour de lui, persuadé que quelqu'un appelait. Les voitures en passant faisaient bruire les feuilles, mais il n'y avait personne.

16

Harold et le chirurgien
et l'acteur célèbre

Harold n'avait pas l'intention de passer du temps à Bath. L'expérience d'Exeter lui avait appris que la grande ville affaiblissait sa détermination. Il avait besoin de faire ressemeler ses chaussures, mais la cordonnerie était fermée jusqu'à midi pour raisons familiales. En attendant, il irait choisir un autre souvenir pour Maureen et Queenie. Devant l'abbaye, la lumière du soleil était si crue qu'il dut mettre la main devant ses yeux, ébloui.

— Puis-je demander à chacun de ne pas s'éloigner de la file ?

Jetant un coup d'œil derrière lui, il s'aperçut qu'il se trouvait maintenant au milieu d'un groupe de touristes étrangers en train de visiter les thermes romains, la tête protégée par un chapeau de toile. Leur guide, une jeune Anglaise qui ne devait pas avoir vingt ans, avait un petit visage et une voix distinguée. Harold était sur le point d'expliquer qu'il ne faisait pas partie du groupe lorsqu'elle lui confia que c'était sa première visite en tant que guide professionnel.

— Aucun d'entre eux n'a la moindre idée de ce que je leur raconte, chuchota-t-elle.

Sa façon de parler était si semblable à celle de Maureen jeune qu'Harold fut cloué sur place. Ses lèvres tremblaient comme si elle allait fondre en larmes et il en fut déstabilisé. Il tenta de rester en arrière, puis de s'intégrer à un autre groupe qui avait presque terminé la visite, mais chaque fois qu'il était sur le point de s'échapper, il se rappelait sa jeune épouse avec son manteau bleu et il n'arrivait pas à se détacher du guide. Deux heures plus tard, elle termina sa visite par la boutique de souvenirs, où il acheta des cartes postales et des porte-clés en céramique pour Maureen et Queenie. Il avait particulièrement apprécié ses explications sur la source sacrée, lui dit-il, ajoutant que les Romains étaient des gens vraiment très intelligents.

La jeune femme plissa légèrement le nez, comme si elle sentait une mauvaise odeur, puis lui demanda s'il envisageait de visiter le Thermae Bath Spa tout proche, où il pourrait tout à la fois jouir d'une vue magnifique sur la ville et profiter des installations dernier cri de la station thermale.

Consterné, Harold se précipita vers le spa. Il avait veillé à rester propre et à laver ses vêtements, mais le col de sa chemise était élimé et il avait les ongles noirs. C'est seulement après avoir acheté un billet d'entrée et loué des serviettes qu'il s'aperçut qu'il n'avait pas de maillot. Il dut ressortir et se rendre dans le magasin d'articles de sport le plus proche, faisant de cette journée la plus onéreuse de toutes les précédentes. La vendeuse lui montra un choix de maillots de bain et de lunettes de piscine, mais, dès qu'Harold lui expliqua qu'il était surtout un marcheur, elle lui proposa également une protection waterproof pour sa boussole et une sélection de pantalons imperméables en solde.

Le temps qu'Harold sorte de la boutique avec son maillot de bain dans un petit sac, une foule dense s'était rassemblée sur le trottoir. Il se retrouva à moitié écrasé contre la statue en cuivre d'un personnage victorien coiffé d'un haut-de-forme.

— On attend cet acteur célèbre, lui expliqua sa voisine, le visage congestionné et moite à cause de la chaleur. Il signe son dernier livre. Si son regard croise le mien, je tombe dans les pommes.

Il était difficile d'apercevoir l'acteur célébrissime, et plus encore de croiser son regard, car il était apparemment de petite taille et entouré par une véritable muraille de vendeurs de librairie vêtus de noir. La foule l'interpellait et applaudissait. Les photographes tenaient leur appareil au-dessus de leur tête et les flashes zébraient la rue. Harold se demanda quelle impression cela faisait d'avoir réussi à ce point.

La femme à côté de lui était en train de lui raconter qu'elle avait donné le nom de l'acteur à son chien. Un cocker spaniel, précisa-t-elle. Elle aurait aimé le dire à l'acteur. Elle avait lu tout ce qui le concernait dans les magazines et elle le connaissait comme si c'était un ami. Harold s'appuya contre la statue pour mieux voir, mais celle-ci lui décocha un coup dans les côtes. Le ciel délavé irradiait. Des gouttes de sueur perlèrent sur la nuque d'Harold et dégoulinèrent de ses aisselles, collant sa chemise à sa peau.

Quand il regagna le spa, une bande de copines s'amusaient dans l'eau. Comme il ne voulait pas les inquiéter ou les gêner, il prit un bain de vapeur rapide, avant de s'éloigner en hâte. Dans la Pump Room, il demanda s'il pouvait emporter un échantillon d'eau de la source bienfaisante pour une grande amie qui vivait à Berwick-upon-Tweed. Le serveur remplit une bouteille et lui réclama cinq livres parce que Harold avait perdu son ticket d'entrée aux thermes romains. L'après-midi était déjà entamé et il devait reprendre la route.

Dans les toilettes publiques, il se retrouva en train de se laver les mains à côté de l'acteur qui avait signé son livre. L'homme portait une veste et un pantalon en cuir, et des bottes de cow-boy avec un petit talon. Il se regardait dans le miroir en tirant sur sa peau comme s'il cherchait quelque chose qui manquait. Vu de près, ses cheveux étaient si foncés qu'ils semblaient en plastique. Harold ne tenait pas à l'importuner. Il se sécha les mains en faisant mine d'avoir l'esprit ailleurs.

— Ne me dites pas que vous aussi, vous avez un chien qui porte mon nom, dit l'acteur, la tête tournée vers lui. Aujourd'hui, je ne suis pas d'humeur.

Harold répondit qu'il n'avait pas de chien. Quand il était petit, ajouta-t-il, il avait souvent été mordu par un pékinois qui s'appelait Chinetoque. Ce n'était pas politiquement correct, mais la tante à qui il appartenait ne s'embarrassait pas de principes.

— Je marche depuis un bon moment et, récemment, j'ai rencontré des chiens très sympas.

L'acteur se replongea dans sa contemplation. Il continua sur le sujet comme s'il n'avait rien entendu.

— Tous les jours, quelqu'un vient me raconter qu'il a donné mon nom à son chien. Ils ont l'air de croire que ça me ravit. On se demande à quoi ils pensent !

Harold admit que c'était malheureux, quoiqu'il trouvât au fond cela plutôt flatteur. Il n'imaginait pas qu'on puisse baptiser un chien Harold, par exemple.

— Pendant des années, j'ai tenu des rôles sérieux. J'ai fait toute une saison au festival théâtral de Pitlochry. Et puis j'ai joué dans un film en costume d'époque et voilà ! Tout le pays trouve original de donner mon nom à son chien. Vous êtes venu à Bath pour mon bouquin ?

Harold reconnut que non. Il parla de Queenie en donnant un minimum de détails. Mieux valait ne pas raconter qu'il imaginait être applaudi par les infirmières à son arrivée au centre de soins palliatifs. L'acteur semblait l'écouter, ce qui ne l'empêcha pas, lorsque Harold eut terminé son histoire, de lui redemander s'il avait un exemplaire du livre et s'il désirait une signature.

Harold répondit que oui. Le livre serait sans doute un souvenir parfait pour Queenie ; elle avait toujours aimé lire. Il allait demander à l'acteur s'il voulait bien l'attendre le temps de filer acheter un exemplaire, quand son interlocuteur reprit la parole.

— Ne vous embêtez pas avec ça. C'est nul. Je n'en ai pas écrit une ligne. Je ne l'ai même pas lu. Je vais vous dire, je suis un baiseur compulsif, complètement accro à la coke. La semaine dernière, quand j'ai voulu lécher une fille, je me suis aperçu qu'elle avait une bite. Ce n'est pas le genre de truc qu'on met dans un bouquin.

— Non, effectivement.

Harold jeta un coup d'œil en direction de la porte.

— On m'invite dans tous les talk-shows. Je suis dans tous les magazines. Tout le monde me trouve très sympa. Et pourtant, ils ne savent rien de moi. C'est comme si j'étais deux personnes différentes. Vous allez sans doute me dire que vous êtes journaliste.

Il se mit à rire, mais il y avait dans ce rire quelque chose de sinistre et d'insouciant à la fois qui rappela David à Harold.

— Pas du tout. Je crois d'ailleurs que je ferais un bien piètre journaliste.

— Redites-moi pourquoi vous allez à pied à Bradford.

Harold murmura quelque chose à propos de Berwick et de l'idée de racheter le passé. La confession de l'acteur très célèbre l'avait déconcerté et il en était encore à se demander dans quel compartiment intérieur il allait la garder.

— Comment savez-vous que cette femme vous attend ? Elle vous a envoyé un message ?

— Un message ? répéta Harold pour gagner du temps.

— Elle vous a dit qu'elle était partante ?

Harold ouvrit la bouche, la referma, la rouvrit. En vain. Les mots refusaient de sortir.

— Ça fonctionne comment, exactement ? reprit l'acteur.

Harold tapota sa cravate.

— J'envoie des cartes postales. Je sais qu'elle m'attend.

Il sourit et l'acteur fit de même. Harold espérait l'avoir persuadé, parce qu'il ne voyait pas comment formuler les choses autrement. Un instant, il crut y être parvenu, mais une grimace légèrement dégoûtée tordit le visage couleur caramel de son interlocuteur.

— Si j'étais vous, je sauterais dans une voiture, dit l'acteur.

— Pardon ?

— Belle connerie, cette marche !

— La marche, c'est le principe grâce auquel Queenie va continuer à vivre, répondit Harold d'une voix frémissante. John Lennon, lui, est bien resté au lit. Mon fils avait une photo de lui sur le mur de sa chambre.

— Quand Lennon a fait ça, il avait dans son lit Yoko Ono et la presse internationale par la même occasion. Vous, vous vous traînez tout seul vers Berwick-upon-Tweed. Ça va prendre des jours. Et si elle n'avait pas reçu votre message ? Ils ont pu oublier de le lui transmettre.

La bouche de l'acteur s'incurva en une moue, comme s'il réfléchissait aux implications d'une erreur de ce genre.

— Quelle différence si vous y allez en voiture ? Votre moyen de locomotion n'a aucune importance. Vous devez aller la voir, un point c'est tout. Écoutez, je vous prête ma voiture. Mon chauffeur. Et vous y êtes ce soir.

La porte s'ouvrit et un homme en short se dirigea vers l'urinoir. Harold attendit qu'il ait terminé. Il tenait à ce que l'acteur célèbre sache qu'on pouvait être une personne ordinaire et se lancer dans quelque chose d'extraordinaire, sans avoir besoin de l'expliquer de manière logique. Mais il n'avait plus en tête maintenant que l'image d'une voiture en train de rouler vers Berwick. L'acteur avait raison. Harold avait laissé un message, il avait envoyé des cartes postales, mais rien ne prouvait que Queenie l'ait pris au sérieux, ni même qu'elle ait été informée de son appel. Il s'imagina installé dans la tiédeur de la voiture. S'il acceptait, il serait là-bas dans quelques heures. Il dut croiser les mains pour les empêcher de trembler.

— J'espère que je ne vous ai pas perturbé ? demanda l'acteur d'une voix soudain adoucie. Je vous avais bien dit que j'étais un sale con.

Harold secoua négativement la tête, mais il la garda baissée. Il espérait que l'homme en short ne regardait pas de son côté.

— Je dois continuer à marcher, dit-il d'un ton calme, malgré le doute qui s'était insinué dans son esprit.

Le nouvel arrivant se plaça entre l'acteur et lui pour se laver les mains. Il se mit à rire, comme s'il se souvenait de quelque chose de personnel. Puis il déclara :

— Il faut que je vous dise, notre chien…

Harold se dirigea vers la rue.

Le ciel était maintenant couvert d'une épaisse couche de nuages blancs qui pesait sur la ville comme pour en extraire la vie en la pressant. Les bars et les cafés débordaient sur le trottoir. Leurs clients et les passants étaient en tenue légère et leur peau, qui n'avait pas été exposée au soleil depuis des mois, était écarlate. Harold tenait sa veste sur le bras, mais il devait fréquemment s'arrêter pour s'éponger le front avec sa manche de chemise. Les aigrettes en suspension dans l'air formaient une sorte de duvet. Lorsque Harold arriva chez le cordonnier, la boutique était encore fermée. Son sac à dos, dont les courroies étaient humides de transpiration, lui entamait les épaules. Il faisait trop chaud pour continuer à marcher. Il n'en avait pas l'énergie.

Il envisagea de se réfugier dans l'abbaye. Il espérait y trouver un peu de fraîcheur et une nouvelle source d'inspiration, se rappeler ce que c'était que de croire en quelque chose, mais l'abbaye était fermée car on y répétait un concert. Harold s'assit dans une poche d'ombre et observa quelques instants la statue en cuivre, jusqu'à ce qu'une petite fille se mette à pleurer parce que la statue en question avait bougé et lui avait proposé un bonbon. Il irait attendre dans un petit salon de thé où il pensait pouvoir s'offrir une tasse de thé.

La serveuse fronça les sourcils.

— Nous ne servons pas de boissons seules l'après-midi. Vous devrez prendre notre « Regency Bath », avec crème et pâtisseries.

Harold était presque installé. Il commanda le thé complet.

Les tables étaient trop rapprochées et la chaleur était si intense qu'elle en devenait presque palpable. Les consommateurs, assis jambes écartées, s'éventaient avec leur menu plastifié. Quand sa commande arriva, une petite boule de crème épaisse nageait dans une mare de gras.

— Bon appétit, dit la serveuse.

Harold lui demanda si elle connaissait le chemin le plus court vers Stroud, mais elle haussa les épaules.

— Ça ne vous ennuie pas de partager votre table ? dit-elle, sur un ton affirmatif.

Elle fit signe à un homme qui attendait à la porte et désigna du doigt le siège en face d'Harold. L'homme s'assit en s'excusant et sortit un livre. Il avait un visage aux traits bien dessinés et des cheveux clairs coupés court. Sa chemise blanche avait le col ouvert, révélant un impeccable triangle de peau dorée. Il demanda à Harold de lui passer le menu, et engagea la conversation sur Bath. Lui-même, dit-il, était un Américain qui visitait l'Angleterre. Son amie avait choisi le package Jane Austen. Harold ne savait pas trop de quoi il s'agissait, mais il espérait pour elle que l'acteur célèbre n'en faisait pas partie. Quand le silence retomba, il fut soulagé. Il n'avait pas besoin d'une rencontre supplémentaire, comme celle d'Exeter ou la dernière en date. Malgré ce qu'il devait à autrui, il aurait aimé au moment présent être entouré de murs.

Harold but son thé, mais fut incapable d'affronter les scones. Il était si apathique qu'il avait l'impression d'être revenu à la brasserie dans les années qui avaient suivi le départ de Queenie, quand il se sentait comme un costume vide qui parlait de temps en temps et entendait ce qu'on lui disait, qui prenait sa voiture chaque matin et rentrait chez lui le soir, mais n'était plus en relation avec les autres. Le directeur qui avait succédé à Napier avait suggéré qu'Harold se mette en retrait jusqu'à sa retraite. Fasse du classement, prodigué de temps en temps un conseil. On lui avait donné un bureau spécial avec un ordinateur et son nom sur un badge, mais personne ne s'était approché.

Il recouvrit son assiette avec la serviette et croisa le regard de son vis-à-vis.

— On n'a pas d'appétit, avec cette chaleur, dit celui-ci.

Harold approuva, mais il le regretta aussitôt, car l'Américain se crut obligé de poursuivre la conversation.

222

— Bath a l'air d'une jolie ville, déclara-t-il en refermant son livre. Vous êtes en vacances ?

À contrecœur, Harold lui raconta son histoire, aussi brièvement que possible. Il omit par exemple de parler de la fille du garage et de la façon dont elle avait sauvé sa tante. À la place, il ajouta qu'après avoir quitté Cambridge, son fils était parti en randonnée vers le Lake District, bien qu'il ne sût pas très bien combien de kilomètres avait faits David. Il était rentré à la maison et n'en avait plus bougé pendant des semaines.

— Votre fils va vous rejoindre ? demanda l'Américain.

Harold répondit par la négative et lui demanda quelle était sa profession.

— Je suis chirurgien.

— J'ai rencontré une Slovaque qui est médecin, mais elle ne peut faire que des ménages. Quelle est votre spécialité ?

— Je suis oncologue.

Harold sentit son pouls s'accélérer, comme s'il s'était mis à courir sans y penser.

— Ça alors ! s'exclama-t-il.

Il était évident qu'aucun des deux ne savait comment poursuivre.

L'oncologue haussa les épaules avec un petit sourire navré. Harold chercha la serveuse du regard, mais elle était allée chercher de l'eau pour un autre client. Il avait la tête qui tournait à cause de la chaleur et il s'épongea le front.

— Savez-vous quelle forme de cancer a votre amie ?

— Pas vraiment. Dans sa lettre, elle dit qu'il n'y a plus rien à faire. Elle n'est pas plus précise.

Harold se sentait mis à nu ; l'oncologue aurait tout

223

aussi bien pu être en train de le charcuter avec son scalpel. Il desserra sa cravate, puis ouvrit son col. Il espérait que la serveuse allait faire vite.

— Cancer du poumon ?

— Sincèrement, je l'ignore.

— Je peux voir sa lettre ?

Il n'avait aucune envie de la montrer, mais le chirurgien tendait déjà la main. Harold fouilla dans sa poche et prit l'enveloppe. Il ajusta le sparadrap sur ses lunettes, qu'il dut pourtant maintenir en place car il avait le visage moite. De l'autre main, il balaya la table, recommença avec sa serviette, puis déplia et lissa soigneusement la feuille de papier rose. Le temps sembla s'arrêter. Même quand le chirurgien fit glisser la lettre vers lui, Harold garda les doigts au-dessus de la page.

Il lut les mots en même temps que le chirurgien. Il devait protéger la lettre, pensait-il, et, pour ce faire, il ne fallait pas la quitter des yeux. Son regard tomba sur le post-scriptum. « Inutile de me répondre. » Suivait un gribouillis illisible, comme effectué avec la main gauche.

L'oncologue s'appuya au dossier de sa chaise et poussa un soupir.

— Quelle lettre émouvante !

Harold approuva de la tête. Il rangea ses lunettes dans la poche de sa chemise.

— Et parfaitement tapée, dit-il. Queenie était très ordonnée. Vous auriez vu son bureau !

Il sourit enfin. Tout allait bien se passer.

— Mais je suppose qu'un membre du personnel l'a fait à sa place ? avança l'oncologue.

— Pardon ?

Le cœur d'Harold cessa de battre.

— Elle ne doit pas être en état de taper un courrier dans un bureau. Quelqu'un du centre de soins doit l'avoir fait pour elle. C'est déjà formidable qu'elle ait réussi à mettre l'adresse. Elle s'est donné ce mal.

L'oncologue eut un sourire qui se voulait rassurant, mais qui demeura figé sur ses lèvres, avec l'air d'être oublié, voire posé là par erreur.

Harold s'empara de l'enveloppe. La vérité le traversa tel un poids terrible et tout sembla voler en éclats. Soudain, il ne savait plus s'il faisait une chaleur écrasante ou un froid glacial. Chaussant de nouveau ses lunettes, il comprit enfin ce qui n'allait pas depuis le début. Comment n'en avait-il pas pris conscience plus tôt ? C'était cette écriture enfantine en ligne descendante, d'une irrégularité presque comique. La même que le gribouillis au bas de la lettre qui, il le découvrait maintenant en y regardant de plus près, était une tentative maladroite pour signer de son nom.

C'était l'écriture de Queenie. C'était ce qu'elle était devenue.

Harold entreprit de ranger la lettre dans l'enveloppe, mais ses doigts tremblaient tellement qu'il dut s'y reprendre à deux fois.

Après un long silence, l'oncologue poursuivit :

— Que savez-vous du cancer, Harold ?

Harold bâilla pour dissimuler l'émotion qu'il sentait monter, tandis que l'oncologue lui exposait calmement comment se formait une tumeur. Le chirurgien expliqua qu'une cellule pouvait se reproduire à l'infini pour constituer une masse tissulaire anormale. Il existait plus de deux cents formes de cancer, précisa-t-il, chacune avec ses causes et ses symptômes. Il décrivit la différence entre cancer primaire et cancer secondaire, ajoutant que le type de traitement choisi était fonction de l'origine de la tumeur. Quand une nouvelle tumeur se formait sur un organe éloigné, elle se comportait comme la tumeur d'origine. Un cancer du sein qui évoluait dans le foie, par exemple, ne serait pas un cancer du foie ; il s'agirait d'un cancer du sein primaire, avec un cancer du sein secondaire dans le foie. Mais une fois que d'autres organes étaient atteints, les symptômes pouvaient s'aggraver. Et une fois qu'un cancer avait commencé à se disséminer au-delà de son site d'origine, il devenait plus difficile à soigner. Si le cancer de Queenie s'était étendu au système lymphatique, par exemple, l'issue était rapidement fatale ; quoique, avec une immunité aussi faible, elle pouvait être emportée avant par une autre infection.

— Même un simple rhume, déclara-t-il.

Harold écoutait sans bouger.

— Je ne dis pas que le cancer ne se soigne pas. Quand la chirurgie est un échec, il existe d'autres traitements. Mais en tant que chirurgien, je n'affirmerais jamais à un patient qu'il n'y avait rien à faire, à moins d'en être absolument certain. Harold, vous avez une femme et un fils. Et vous avez l'air fatigué, excusez-moi de vous le dire. Est-il vraiment nécessaire que vous fassiez ce chemin à pied ?

À court de mots, Harold se leva. Il saisit sa veste et tenta de l'enfiler, mais il n'arrivait pas à passer le bras dans l'une des manches, et le chirurgien dut se lever pour l'aider.

— Bonne chance, dit l'homme en lui tendant la main. Et permettez-moi de régler l'addition. C'est bien le moins que je puisse faire.

Harold passa le reste de l'après-midi à arpenter les rues au hasard. Il avait besoin que quelqu'un partage sa foi dans la marche, afin que lui-même puisse y croire, mais il n'avait pas vraiment la force de bavarder. Finalement, il put faire ressemeler ses chaussures. Il acheta d'autres pansements adhésifs pour tenir au moins jusqu'à Stroud. Il s'arrêta à un stand de café à emporter et fit une brève allusion à Berwick, sans autre précision, mais personne ne prononça les mots qu'il attendait. Personne ne déclara : « Vous allez y arriver et Queenie va vivre. » Personne ne déclara non plus : « Vous allez être applaudi de tous côtés, parce que ça, Harold, c'est la meilleure idée qu'on ait entendue et vous devez absolument arriver au bout. »

Harold tenta de parler à Maureen, tout en craignant de l'accaparer. Il avait l'impression de ne plus connaître les mots simples et les questions ordinaires qui conduiraient à un échange de banalités, de sorte que c'était encore plus pénible. Tout se passait à merveille pour lui, dit-il. Il eut la franchise d'évoquer les doutes que quelques personnes avaient émis sur cette entreprise, espérant que Maureen les balaierait dans un éclat de rire, mais elle se borna à déclarer :

— Oui, je vois.

— Je ne sais même pas si elle est...

De nouveau, les mots lui manquèrent.

— Si elle est... quoi ?

— Toujours en train d'attendre.

— Je pensais que tu le savais ?

— Pas vraiment, en fait.

— As-tu été hébergé par d'autres dames slovaques ?

— J'ai rencontré un chirurgien et un acteur très célèbre.

— Mon Dieu ! s'exclama Maureen en riant. Attends que je raconte ça à Rex !

Un homme chauve et trapu, vêtu d'une robe à motifs, passa devant la cabine en traînant les pieds. Les gens ralentissaient pour le montrer du doigt et éclataient de rire. Son ventre menaçait de faire sauter les boutons, et il avait un œil au beurre noir, suite à un coup récent. Harold aurait préféré n'avoir rien vu. Il savait que ce serait insupportable pendant quelque temps de penser à lui, mais il n'y échapperait pas.

— Tu es sûr que tout va bien ? demanda Maureen.

Un autre silence suivit. Craignant de fondre en larmes, il déclara que quelqu'un attendait pour téléphoner et qu'il devait s'en aller. Une bande rouge s'étendait au couchant et le soleil commençait à descendre sur l'horizon.

— Alors, tchao, dit Maureen.

Harold passa un long moment sur un banc près de l'abbaye, à réfléchir où il devait aller ensuite. C'était comme s'il avait ôté sa veste, puis sa chemise, et enfin plusieurs couches de peau et de muscles. Il avait du mal à supporter même les choses les plus banales. Un vendeur se mit à enrouler le store rayé d'un magasin et le vacarme lui vrilla le crâne. Harold contemplait la rue déserte. Il ne connaissait personne, il n'avait aucun port d'attache. Et soudain, à l'autre bout de la rue, il vit David venir vers lui.

Il se leva, le cœur battant si violemment qu'il sentait les pulsations dans sa bouche. Ce ne pouvait être son fils ; David ne pouvait être à Bath. Pourtant, en regardant la silhouette voûtée qui avançait à grands pas en tirant sur une cigarette, les pans d'un manteau noir volant autour d'elle, Harold savait qu'il s'agissait de David et qu'ils allaient se rencontrer. Il tremblait si violemment qu'il dut s'appuyer au banc.

Même à cette distance, il s'apercevait que David avait laissé ses cheveux repousser. Maureen en serait ravie. Elle avait versé des larmes amères quand son fils s'était rasé la tête. Il avait toujours la même démarche, chaloupée et allongée, le regard fixé au sol, la tête baissée comme pour éviter les autres. Harold cria :

— David ! David !

Ils n'étaient plus qu'à une quinzaine de mètres l'un de l'autre.

Son fils tituba, comme s'il avait perdu l'équilibre ou buté dans quelque chose. Peut-être était-il ivre. Aucune importance. Harold lui offrirait un café. Ou un verre, s'il préférait. Ils pourraient manger. Ou pas. Comme son fils voudrait.

— David ! appela-t-il.

Il avança vers lui. Doucement, pour montrer qu'il ne lui voulait aucun mal. Juste quelques pas de plus.

Il se souvenait de la maigreur squelettique de David après le Lake District ; sa façon de tenir la tête, nuque raide, pour montrer que son corps avait rejeté le reste du monde et n'était plus intéressé qu'à se consumer.

— David ! lança-t-il de nouveau, un peu plus fort, pour lui faire lever les yeux.

Son fils croisa son regard, mais il ne sourit pas. Il jeta un coup d'œil absent à Harold, comme si celui-ci n'existait pas ou n'était pas identifiable. Harold en eut l'estomac retourné. Il craignit de s'effondrer.

Ce n'était pas David, mais quelqu'un d'autre. Le fils d'un autre homme. Harold s'était autorisé pendant

quelques instants à croire que David pouvait apparaître
à l'autre bout de la rue. Le jeune homme tourna brusquement à droite et s'éloigna d'un pas vif. Sa silhouette
rapetissa et devint moins distincte, puis il disparut à un
angle. Harold attendit, au cas où il changerait d'avis
et se révélerait être David, finalement. Mais non.

C'était pire que de n'avoir pas vu son fils depuis
vingt ans. C'était comme de recommencer à l'avoir, et
à ne plus l'avoir. Harold se rassit sur le banc devant
l'abbaye, conscient qu'il devait chercher un endroit où
passer la nuit, et pourtant incapable de bouger.

Il finit par se retrouver près de la gare, dans une
chambre mal aérée qui donnait sur la rue. Il releva
le châssis de la fenêtre pour avoir un peu d'air. La
circulation était incessante et les trains allaient et
venaient dans un vacarme métallique. Derrière la
cloison, quelqu'un criait en langue étrangère dans un
téléphone. Harold s'allongea sur le lit trop mou où
des inconnus avaient dormi avant lui, écoutant cette
voix qu'il ne comprenait pas, et il eut peur. Il se leva
et fit les cent pas, entre ces murs trop proches, dans
cette atmosphère confinée, tandis que trains et voitures
roulaient vers leur destination.

On ne pouvait changer le passé. On ne pouvait guérir
un cancer inopérable. Harold revit l'inconnu vêtu en
femme qui avait reçu un coup à la tête. Il se souvint
de l'air de somnambule qu'avait David le jour de la
remise des diplômes, puis les mois suivants. C'était
trop. C'était trop de continuer.

Au petit matin, Harold était déjà en route. Il laissa
de côté sa boussole et ses guides pour consacrer toute

sa force, toute sa volonté à mettre un pied devant l'autre. Et c'est seulement lorsque trois adolescentes à cheval lui demandèrent comment aller à Shepton Mallet qu'il se rendit compte qu'il avait perdu un jour entier à avancer dans la mauvaise direction.

Il s'assit au bord de la route, le regard fixé sur un champ de fleurs d'un jaune flamboyant. Il avait oublié leur nom. Tant pis. Il ne se donnerait pas le mal de sortir son guide des plantes sauvages. Ce qui était sûr, c'était qu'il dépensait trop. Après trois semaines de marche, il était encore plus près de Kingsbridge que de Berwick. Au-dessus de sa tête, les premières hirondelles descendaient en piqué vers le sol, jouant avec l'air comme des petits enfants.

Harold se demanda comment il allait faire pour se lever.

17

Maureen et le jardin

— Oui, David, dit Maureen, il continue à marcher. Il téléphone pratiquement chaque soir. Et Rex est vraiment très gentil. Curieusement, j'éprouve presque de la fierté. Mais je ne sais pas trop comment le dire à Harold.

Allongée sur le grand lit qu'elle avait à une époque partagé avec son mari, elle observait le carré de lumière matinale emprisonné par les voilages. Tant de choses s'étaient passées en une semaine qu'elle avait parfois l'impression de s'être glissée dans la peau d'une autre.

— Il envoie des cartes postales, parfois un cadeau, poursuivit-elle. Il a une préférence pour les stylos.

Elle se tut quelques instants, craignant d'avoir offensé David car il ne répondait pas.

— Je t'aime, déclara-t-elle.

Seul le silence lui répondit.

— Je vais te laisser, finit-elle par dire.

Ce n'était pas à vrai dire un soulagement d'arrêter, mais pour la première fois elle s'était sentie mal à l'aise en parlant avec son fils. Elle avait cru qu'en l'absence d'Harold, David et elle partageraient plus d'intimité. Et pourtant, alors qu'elle pouvait rester des heures à lui raconter ce qui se passait, elle s'apercevait qu'elle était trop occupée. Ou alors, pendant qu'elle parlait, elle se laissait gagner par la certitude qu'il n'écoutait pas. Elle trouvait de bonnes raisons pour ne pas ranger sa chambre. Elle cessait même de penser qu'elle le verrait peut-être.

Ce qui avait marqué le tournant, c'était la sortie à Slapton Sands. Ce soir-là, elle avait mis à tâtons la clé dans la serrure et remercié Rex à travers la clôture, puis elle avait monté l'escalier sans ôter ses chaussures et s'était dirigée droit vers la chambre conjugale. Là, elle s'était jetée tout habillée sur le lit et avait fermé les yeux. Au milieu de la nuit, en se rendant compte de l'endroit où elle se trouvait, elle avait eu un instant de panique, suivi d'un soulagement. C'était terminé. Quoi, exactement, elle l'ignorait, mais le poids d'une certaine souffrance n'était plus là. Elle avait repoussé la couette et s'était lovée sur l'oreiller d'Harold. Il sentait la savonnette Pears et son odeur à lui. Plus tard, à son réveil, la même marée tiède de légèreté était montée en elle.

Par la suite, elle était allée chercher ses vêtements dans la chambre d'amis et les avait suspendus dans l'armoire, à l'opposé de ceux d'Harold. Elle s'était lancé un défi : chaque jour sans lui, elle s'attaquerait à quelque chose de nouveau. Elle prit le chéquier et la pile de factures non ouvertes sur la table de la cuisine et entreprit de les régler. Elle téléphona à la mutuelle pour vérifier que la couverture santé d'Harold était bien à jour. Elle porta la voiture au garage et fit vérifier la pression des pneus. Elle enroula même un vieux foulard en soie autour de ses cheveux, comme au bon vieux temps. Lorsque Rex apparut inopinément de l'autre côté de la clôture du jardin, elle le dénoua en toute hâte.

— J'ai l'air idiot, dit-elle.

— Pas du tout, Maureen.

Apparemment, Rex avait une idée derrière la tête. Ils parlaient du jardin ou de l'endroit où se trouvait Harold, et il se taisait soudain, l'esprit ailleurs. Lorsqu'elle lui demandait si tout allait bien, il se contentait d'un signe affirmatif.

— Attendez, déclarait-il. J'ai un plan en réserve.

Elle avait l'intuition que cela la concernait.

La semaine précédente, au moment où elle passait le chiffon derrière les rideaux de la chambre, elle avait vu le facteur livrer chez Rex un tube en carton. Le lendemain, depuis le même poste d'observation, elle avait observé son voisin en train de remonter son allée, vacillant sous le poids d'une planche de la taille d'une fenêtre qu'il s'efforçait de dissimuler sous un plaid écossais emprunté à sa Rover. Cela l'avait intriguée. Elle l'avait attendu dans le jardin ; elle s'était même munie d'un panier empli de linge déjà sec et l'avait étendu de nouveau sur la corde, mais Rex n'était pas sorti de tout l'après-midi.

Elle avait frappé à sa porte pour demander s'il avait besoin de lait, et il avait marmonné par l'entrebâillement que non et qu'il allait se coucher de bonne heure. Pourtant, quand elle avait fait un tour d'inspection derrière chez elle à vingt-trois heures, la lumière brûlait encore dans sa cuisine et elle l'avait vu vaquer à ses occupations.

Le lendemain, un léger heurt contre la boîte aux

lettres l'avait fait se précipiter dans le vestibule, où elle avait découvert une curieuse forme carrée contre le verre dépoli, avec ce qui ressemblait à une petite tête flottant au-dessus. Ouvrant la porte, elle avait découvert Rex derrière un grand paquet plat entouré de papier d'emballage et de ficelle.

— Vous me permettez d'entrer ? avait-il à peine réussi à articuler.

Maureen ne se souvenait plus de la dernière fois où elle avait reçu un cadeau, en dehors de Noël ou de son anniversaire. Elle avait installé Rex dans le séjour en lui proposant une tasse de thé ou de café. Non, pas le temps, elle devait ouvrir son cadeau.

— Déchirez le papier, Maureen, avait-il ordonné.

Elle en avait été incapable. C'était trop excitant. Elle avait défait le papier à un angle et découvert un cadre en bois, puis elle avait fait pareil de l'autre côté et trouvé la même chose. Rex était assis, les mains sur les cuisses, et chaque fois qu'elle ôtait une couche de papier, ses pieds se soulevaient comme s'il sautait au-dessus d'une corde invisible et il poussait un petit cri.

— Vite, vite, Maureen !

— Qu'est-ce que c'est ?

— Allez-y, déballez-le complètement. Je l'ai fait pour vous.

C'était une immense carte de l'Angleterre montée sur un panneau d'affichage. Au dos, il avait fixé deux petits crochets afin que Maureen puisse la mettre au mur. Il avait pointé l'index sur Kingsbridge, où elle avait découvert une punaise entourée d'un fil bleu qui s'étirait jusqu'à Loddiswell. De là, le fil bleu rejoignait South Brent, puis Buckfast Abbey. Le trajet parcouru jusque-là par Harold, indiqué par ce fil bleu et des punaises, se terminait au sud de Bath. Tout en haut de l'Angleterre, Berwick-upon-Tweed était souligné au stabilo vert fluo et marqué d'un petit drapeau bricolé. Rex avait même joint une boîte de punaises pour afficher les cartes postales d'Harold.

— Je me suis dit que vous pourriez les placer sur les régions de l'Angleterre qu'il ne visite pas, comme le Norfolk et le sud du pays de Galles. Ce ne serait pas mal, non ?

Rex avait planté des clous dans la cuisine pour la carte et ils avaient suspendu celle-ci au-dessus de la table, afin que Maureen puisse voir où était Harold et suivre sa progression. La carte était un peu de travers, parce qu'il avait eu du mal avec la perceuse et que le mur avait avalé la première cheville. Mais si Maureen penchait légèrement la tête en la regardant, c'était à peine perceptible. D'ailleurs, déclara-t-elle à Rex, cela n'avait aucune importance si les choses n'étaient pas parfaites.

Ça, c'était aussi un nouveau départ pour Maureen.

Après le cadeau de la carte, ils avaient fait chaque jour une sortie ensemble. Elle l'accompagna au crématorium avec des roses pour Elizabeth, et ils s'arrêtèrent pour prendre le thé à Hope Cove. Ils visitèrent Salcombe et traversèrent l'estuaire sur un bateau et, un autre après-midi, ils allèrent en voiture acheter des crabes à Brixham. Ils suivirent à pied la route côtière en direction de Bigbury et mangèrent des fruits de mer à l'Oyster Shack. Prendre l'air était une bonne chose pour lui, déclara Rex. Il ajouta qu'il espérait ne pas être importun et elle l'assura du contraire, disant que cela l'aidait elle aussi à ne pas ressasser les mêmes pensées. Ils étaient assis face aux dunes de

Bantham lorsqu'elle lui expliqua comment Harold et elle, jeunes mariés, étaient venus s'installer à Kingsbridge quarante-cinq ans plus tôt. La vie leur souriait, à l'époque.

— On ne connaissait personne, mais cela n'avait pas d'importance. On se suffisait l'un à l'autre. Harold a eu une enfance difficile. Il aimait beaucoup sa mère, je crois. Et son père a dû faire une sorte de dépression après la guerre. Je voulais être pour lui tout ce qu'il n'avait pas eu. Lui donner un foyer et une famille. J'ai appris à cuisiner. J'ai cousu des rideaux. J'ai déniché des caisses en bois et je les ai assemblées pour en faire une table basse. Harold m'a dégagé la place d'un potager devant la maison et j'y ai fait pousser toutes sortes de légumes. Des pommes de terre, des haricots, des carottes. Nous étions très heureux.

Elle se mit à rire. C'était un tel plaisir d'énoncer tout cela qu'elle aurait aimé disposer de plus de mots.

— Très heureux, répéta-t-elle.

La mer s'était retirée si loin que le sable semblait vernissé sous le soleil. Entre le rivage et Burgh Island s'étendait une zone claire. Les gens avaient apporté des brise-vent multicolores et des petites tentes gonflables. Sur le sable, des chiens couraient après des balles et des bâtons, et des enfants s'activaient avec des seaux et des pelles. La mer étincelait au loin. Maureen se rappela combien David avait eu envie d'un chien. Elle chercha son mouchoir en disant à Rex de ne pas s'inquiéter. Peut-être était-ce le fait de revenir à Bantham après tant d'années. Elle avait tant de fois reproché à Harold cette journée où David avait failli se noyer.

— Je dis énormément de trucs que je ne pense pas.

Même si je pense quelque chose de gentil à propos d'Harold, le temps que les mots franchissent mes lèvres, ce n'est plus gentil du tout. Par exemple, il commence une phrase et moi je le coupe d'un « Je ne crois pas » avant qu'il ait terminé.

— Je me fâchais toujours après Elizabeth parce qu'elle ne rebouchait pas le dentifrice. Aujourd'hui, j'ôte le bouchon dès que j'entame un nouveau tube. Je m'aperçois que je ne veux pas du bouchon.

Maureen sourit. Rex avait la main près de la sienne. Elle porta sa propre main à sa gorge et la passa sur l'os, là où la peau était encore douce.

— Quand j'étais jeune, je regardais les gens de notre âge et je pensais que ma vie était sur des rails. Je n'aurais jamais imaginé que lorsque j'aurais soixante-trois ans, je me retrouverais dans un pétrin pas possible.

Il y avait mille choses que Maureen aurait aimé faire d'une autre façon. Allongée sur le lit dans la lumière du matin, elle bâilla et s'étira, palpant avec ses mains et ses pieds les extrémités du matelas, même les angles froids. Puis elle ramena les doigts vers elle. Elle toucha ses joues. Sa gorge. Ses seins. Elle imagina les mains d'Harold autour de sa taille, sa bouche sur la sienne. Sa peau était relâchée et le bout de ses doigts n'avait plus la sensibilité de la jeunesse et pourtant son cœur battait à tout rompre et son sang palpitait. Du dehors lui parvint le bruit de la porte d'entrée de Rex qui se refermait. Elle s'assit d'un bond. Quelques instants plus tard, sa voiture démarra et elle l'entendit s'éloigner. Elle se pelotonna sous la couette, qu'elle blottit contre elle comme un corps.

La porte de l'armoire était entrouverte, révélant la

manche de l'une des chemises qu'Harold avait laissées derrière lui, et la vieille douleur la transperça. Elle rejeta la couette et chercha ce qu'elle pourrait faire. La tâche idéale se présenta lorsqu'elle passa devant l'armoire.

Pendant des années, Maureen, comme sa mère, s'était organisée pour ranger les vêtements selon la saison. Les habits d'hiver étaient suspendus d'un côté, avec les gros pull-overs, tandis que les articles d'été étaient placés à l'autre bout, avec les vestes légères et les cardigans. Lorsqu'elle s'était précipitée pour remettre ses propres vêtements dans l'armoire, elle n'avait pas remarqué que ceux d'Harold étaient rangés pêle-mêle, sans tenir compte du temps ou de la matière. Elle allait les trier, en se débarrassant des affaires dont il n'avait plus besoin et en suspendant correctement les autres.

Il y avait les costumes qu'il mettait pour aller au travail, élimés aux revers ; elle les sortit et les posa sur le lit. Il y avait de nombreux cardigans, tous usés aux coudes ; ceux-là, elle les raccommoderait. Parmi une sélection de chemises, certaines blanches, d'autres écossaises, elle tomba sur la veste en tweed qu'il avait achetée spécialement pour la cérémonie de remise de diplôme de David. Elle sentit que ça cognait dans sa poitrine, comme si quelque chose était prisonnier à l'intérieur. Elle n'avait pas posé les yeux sur cette veste depuis des années.

Maureen ôta le cintre et tint la veste à bout de bras, à la hauteur d'Harold. Vingt années s'envolèrent d'un coup et elle revit leur couple planté devant la chapelle du King's College à Cambridge, mal à l'aise dans ses habits neufs, à l'endroit exact où David leur avait dit d'attendre. Elle portait une robe épaulée rose crevette, et ses joues étaient probablement de la même couleur. Harold avait les épaules voûtées, de sorte que ses bras étaient raides et que les manches de sa veste semblaient en bois et non pas en tissu.

C'était sa faute à lui, Harold, avait-elle protesté à l'époque. Il aurait dû vérifier les modalités pratiques. Elle avait réagi ainsi par nervosité. Ils avaient attendu plus de deux heures, mais au mauvais endroit, et ils avaient manqué du coup la totalité de la cérémonie. Et David, sur qui ils étaient tombés alors qu'il sortait d'un pub (ce dont on ne pouvait le blâmer, car après tout il avait quelque chose à fêter), avait eu beau manifester ses regrets, il n'était pas non plus venu canoter avec eux comme il l'avait promis. Le couple avait refait le long trajet en voiture de Cambridge à Kingsbridge sans desserrer les dents.

— Il a dit qu'il allait faire un séjour de randonnée, avait-elle enfin déclaré.

— C'est bien.

— Provisoirement. Avant de trouver un emploi.

— C'est bien, avait-il répété.

Des larmes de frustration avaient formé une boule dans la gorge de Maureen.

— Au moins, il a un diplôme, avait-elle lancé. Au moins, il aura une vie digne.

David rentra quinze jours plus tard, sans prévenir. Il n'expliqua pas pourquoi il revenait si tôt, mais il portait un sac marron fourre-tout qui faisait un bruit sourd en heurtant la rampe et il prenait souvent sa mère à part pour lui demander de l'argent.

— L'université l'a épuisé, disait-elle pour l'excuser quand il restait au lit.

241

Ou bien elle déclarait :

— Il a simplement besoin de trouver le poste qui lui convient.

Il manquait des entretiens d'embauche, ou, s'il y allait, il oubliait de prendre une douche et de se coiffer.

— David est trop intelligent, commentait-elle.

Harold hochait affirmativement la tête, l'air conciliant comme toujours, et elle avait envie de hurler après lui parce qu'il semblait la croire. En réalité, la plupart du temps, leur fils arrivait à peine à tenir debout. À certains moments, elle le regardait à la dérobée et elle allait jusqu'à se demander s'il avait bien obtenu son diplôme. Avec David, si l'on regardait en arrière, on découvrait tant d'incohérences que même les certitudes commençaient à s'effriter. Elle se sentait alors coupable de douter de son fils et elle préférait accuser Harold.

— Au moins, ton fils a des perspectives, disait-elle. Au moins, il a ses cheveux.

N'importe quoi pour déstabiliser Harold. De l'argent commença à disparaître de son portefeuille. D'abord des pièces. Puis des billets. Elle fit comme s'il n'en était rien.

Au fil des ans, elle avait souvent demandé à David si elle aurait pu faire plus, mais il l'avait rassurée. Après tout, c'était elle qui avait souligné dans le journal les offres d'emploi susceptibles de l'intéresser. C'était elle qui avait pris le rendez-vous avec le médecin et l'avait accompagné au cabinet en voiture. Maureen se souvenait de la façon dont il lui avait posé l'ordonnance sur les genoux, comme si celle-ci ne le concernait pas. Il y avait du Prothiaden pour la dépression et du

Diazépam contre l'angoisse, ainsi que du Témazépam s'il n'arrivait toujours pas à dormir la nuit.

— C'est vraiment beaucoup ! s'était-elle exclamée en se levant précipitamment. Que t'a dit le docteur ? Qu'est-ce qu'il pense ?

Il avait haussé les épaules et allumé une autre cigarette.

Du moins, par la suite, elle avait constaté une amélioration. La nuit, elle tendait l'oreille, mais apparemment il dormait. Il ne se levait plus pour prendre un petit déjeuner à quatre heures du matin. Il avait cessé ses balades nocturnes en robe de chambre ou ne remplissait plus la maison de l'odeur écœurante de ses cigarettes roulées. David était sûr qu'il allait trouver du travail.

Elle le revoyait aussi le jour où il avait décidé de se présenter au recrutement de l'armée et s'était forcé à se raser le crâne. La salle de bains était pleine de ses longues boucles. Il avait des entailles sur la peau là où sa main avait tremblé et où le rasoir avait glissé. Le traitement barbare infligé à sa pauvre tête, cette pauvre tête qu'elle aimait à la folie, avait donné envie de hurler à Maureen.

Maureen s'agenouilla devant le lit, la tête dans les mains. Qu'auraient-ils pu faire de plus ?

— Oh, Harold !

Elle passa les doigts sur le tissu rugueux de sa veste de gentleman anglais.

Elle ressentit soudain le besoin de se lancer dans une activité entièrement différente. C'était comme un courant d'énergie qui la traversait et la forçait une fois de plus à se lever. Elle sortit la tenue couleur crevette qu'elle avait portée le jour de la remise des diplômes et la suspendit au centre de la tringle. Puis elle prit la veste d'Harold et la disposa sur un cintre à côté de la robe. Les deux vêtements avaient l'air solitaires et distants. Elle saisit la manche de la veste et en entoura l'épaule rose.

Elle appari a ensuite de la même façon tous leurs habits. Elle glissa le poignet de sa blouse dans la poche du costume bleu. Elle entoura une jambe de pantalon avec l'ourlet d'une jupe. Elle fit se blottir une autre robe contre un cardigan bleu. On aurait dit que plusieurs Maureen et Harold invisibles s'attardaient dans l'armoire, attendant simplement l'occasion d'en sortir. Cela la fit sourire, puis pleurer, mais elle ne changea rien.

Le bruit de la Rover de Rex qui se garait à l'extérieur la fit s'interrompre. Quelques minutes plus tard, elle entendit un bruit sourd dans le jardin. Elle souleva le rideau et vit qu'il avait délimité des rectangles de pelouse avec des piquets et de la ficelle et qu'il y enfonçait sa bêche.

Il agita la main dans sa direction.

— Avec un peu de chance, lança-t-il, on va être dans les temps pour des haricots.

*

Vêtue d'un vieux T-shirt d'Harold, Maureen planta vingt jeunes pousses et les attacha à des cannes de bambou sans abîmer les tendres tiges vertes. Elle tassa la terre aux racines et les arrosa. Au début, elle craignit que les mouettes ne les picorent ou qu'une gelée tardive ne les tue en plein mois de mai. Mais après les avoir observées sans arrêt un jour ou deux,

244

elle fut rassurée. Bientôt, des tiges s'épaissirent et de jeunes feuilles se formèrent. Maureen planta des rangs de laitues, de betteraves et de carottes. Elle cura le bassin d'ornement.

C'était bon de sentir la terre sous ses ongles et de faire pousser de nouveau quelque chose.

18

Harold et la décision

— Bonjour, j'appelle au sujet de l'une de vos patientes, Queenie Hennessy. Elle m'a envoyé une lettre il y a un peu plus d'un mois.

Le vingt-sixième jour, à dix kilomètres au sud de Stroud, Harold décida de s'arrêter. Il avait refait les huit kilomètres jusqu'à Bath, puis marché quatre jours encore le long de l'A46, mais il était très contrarié de s'être trompé de direction et le terrain était difficile. Des haies réduites à des fossés et des murets de pierres sèches. La campagne s'étendait de part et d'autre de la route. D'immenses pylônes s'alignaient à perte de vue. Il observait tout cela, sans pour autant s'intéresser à leur raison d'être. Quelle que fût la direction dans laquelle il regardait, la route semblait interminable et ne tenait pas ses promesses. Harold devait rassembler toute son énergie pour continuer à avancer alors qu'il savait au fond qu'il n'y arriverait pas.

Pourquoi donc avait-il perdu autant de temps à contempler le ciel et les collines, à parler aux gens, à réfléchir à l'existence et à retrouver ses souvenirs, alors qu'il aurait pu faire le trajet en voiture ? Bien sûr qu'il n'arriverait pas au bout avec des chaussures de bateau. Bien sûr que Queenie n'allait pas rester en vie juste parce qu'il le lui avait demandé. Chaque jour, il avait au-dessus de lui un ciel bas et blanc, éclairé par un rayon de soleil argenté. Il baissait la tête pour ne pas voir les oiseaux descendre en piqué, ni les voitures passer en trombe. Il se sentait encore plus seul, encore plus abandonné que s'il s'était trouvé au sommet d'une montagne lointaine.

En prenant cette décision, il ne pensait pas qu'à lui-même. Il y avait aussi Maureen. Elle lui manquait de plus en plus. Il avait perdu son amour, cela, il le savait, mais c'était mal de s'en aller en la laissant ramasser les morceaux. Il lui avait déjà fait assez de peine. Et puis il y avait David. Depuis qu'il avait quitté Bath, Harold sentait qu'une distance douloureuse s'était installée avec lui. Tous deux lui manquaient.

Enfin, il y avait l'argent. Même si les maisons d'hôtes ne coûtaient pas cher, il n'avait pas les moyens de continuer à dépenser de cette façon. Il avait vérifié son compte en banque et avait été atterré. Si Queenie était toujours en vie, et si elle souhaitait sa visite, il prendrait le train. Il serait à Berwick dans la soirée.

— Vous avez déjà appelé ? demanda la femme qui répondit à l'autre bout du fil.

Était-ce l'infirmière à qui il avait confié son message la première fois ? Elle avait un accent écossais, lui semblait-il. Ou irlandais. Il était trop fatigué pour le savoir.

— Pourrais-je parler à Queenie, s'il vous plaît ?

— Je regrette, mais ce ne sera pas possible.

C'était comme de heurter un mur qu'il n'avait pas vu.

— Est-elle...

Sa cage thoracique était en feu.

— Est-elle... ?

Il n'arrivait pas à prononcer le mot.

— Vous êtes le monsieur qui venait à pied ?

Harold déglutit péniblement. Il répondit que oui, qu'il était désolé.

— Mr. Fry, Queenie n'avait pas de famille et pas d'amis. Les personnes qui n'ont personne pour les retenir ont tendance à nous quitter rapidement. Nous attendions votre appel.

— Je vois.

Il avait du mal à parler. Il pouvait tout juste écouter. Même son sang était figé et glacé.

— Après votre appel, tout le monde a constaté le changement intervenu chez Queenie. C'était très net.

Il se représenta un corps rigide et sans vie sur un brancard. Voilà ce que c'était d'arriver trop tard pour changer les choses.

— Oui, murmura-t-il d'une voix rauque.

Et parce que son interlocutrice ne disait rien, il ajouta :

— Bien sûr.

Il appuya le front, puis une main, sur la vitre de la cabine et ferma les yeux. Si seulement c'était facile de ne plus rien ressentir.

La femme émit un son flûté, comme un petit rire. Sauf que c'était impossible, évidemment.

— Vous savez, on n'a jamais rien vu de pareil. Il y a des jours où elle s'assied dans son lit. Elle nous montre toutes vos cartes postales.

Harold secoua la tête. Il ne comprenait pas.

— Pardon ?

— Elle attend, Mr. Fry. Comme vous avez dit qu'elle ferait.

Un cri de joie jaillit par surprise de la bouche d'Harold.

— Elle est vivante ? Elle va mieux ?

Malgré lui, il se mit à rire, d'un rire qui enfla, le secoua par rafales, tandis que les larmes humectaient ses joues.

— Elle m'attend ?

Il ouvrit la porte de la cabine et boxa le vide.

— Lorsque au téléphone vous nous avez parlé de venir à pied, j'ai craint que vous n'ayez pas pris la mesure de la gravité de la situation. Mais j'avais tort. Ce rétablissement est quelque chose d'inhabituel. Je ne sais comment vous avez fait. Mais c'est peut-être de cela que le monde a besoin. Moins de raison et plus de foi.

— Oui, oui !

Il riait toujours, incapable de s'arrêter.

— Je peux vous demander comment se passe votre voyage ?

— Bien. Très bien. Hier, à moins que ce ne soit avant-hier, j'ai fait halte à Old Sodbury. J'ai passé Dunkirk. Et maintenant je pense être à Nailsworth.

Même cette énumération paraissait drôle. À l'autre bout du fil, la voix gloussait aussi.

— On se demande d'où viennent des noms pareils ! Quand pensez-vous arriver ?

— Voyons, laissez-moi réfléchir.

Harold se moucha et essuya les dernières traces de larmes. Il consulta sa montre en se demandant quand il pourrait attraper un train et combien de changements il y aurait. Puis il se représenta de nouveau la distance

qui le séparait de Queenie : les collines, les routes, les
gens, le ciel. Il vit tout cela comme il l'avait fait le
premier après-midi, sauf qu'il existait maintenant une
différence : il y insérait sa propre image. Il était un
peu cassé, un peu fatigué, il avait largué les amarres,
mais il ne laisserait pas tomber Queenie.

— Dans trois semaines, reprit-il enfin. Peut-être
moins, peut-être plus.

— Juste ciel !

La voix se mit à rire.

— Je vais le lui dire.

— Dites-lui qu'elle tienne bon. Dites-lui que je vais
continuer à marcher.

Il s'était remis à rire, par contagion.

— Je le lui dirai aussi.

— Même si elle a peur parfois, elle doit attendre.
Elle doit rester en vie.

— Je suis certaine qu'elle le fera. Dieu vous bénisse,
Mr. Fry.

Harold marcha tout le reste de l'après-midi et jusqu'à
la tombée de la nuit. Le doute qui l'avait assailli avant
d'appeler Queenie avait disparu. Il avait échappé à un
grand danger. Après tout, les miracles existaient. S'il
avait pris un train ou une voiture, il aurait été en route,
pensant avoir raison, alors qu'en fait il aurait eu tort.
Il avait presque abandonné, mais quelque chose s'était
passé et il continuait. Il n'essaierait plus de renoncer.

Après Nailsworth, la route laissait derrière elle les
anciennes manufactures de laine, puis arrivait à la
périphérie de Stroud. Elle descendait ensuite vers le
centre-ville. Harold passa devant une rangée de mai-

sons mitoyennes en brique rouge, dont l'une d'elles était bardée d'échelles et d'échafaudages. Il y avait sur la chaussée une benne contenant des rebuts. Une forme attira l'œil d'Harold. Il s'arrêta et, repoussant plusieurs éléments de contreplaqué, il découvrit un sac de couchage. Il le secoua pour en ôter la poussière. Le sac était déchiré et son matelassage sortait du trou comme une langue blanchâtre et molle, mais il s'agissait d'une déchirure superficielle et la fermeture Éclair était intacte. Harold le roula sous son bras et se dirigea vers la maison. Il y avait déjà de la lumière au rez-de-chaussée. Quand le propriétaire entendit son histoire, il appela son épouse et tous deux lui proposèrent d'emporter aussi une chaise pliante, une machine à thé et un tapis de yoga. Harold leur assura que le sac de couchage lui suffisait.

— J'espère que vous êtes prudent, dit la femme. À peine plus tard que la semaine dernière, quatre hommes armés ont fait un hold-up à la station-service.

Il promit d'être vigilant, même s'il avait fini par croire à la bonté foncière de l'être humain. Le crépuscule s'épaississait et bordait telle une bande de fourrure la silhouette des toits et des arbres.

Harold regardait les carrés de lumière jaune à l'intérieur des maisons et les gens qui vaquaient à leurs occupations. Ils allaient se coucher dans un lit et essayer de dormir jusqu'au bout de leurs rêves. De nouveau, il fut frappé de constater à quel point il se sentait concerné par leur sort, et combien il était soulagé de les savoir plus ou moins au chaud et en sécurité, tandis que lui-même était libre de continuer à marcher. Après tout, il en avait toujours été ainsi :

il était un peu à part. La lune apparut, haute et pleine, semblable à une pièce d'argent émergeant de l'eau.

Il tenta d'ouvrir la porte d'une cabane. Elle était cadenassée. Il fouilla autour d'un terrain de sport sans trouver de véritable abri, puis du côté d'une maison en construction dont les fenêtres étaient sécurisées avec un film plastique, mais il ne voulait pas s'installer dans un endroit où il ne serait pas le bienvenu. Des lanières de nuages brillaient dans le ciel, le faisant ressembler à un maquereau noir et argent. La route et les toitures baignaient dans un bleu doux.

Escaladant une colline, il suivit un sentier boueux qui conduisait à une grange. Pas de chien, ni de voiture. Le toit était en tôle ondulée, comme trois des parois, mais la quatrième était constituée par une bâche qui luisait sous la lune. Il souleva un coin du bas et se baissa pour pénétrer à l'intérieur. Il y avait une odeur agréable et sèche, et un silence ouaté.

Des balles de foin étaient empilées à des hauteurs différentes, certaines montant jusqu'aux chevrons. Harold se lança dans l'escalade. Il était moins difficile d'évoluer dans l'obscurité qu'il ne l'aurait cru. Le foin craquait sous ses chaussures et son contact était doux sous ses mains. Une fois en haut, il déroula son sac de couchage et s'agenouilla pour ouvrir la fermeture Éclair sur le côté. Il resta sans bouger, puis se dit qu'un peu plus tard il aurait peut-être froid à la tête et au nez. Fouillant dans le sac à dos, il sentit la laine moelleuse du bonnet en tricot acheté pour Queenie. Elle ne lui en voudrait pas s'il l'empruntait. De l'autre côté de la vallée, les lumières des maisons tremblotaient.

L'esprit d'Harold devint limpide et son corps se

détendit. La pluie commença à tambouriner sur le toit et sur la bâche, mais c'était un son léger et empreint de patience, telle la voix de Maureen quand elle endormait le petit David en chantonnant. Lorsqu'il cessa, Harold le regretta, comme si ce bruit faisait partie de son monde familier. Il sentait qu'il n'y avait maintenant plus rien de solide entre la terre, le ciel et lui.

Il s'éveilla avant l'aube. Il se dressa sur un coude et regarda au-dehors par les fissures, tandis que le jour repoussait la nuit et que la lumière s'infiltrait à l'horizon, si pâle qu'elle était incolore. Les chants des oiseaux explosèrent alors que le lointain émergeait et que le jour prenait de l'assurance ; le ciel passa du gris au blanc crème, puis au rose pêche, à l'indigo et au bleu. Une délicate langue de brume parcourut le sol de la vallée, de sorte que le sommet des collines et les maisons semblèrent sortir des nuages. La lune n'était déjà plus qu'un fil.

Il l'avait fait. Il avait passé sa première nuit dehors. Harold sentit l'incrédulité l'envahir, bientôt remplacée par la joie. Il tapa des pieds et souffla dans ses mains, en se disant qu'il aurait aimé pouvoir raconter son exploit à David. L'atmosphère était saturée de vie et de chants d'oiseaux, au point qu'il avait l'impression d'être sous la pluie. Il roula son sac de couchage et se remit en marche.

Il poursuivit son chemin toute la journée. Quand il trouvait une source, il y plongeait les mains en coupe et buvait cette eau pure et fraîche. Il s'arrêta à un étal de bord de route et acheta un café et un kebab. Quand il raconta l'histoire de sa marche au vendeur, celui-ci refusa de le faire payer. Sa mère avait eu un cancer et elle était en rémission ; il était heureux d'offrir son repas à Harold. Harold dépassa Slad, où une femme au visage avenant lui sourit de sa fenêtre au dernier étage, et de là il gagna Birdlip. Le soleil étincelait à travers les feuillages des bois de Cranham et ruisselait sur le tapis de bouleaux en un frémissant filigrane de lumière. Harold passa sa seconde nuit en plein air en s'abritant à l'intérieur d'un hangar à bois et, le lendemain, il se dirigea vers Cheltenham, en laissant à sa gauche la vallée de Gloucester, semblable à une coupe gigantesque.

Au loin, les Black Mountains et les Malvern Hills chevauchaient l'horizon. Il distinguait les toits des usines et la silhouette floue de la cathédrale de Gloucester, ainsi que des formes minuscules qui devaient être des voitures et des maisons. Il y avait là-bas quantité de choses, une vie grouillante qui se livrait à ses activités de tous les jours, essayait de s'en sortir, souffrait et luttait, sans savoir qu'il était ici en train de l'observer. De nouveau, il ressentit profondément l'impression d'être en même temps à l'intérieur et à l'extérieur de ce qu'il voyait ; d'être à la fois connecté et de passage. Il commença à comprendre que c'était également vrai de sa marche. Il faisait et il ne faisait pas partie des choses.

Pour réussir, il devait s'en tenir au sentiment qui l'avait inspiré au tout début. Aucune importance si les autres auraient agi différemment ; c'était même inévitable. Il ne sortirait pas des routes, car, en dépit des quelques voitures qui roulaient trop vite, il s'y sentait en sécurité. Aucune importance non plus s'il n'avait pas préparé son itinéraire ou emporté une carte routière. Il disposait d'une carte différente, celle qu'il avait dans la tête, faite de tous les gens rencontrés et de tous les lieux traversés. Il conserverait aussi ses chaussures de bateau, car, malgré leur usure, c'étaient les siennes. Il s'apercevait que lorsque quelqu'un se mettait à l'écart de ce qu'il connaissait et n'était plus qu'un passant, les choses inconnues prenaient un sens nouveau. Dans cette optique, il était important qu'il accepte de suivre son instinct et non pas l'avis des autres.

Tout cela tenait debout. Pourquoi alors y avait-il encore quelque chose qui le gênait ? Il mit les mains dans ses poches et fit tinter les pièces de monnaie.

La gentillesse de Martina et de la femme qui lui avait donné à manger lui revint en mémoire. Toutes deux l'avaient accueilli et réconforté, même quand il avait eu des scrupules à accepter, et par le fait même d'accepter il avait appris que recevoir était tout autant un don que donner, car cela nécessitait à la fois du courage et de l'humilité. Il songea à la paix qu'il avait trouvée dans la grange, allongé dans son sac de couchage. Harold laissa ces idées vagabonder dans son esprit tandis qu'en dessous de lui la terre rejoignait le ciel dans le lointain. Et soudain, il sut. Il sut ce qu'il devait faire pour atteindre Berwick.

À Cheltenham, il offrit sa lessive à un étudiant qui entrait dans la laverie. À Prestbury, il fit cadeau de sa lampe-torche à une femme qui ne retrouvait plus ses clés dans son sac. Le lendemain, il donna ses pansements adhésifs et sa crème antiseptique à la mère d'un enfant qui s'était écorché le genou, ainsi que son peigne pour distraire le petit. À la stupéfaction d'un couple d'Allemands qui cherchaient leur chemin à proximité de Cleeve Hill, il leur remit le guide de Grande-Bretagne et, dans la mesure où il connaissait par cœur son dictionnaire de botanique, il leur suggéra de le prendre également. Il refit l'emballage des cadeaux pour Queenie : le pot de miel, le quartz rose, le presse-papier pailleté, le porte-clés romain et le bonnet de laine. Il empaqueta les souvenirs qu'il avait récemment achetés pour Maureen et les posta. Quant à la boussole et au sac à dos, il les conserva parce qu'il ne pouvait donner ce qui ne lui appartenait pas.

Il rejoindrait Broadway via Winchcombe ; de là, il gagnerait Mickleton, Clifford Chambers, puis Stratford-upon-Avon.

Deux jours plus tard, Maureen était en train d'attacher ses plants de haricots à des tuteurs lorsqu'on l'appela au portail pour lui remettre un paquet. À l'intérieur, elle trouva de nouveaux cadeaux, accompagnés du portefeuille et de la montre d'Harold, ainsi qu'une carte postale représentant un mouton des Cotswolds avec sa laine.

Il avait écrit :

Chère Maureen, ci-joint ma carte bancaire, etc. Je vais marcher sans emporter tout ça. Si je fais simple, je sais que j'arriverai là-bas. Je pense à toi souvent. H.

Maureen remonta l'allée jusqu'à la porte d'entrée sans même s'en rendre compte.

Elle rangea le portefeuille dans le tiroir de la table de nuit d'Harold, sous les photographies d'elle-même et de David. La carte postale, elle la punaisa sur la carte de Rex.

— Oh, Harold ! dit-elle d'une voix douce.

Et elle se demanda s'il pouvait l'entendre, malgré la distance qui s'accroissait entre eux.

19

Harold et la marche

Le mois de mai n'avait jamais été aussi beau. Chaque jour, le ciel était d'un bleu sans pareil, vierge de tout nuage. Les jardins croulaient déjà sous les lupins, les roses, les delphiniums, le chèvrefeuille et les grappes vert acide de l'alchémille. Les insectes stridulaient, voletaient, s'affairaient, filaient à toute allure. Harold passait devant des champs de boutons-d'or, de coquelicots, de marguerites, de trèfles, de vesces et d'œillets des prés. Des clématites, du houblon et des églantines s'enroulaient autour des haies, que les fleurs de sureau parfumaient de leur arôme douceâtre. Les jardins familiaux, eux aussi, étaient en pleine abondance. Il y avait des rangs de laitues, d'épinards, de bettes, de betteraves, de pommes de terre nouvelles et de petits pois sur leurs tuteurs. Les premières groseilles à maquereau pendaient comme des gousses vertes velues. Les jardiniers laissaient à l'intention des passants des caisses avec le surplus de leur récolte et un écriteau sur lequel était inscrit : « Servez-vous. »

Harold savait qu'il avait trouvé sa voie. Il racontait

259

son histoire avec Queenie et la fille du garage, et demandait à des inconnus s'ils auraient la gentillesse de l'aider. En retour, il écoutait. On lui offrait un sandwich, une bouteille d'eau ou des pansements adhésifs. Il n'acceptait jamais plus que ce dont il avait besoin et refusait gentiment d'être pris en voiture, ou de recevoir un supplément de nourriture pour la route ou des articles de randonnée. Il sectionnait une gousse de petits pois sur sa tige et la mangeait comme une gourmandise. Les personnes qu'il rencontrait, les lieux qu'il traversait étaient autant d'étapes de son voyage et il gardait à chacun une place dans son cœur.

Après la nuit dans la grange, Harold continua à dormir dehors. Il choisissait des endroits secs et veillait à ne rien déranger. Il se lavait dans des toilettes publiques, dans des fontaines et des cours d'eau. Il rinçait ses vêtements à l'abri des regards. Il pensait à ce monde qu'il avait à moitié oublié, celui des maisons, des rues et des voitures, où des gens mangeaient trois fois par jour, dormaient la nuit et se tenaient mutuellement compagnie. Il était heureux de les savoir en sécurité et tout aussi heureux d'être enfin en dehors d'eux.

Harold empruntait les grandes routes, les chemins et les sentiers. L'aiguille de la boussole marquait le nord en tremblotant et il la suivait. Il marchait la nuit ou le jour, selon son humeur, kilomètre après kilomètre. Si ses ampoules le faisaient souffrir, il les recouvrait de ruban adhésif. Il dormait quand il avait sommeil, puis il se remettait sur ses pieds et reprenait sa marche. Il voyageait sous les étoiles et sous la suave clarté de la lune quand elle ressemblait à un cil et que les troncs d'arbres luisaient comme des os. Il marchait dans le vent, sous la pluie, sous un ciel pâli par le soleil. Il lui semblait que toute sa vie, il avait attendu de marcher. Il ignorait quelle distance il avait parcourue ; il savait simplement qu'il avançait. La brique rouge du Warwickshire remplaça la pierre claire des Cotswolds, et le paysage devint celui, plus plat, de la région centrale. En repoussant une mouche qui allait se poser sur sa bouche, Harold sentit sa barbe qui poussait en touffes épaisses. Queenie allait rester en vie. Il le savait.

Le plus curieux, pourtant, c'était qu'un conducteur qui le dépasserait ne verrait sans doute dans ce vieux bonhomme en chemise, cravate et chaussures de bateau, qu'un autre homme sur la route. C'était tellement drôle, il était tellement heureux, tellement en union avec la terre sous ses pieds, qu'il aurait pu rire sans fin de la simplicité de la chose.

Après Stratford, Harold gagna Warwick. Au sud de Coventry, il rencontra un jeune homme jovial au doux regard bleu, dont les rouflaquettes descendaient sous les pommettes. Le jeune homme lui dit s'appeler Mick et lui offrit une limonade. Levant sa chope de bière, il porta un toast au courage d'Harold.

— Alors, comme ça, vous vous mettez à la merci d'inconnus ? demanda-t-il.

Harold sourit.

— Non, je suis prudent. Je ne traîne pas la nuit en centre-ville. Mais dans l'ensemble, les personnes qui s'arrêtent pour m'écouter sont aussi du genre serviable. Une ou deux fois, tout de même, j'ai eu peur. Sur l'A439, j'ai cru qu'un homme allait m'agresser, mais en fait il voulait me donner l'accolade. Il avait perdu sa femme, atteinte d'un cancer. Je me suis trompé sur lui parce qu'il lui manquait des dents de devant.

Harold contempla ses doigts qui tenaient le verre de limonade. Ils étaient noirs, avec les ongles brunâtres et fendillés.

— Et vous êtes certain d'arriver à Berwick ? interrogea son interlocuteur.

— Je ne force pas, je ne traîne pas. Si je continue simplement à mettre un pied devant l'autre, il n'y a pas de raison que j'échoue. Je commence à croire que nous sommes trop sédentaires.

Harold sourit.

— À quoi d'autre serviraient nos pieds, sinon ?

Le jeune homme passa la langue sur ses lèvres, comme s'il savourait à l'avance une gourmandise.

— Ce que vous êtes en train de faire, c'est un pèlerinage du XXIᵉ siècle. C'est extraordinaire. Votre histoire est de celles que les gens ont envie d'entendre.

— Est-ce que je peux me permettre de vous demander un paquet de chips ? Je n'ai rien dans l'estomac depuis midi.

Avant qu'ils ne se séparent, Mick demanda à Harold s'il pouvait le prendre en photo avec son téléphone.

— Pour me souvenir de vous, dit-il.

Craignant de déranger avec le flash quelques habitués du pub qui jouaient aux fléchettes, il ajouta :

— Pourrions-nous aller à l'extérieur pour que je vous prenne tout seul ?

Il dit à Harold de se placer sous un panneau qui indiquait la direction de Wolverhampton, au nord-ouest de là où ils se trouvaient.

— Ce n'est pas là que je vais, déclara Harold, mais

Mick répondit que ce petit détail n'apparaîtrait pas dans l'obscurité.

— Regardez-moi comme si vous étiez crevé, indiqua-t-il.

Ce qu'Harold n'eut aucune difficulté à faire.

Bedworth. Nuneaton. Twycross. Ashby de la Zouch. Il traversa le Warwickshire et la frange orientale du Leicestershire, arriva dans le Derbyshire. Il y avait des jours où il parcourait une vingtaine de kilomètres et d'autres où, ayant du mal à se diriger dans les rues bordées d'habitations, il en couvrait moins de dix. Le ciel passait du bleu au noir puis de nouveau au bleu. Les collines moutonnaient derrière les villes industrielles.

Parvenu à Ticknall, il eut la surprise de voir deux randonneurs venir le regarder sous le nez. Au sud de Derby, un chauffeur de taxi le doubla en levant les deux pouces et un musicien de rue coiffé d'un chapeau de bouffon cessa de jouer de l'accordéon pour lui adresser un sourire. À Little Chester, une jeune fille aux cheveux blonds lui offrit un carton de jus de fruits et lui étreignit les genoux, visiblement ravie. Le lendemain, à Ripley, un groupe de danseurs en costume folklorique posa ses chopes de bière et lui lança des vivats.

Alfreton. Clay Cross. La silhouette de la flèche tordue du clocher de Chesterfield annonça l'entrée dans le Peak District. À Dronfield, dans un café-rencontre, un homme fit don à Harold de sa canne en osier et lui pressa chaleureusement l'épaule. Une dizaine de kilomètres plus loin, la vendeuse d'une boutique lui glissa son téléphone dans la main afin qu'il puisse appeler chez lui. Maureen lui assura que tout allait bien, mis à part une fuite mineure sur un pommeau de douche. Puis elle lui demanda s'il était au courant de la nouvelle.

— Non, Maureen, je n'ai pas ouvert un journal depuis mon départ. De quoi s'agit-il ?

Sans en être certain, il lui sembla entendre un petit sanglot. Puis Maureen déclara :

— La nouvelle, c'est toi, Harold. Toi et Queenie Hennessy. Apparemment, on ne parle que de ça.

20

Maureen et l'attachée de presse

Une fois l'histoire d'Harold parue dans le *Coventry Telegraph*, il ne se passa pas un matin sans qu'il y ait du nouveau à Fossebridge Road. Elle était sortie un jour où l'actualité était pauvre. Mentionnée lors d'une émission radio où les auditeurs téléphonaient, elle fut reprise par plusieurs journaux régionaux, notamment la *South Hams Gazette*, dont elle occupa les trois premières pages. Elle fut ensuite rapportée dans la presse nationale et, soudain, tout le monde voulut en savoir plus. La marche d'Harold devint le thème de l'émission *Thought for the Day*[1] sur Radio 4, et donna lieu à des articles majeurs sur la nature du pèlerinage moderne, l'Angleterre typique et le courage de la génération des seniors. On ne parlait que de ça dans les boutiques, les terrains de jeux, les parcs, les pubs, les bureaux et les soirées. L'histoire avait frappé les esprits, exactement comme l'avait promis Mick à son rédacteur en chef, ce qui n'empêchait pas les détails de varier et de prendre

1. *Pensée du jour* : émission religieuse quotidienne de la BBC. *(N.d.T.)*

de l'importance au fur et à mesure qu'elle se répandait. Certains racontaient qu'Harold était un septuagénaire, d'autres qu'il avait des difficultés d'apprentissage. On l'avait aperçu en Cornouailles et à Inverness, ainsi qu'à Kingston-upon-Thames et dans le Peak District. Une poignée de journalistes faisait le pied de grue dans l'allée de Maureen et une équipe de télévision s'était installée au-delà de la haie de troènes de Rex. Ceux qui en avaient la possibilité suivaient même sa progression sur Twitter. Ce n'était pas le cas de Maureen.

Ce qui la bouleversa en voyant la photo d'Harold dans le journal local, ce fut le changement qui s'était opéré en lui. Il y avait à peine plus de six semaines qu'il était sorti pour poster sa lettre, et pourtant il paraissait invraisemblablement grand, et bien dans sa peau. Il portait toujours sa parka imperméable et sa cravate, mais ses cheveux formaient une tignasse emmêlée sur le sommet du crâne, une barbe poivre et sel hérissait son menton et il avait la peau si hâlée que Maureen devait se concentrer pour retrouver les traces de l'homme qu'elle pensait connaître.

« L'invraisemblable pèlerinage d'Harold Fry », disait la légende. L'article racontait comment un retraité de Kingsbridge (où habitait également Miss South Devon) était en train de devenir un héros du XXIe siècle en marchant jusqu'à Berwick sans argent, sans téléphone et sans carte. La fin était illustrée par une photo plus petite, légendée « Les pieds qui allaient parcourir huit cents kilomètres », sur laquelle on voyait une paire de chaussures de bateau ressemblant fort à celles d'Harold. Visiblement, les ventes du journal s'envolaient.

Sur la carte de Rex, le fil bleu progressait au nord de Bath et venait frôler Sheffield. Maureen calcula que si Harold continuait à ce rythme, il atteindrait sans doute Berwick dans quelques semaines. Pourtant, malgré le succès de son mari, malgré la prospérité de son jardin et son amitié avec Rex, sans parler des lettres de soutien que lui envoyaient tous les jours des sympathisants et des victimes du cancer, il y avait des moments où Maureen se sentait très seule. Ces épisodes survenaient au hasard. Par exemple, elle était en train de se faire du thé et, soudain, l'aspect solitaire de sa tasse lui donnait envie de hurler. Elle ne l'avait pas dit à Rex, mais, dans ces moments-là, elle retournait dans la chambre, tirait les rideaux, se glissait sous la couette et se mettait à gémir. Il lui aurait été plus facile de cesser de se lever. De se laver. De manger. C'était un effort permanent d'être seule.

Inopinément, elle reçut un coup de fil d'une jeune femme qui lui proposa ses services en tant qu'attachée de presse, car, dit-elle, les gens voulaient entendre sa version de l'histoire.

— Mais je n'en ai pas, répondit Maureen.

— Qu'est-ce que vous pensez de la démarche de votre mari ?

— Je pense que ce doit être fatigant.

— Est-il vrai que votre couple va mal ?

— Pardon, mais pouvez-vous me redire qui vous êtes ?

La jeune femme répéta qu'elle était chargée des relations publiques. Son travail consistait à présenter au grand public une image aussi sympathique que possible de ses clients et à les protéger. Maureen s'excusa. Elle devait interrompre la conversation quelques instants, le temps de tapoter contre la vitre pour chasser un photographe qui piétinait ses plants de haricots.

— Je peux vous aider de multiples façons, reprit la jeune femme.

Elle parla de soutien affectif, d'interviews aux matinales des chaînes de télé et d'invitations aux soirées de certaines célébrités.

— Vous me dites ce que vous souhaitez et je vous l'obtiens.

— C'est très gentil, mais je n'ai jamais été très portée sur les soirées, vous savez.

Certains jours, Maureen se demandait ce qui était le plus dément, son monde intérieur ou celui qu'exposaient les journaux et les magazines. Elle remercia la jeune femme pour son offre généreuse.

— À vrai dire, je ne pense pas avoir besoin d'être aidée. À moins que vous ne fassiez du repassage ?

Quand elle répéta sa conversation à Rex, il éclata de rire ; l'attachée de presse, elle, n'avait pas trouvé ça drôle. Maureen était en train de prendre le café chez lui, car elle n'avait plus de lait, et un petit groupe de fans attendait devant le jardin des nouvelles d'Harold. Ils avaient apporté des cakes et des chaussettes tricotées main, mais, comme elle l'avait déjà expliqué à plusieurs reprises, elle n'avait aucune adresse pour faire suivre.

— Un journaliste a dit que c'était une histoire d'amour idéale, énonça-t-elle calmement.

— Harold n'est pas amoureux de Queenie Hennessy. Ce n'est pas ce qui l'a poussé à marcher.

— L'attachée de presse m'a demandé si nous avions des problèmes conjugaux.

— Vous devez avoir foi en lui et en votre mariage, Maureen. Il va revenir.

Maureen contempla l'ourlet de sa jupe. Il s'était décousu à un endroit.

— Mais c'est horriblement difficile de ne pas douter, Rex. C'est même douloureux. J'ignore s'il m'aime encore. J'ignore s'il aime Queenie. Il y a des jours où je me dis que ce serait plus simple s'il était mort. Au moins, je saurais où j'en suis. (Elle leva les yeux vers Rex et pâlit.) Mon Dieu, c'est affreux, ce que je viens de dire.

Il haussa les épaules.

— Mais non, voyons.

— Je sais combien Elizabeth vous manque.

— Elle me manque en permanence. Ma tête sait bien qu'elle est décédée, mais je continue à la chercher. La seule différence, c'est que je me suis habitué à la souffrance. C'est comme de découvrir un énorme trou dans le sol. Au début, on oublie qu'il est là et on tombe tout le temps dedans. Et puis, au bout d'un moment, il n'a pas disparu, mais on apprend à le contourner.

Maureen se mordit la lèvre et approuva de la tête. Après tout, elle avait eu son lot de chagrin. Une fois de plus, elle fut frappée de la persistance des émois du cœur. Quelqu'un de jeune qui croiserait Rex dans la rue ne verrait en lui qu'un homme âgé et sans défense. Fatigué et déconnecté de la réalité. Et pourtant, sous sa corpulence et sa peau cireuse, battait un cœur animé de la même passion qu'un adolescent.

— Savez-vous ce que je regrette le plus à propos de sa disparition, Maureen ?

Elle fit signe que non.

— De ne pas m'être battu contre.

— Mais Rex, Elizabeth avait une tumeur au cerveau. Comment auriez-vous pu lutter contre ça ?

— Quand le médecin nous a dit qu'elle était perdue, je lui ai tenu la main et j'ai lâché prise. On a lâché prise tous les deux. Je sais que cela n'aurait rien changé au bout du compte, mais je regrette de ne pas lui avoir montré à quel point j'avais envie de la garder. J'aurais dû me mettre en fureur, Maureen.

Il était penché au-dessus de sa tasse, comme en prière. Sans lever les yeux, il répéta la dernière phrase avec une véhémence contenue qu'elle ne lui connaissait pas. Les jointures de ses phalanges saillaient.

— J'aurais dû me mettre en fureur.

Maureen repensa souvent à cette conversation. Elle déprima de nouveau et passa des heures à regarder par la fenêtre en se remémorant le passé. Elle revoyait la jeune femme qu'elle avait été, certaine de pouvoir représenter tout pour Harold, puis elle considérait ce qu'elle était devenue. Même pas une épouse. Elle sortit les deux photos qu'elle avait trouvées dans la table de nuit de son mari, celle où elle riait dans le jardin après leur mariage et celle de David avec sa première paire de chaussures.

Sur la seconde, quelque chose la fit sursauter. Elle l'examina de nouveau. C'était la main. La main qui soutenait David en équilibre sur une jambe. Un frisson courut le long de sa colonne vertébrale. Cette main n'était pas la sienne, mais celle d'Harold.

C'était elle qui avait pris la photo. Mais oui, bien sûr. Elle s'en souvenait maintenant. Harold avait tenu la main de David pendant qu'elle allait chercher l'appareil. Comment avait-elle pu refouler de son esprit cet épisode du passé ? Pendant des années, elle avait reproché à Harold de ne pas soutenir leur fils. De ne pas lui donner l'affection dont un enfant avait besoin.

Maureen se dirigea vers le séjour et sortit les albums de photos que personne ne consultait plus. De la poussière s'était déposée sur la tranche et elle l'ôta avec sa jupe. Ravalant ses larmes, elle étudia chaque page. Il y avait surtout des clichés d'elle et de David archivés. D'autres étaient glissés entre les pages. On y voyait David assis sur les genoux de son père qui se penchait vers l'enfant, les mains levées comme s'il s'interdisait de le toucher. Sur un autre, David était juché sur les épaules d'Harold, qui tendait le cou pour le maintenir droit. Il y avait aussi David adolescent posant à côté d'Harold devant le bassin à poissons rouges, lui vêtu de noir avec ses cheveux longs, son père en veste et cravate. Maureen éclata de rire. Ils avaient essayé de se rapprocher. Pas de manière évidente. Pas sur un rythme quotidien. Mais Harold y avait tenu, et David aussi, de temps en temps. Elle resta avec l'album ouvert sur les genoux, le regard vague, contemplant non pas les rideaux, mais le passé.

Elle se remémora le jour où, à Bantham, David avait nagé à contre-courant. Elle revoyait Harold en train de traficoter ses lacets et pensait à toutes ces années où elle lui avait fait des reproches. Puis elle considéra l'image sous un autre angle, comme si elle avait retourné l'appareil pour se prendre en photo. Son cœur battit plus fort. Il y avait une femme au bord de l'eau, qui criait et agitait les bras, mais ne se précipitait pas dans la mer. Une mère à demi folle de frayeur, qui pourtant n'agissait pas. Si David avait failli se noyer à Bantham, elle portait sa part de responsabilité.

Les jours qui suivirent furent encore pires. Les albums gisaient sur le sol du séjour parce qu'elle n'avait pas le courage de les remettre en place. Elle

fit une lessive de blanc un matin de bonne heure et
la laissa traîner toute la journée dans le tambour de la
machine. Elle se mit à manger des crackers et du fromage pour ne pas avoir à faire chauffer une casserole
d'eau. Elle n'était plus que remémoration.

Lorsque Harold réussissait à l'appeler, elle était
seulement capable de l'écouter.

— Oh, Seigneur ! murmurait-elle.

Ou bien :

— Qui aurait cru ça ?

Il lui parlait des endroits où il s'était reposé, les
abris de rondins, les appentis, les cabanes, les Abribus,
les granges. Les mots sortaient de sa bouche avec une
telle vigueur que pour sa part elle se sentait vieille.

— Je veille à ne rien déranger, avait-il dit. Et je
ne force jamais une serrure.

Il connaissait le nom de toutes les plantes des haies
et aussi leur usage. Il lui en cita plusieurs, mais elle
n'arrivait pas à suivre. Maintenant, expliquait-il, il était
en train d'apprendre à se diriger avec les seuls éléments
naturels. Il lui décrivait les gens qu'il rencontrait, lui
racontait comment ils lui avaient donné à manger
ou réparé ses chaussures, y compris les drogués, les
ivrognes et les marginaux.

— Quand on s'arrête et qu'on écoute, on n'a pas
de raison d'avoir peur de qui que ce soit, Maureen.

Il semblait avoir du temps pour tout le monde. Il
était si déconcertant à ses yeux, cet homme qui che-
minait tout seul et faisait bon accueil aux inconnus,
qu'elle ne savait que glisser quelques mots sur les cors
aux pieds ou le climat. Elle ne disait rien du genre :

— Harold, j'ai été injuste avec toi.

Elle ne disait pas qu'elle avait été heureuse à East-

272

bourne, ou qu'elle regrettait d'avoir refusé qu'ils aient un chien. Elle ne disait pas :

— Est-il vraiment trop tard ?

Mais elle pensait tout cela pendant qu'elle écoutait Harold.

Une fois seule, elle restait dans la clarté froide de la lune et pleurait durant ce qui lui paraissait des heures, comme si la lune solitaire et elle étaient les seules à pouvoir comprendre. Elle n'avait même pas l'idée de parler à David.

Maureen regardait fixement les lampadaires qui perçaient l'obscurité au-dessus de Kingsbridge. Il n'y avait pas de place pour elle dans le monde du sommeil et de la sécurité. Elle ne cessait de penser à Rex et à la fureur qui l'habitait encore en pensant à la maladie d'Elizabeth.

21

Harold et le disciple

Il y avait quelqu'un derrière Harold. Il sentait sa présence dans son dos. Il hâta le pas, mais la personne qui le suivait sur le bas-côté en fit autant et, même si elle était encore à distance respectable, elle n'allait pas tarder à le rattraper. Devant lui, la route était déserte. Il se figea et se retourna. Le ruban de macadam se déroulait jusqu'à l'horizon entre les étendues jaunes des champs de colza et miroitait sous le soleil de l'après-midi. Les voitures semblaient surgir de nulle part et disparaissaient aussitôt, si vite qu'on n'avait même pas le temps de distinguer leurs occupants. Mais on ne voyait personne en train de marcher. Personne sur le bas-côté de la route.

Malgré tout, au fur et à mesure qu'il avançait, Harold était certain que quelqu'un se trouvait derrière lui et le suivait toujours. C'était une sensation qu'il éprouvait sur sa nuque. Ne voulant pas s'arrêter de nouveau, il profita d'une pause dans la circulation pour traverser la route, tout en regardant sur la gauche du coin de l'œil. Personne ne se montra. Pourtant, quelques minutes plus tard, il eut la certitude que l'autre avait aussi traversé la route. Il accéléra l'allure, hors d'haleine, trempé de sueur et le cœur battant à tout rompre.

Il continua ainsi pendant encore une demi-heure, en s'arrêtant pour regarder derrière lui, sans voir qui que ce soit, mais sachant qu'il n'était pas seul. Une fois, néanmoins, lorsqu'il se retourna, il remarqua qu'un buisson frémissait malgré l'absence de vent. Pour la première fois depuis des semaines, il regretta de ne pas avoir de téléphone. Cette nuit-là, il s'abrita dans une cabane à outils laissée ouverte et resta immobile dans son sac de couchage, guettant l'individu qui, il le savait d'instinct, était en train de l'attendre au-dehors.

Le lendemain matin, au nord de Barnsley, Harold entendit quelqu'un crier son nom depuis l'autre côté de l'A61. Un jeune homme fluet avec des lunettes d'aviateur et une casquette de base-ball zigzagua entre les voitures. Le souffle court, il déclara à Harold qu'il était venu le rejoindre. Il parlait vite. Ses pommettes ressemblaient à des crayons. Il s'appelait I.f. Harold plissa le front. Ilf, répéta le jeune homme. Puis de nouveau : Wilf. Il semblait avoir à peine vingt ans et ne pas manger à sa faim. Il était chaussé de chaussures de training avec des lacets vert fluo.

— Je vais devenir pèlerin, Mr. Fry. Moi aussi, je vais sauver Queenie Hennessy.

Il souleva son sac de sport et le maintint en l'air. Il était visiblement neuf, comme les chaussures.

— J'ai mon sac de couchage et tout.

C'était comme de parler à David. Même les mains du jeune homme tremblaient.

Harold n'eut pas le temps d'argumenter. Wilf s'était déjà placé à côté de lui et marchait à son rythme tout en bavardant nerveusement. Harold fit un effort pour l'écouter, mais, chaque fois qu'il se tournait vers lui, il trouvait d'autres éléments de ressemblance avec son fils. Ses ongles rongés jusqu'au sang. Sa façon de lâcher les mots comme s'ils ne vous étaient pas vraiment destinés.

— J'ai vu votre photo dans les journaux et j'ai demandé qu'on m'envoie un signe. J'ai dit : Seigneur, si je dois aller vers Mr. Fry, montre-le-moi. Et vous savez ce qu'Il a fait ?

— Aucune idée.

Une camionnette ralentit en arrivant à leur hauteur. Le conducteur passa la main par la vitre et prit une photo d'Harold avec son téléphone.

— Il m'a donné une colombe.

— Une quoi ?

La camionnette poursuivit sa route.

— Bon, c'était peut-être un pigeon. Mais enfin, c'était un signe. Le Seigneur est bon. Demandez-lui votre chemin, Mr. Fry, et Il vous le montrera.

Il avait une manière de prononcer « Mr. Fry » qui ajouta encore à la confusion d'Harold, comme si le jeune homme savait quelque chose sur lui, ou avait une revendication à son égard. Ils continuèrent de cheminer dans l'herbe du bas-côté, même s'il leur était difficile de se tenir côte à côte lorsque celui-ci rétrécissait. Wilf faisait des enjambées plus petites que celles d'Harold, de sorte qu'il avançait en crabe.

— J'ignorais que vous aviez un chien.

— Je n'en ai pas.

Le jeune homme fit la grimace et jeta un coup d'œil par-dessus son épaule.

— Alors, il est à qui, celui-ci ?

Il avait raison. De l'autre côté de la route, un chien

277

s'était arrêté et observait le ciel en haletant, langue pendante. C'était un animal de petite taille, couleur feuille-morte, avec un pelage dru pareil à une brosse. Il devait avoir attendu toute la nuit à l'extérieur de la cabane à outils.

— Ce chien n'a rien à voir avec moi, déclara Harold.

Tandis qu'il se remettait en marche, suivi par le jeune homme qui allongeait la foulée pour ne pas être distancé, il vit du coin de l'œil que le chien avait traversé la route et trottinait lui aussi derrière. Chaque fois qu'Harold s'arrêtait et regardait dans sa direction, le chien se glissait tête basse sous la haie, comme s'il n'était pas là ou qu'il était autre chose, une statue de chien, par exemple.

— Va-t'en, lui lança Harold. Rentre chez toi.

Le chien inclina la tête de côté, l'air intéressé. Puis il se dirigea vers Harold et déposa avec soin une pierre près de l'une de ses chaussures.

— Peut-être qu'il n'a pas de foyer, suggéra Wilf.

— Bien sûr que si.

— Alors, il ne doit pas s'y plaire. Peut-être qu'on le bat. Ce sont des choses qui arrivent. Il n'a pas de collier.

Le chien reprit sa pierre et la déposa à côté de l'autre chaussure d'Harold. Il s'assit sur son arrière-train et, levant les yeux vers lui, il le regarda fixement, la tête immobile. À l'horizon apparaissaient les landes sombres du Peak District.

— Je ne peux pas m'occuper d'un chien. Je n'ai rien à lui donner à manger. En plus, je me rends à Berwick par des routes où il y a beaucoup de circulation. C'est trop dangereux. Allez, le chien, rentre chez toi.

278

Ils tentèrent de le leurrer en lançant la pierre dans un champ et en se cachant derrière une haie, mais le chien alla la chercher et revint s'asseoir devant la haie en remuant la queue.

— L'ennui, c'est qu'il vous aime, on dirait, chuchota Wilf. Il veut venir lui aussi.

Ils se redressèrent et reprirent leur marche, avec le chien qui, cette fois, gambadait ouvertement auprès d'Harold. Rester sur l'A61 était risqué. Harold emprunta une déviation vers la B6132, plus tranquille, même si leur progression était lente. Wilf dut s'arrêter à plusieurs reprises pour ôter ses chaussures et les secouer. Ils parcoururent à peine un kilomètre et demi.

Harold eut une nouvelle surprise lorsqu'une femme qui coupait les roses fanées dans son jardin le reconnut.

— Vous êtes le pèlerin, n'est-ce pas ? lança-t-elle. Je dois dire que je trouve ce que vous faites absolument fantastique.

Elle ouvrit son portefeuille et lui tendit un billet de vingt livres. Wilf s'essuya le front avec sa casquette et émit un sifflement.

— Je ne peux accepter, répondit Harold, en dépit des regards noirs que lui lançait le jeune homme. Mais je ne dirais pas non à quelques sandwichs. Ni à des allumettes et à une bougie pour ce soir. Un peu de beurre aussi, peut-être. Je n'ai rien de tout cela.

Il jeta un coup d'œil au visage nerveux de Wilf.

— Nous en aurons sans doute besoin.

La femme le pressa de partager son dîner et étendit son invitation à Wilf. Elle leur proposa également d'utiliser sa salle de bains et son téléphone.

Harold dut attendre sept sonneries avant que son épouse ne décroche. Elle répondit sur un ton agacé.

— Ce n'est pas encore l'attachée de presse ? demanda-t-elle.

— Mais non, Maureen, c'est moi.

— Ça tourne à l'hystérie, Harold. Il y a des gens qui voudraient que je les laisse entrer dans la maison. Et Rex est tombé sur un jeune qui essayait d'ôter un morceau de silex du mur de devant.

Le temps qu'Harold prenne sa douche, son hôtesse avait invité une petite bande de copains à prendre l'apéritif sur la pelouse. Ils levèrent leur verre en son honneur et à la santé de Queenie. C'était la première fois qu'il voyait autant de cheveux gris bleuté coiffés en arrière et de pantalons de velours dans des tons moutarde, roux et or. Sous une table où étaient posées des assiettes de canapés et de viande froide, le chien mordillait quelque chose qu'il tenait entre les pattes. De temps à autre, quelqu'un lui lançait la pierre, et il allait la chercher, puis attendait qu'on recommence.

Les hommes racontaient leurs histoires de yacht et de chasse et Harold écoutait patiemment. Il observait Wilf en train de parler avec animation à leur hôtesse. Elle avait un rire strident et il se rendait compte qu'il avait pratiquement oublié ce genre de sonorité. Il se demanda s'il pouvait s'éclipser sans que quelqu'un le remarque.

Il ajustait son sac à dos sur ses épaules lorsque Wilf abandonna son interlocutrice et le rejoignit.

— Je n'aurais pas pensé que ça se passerait comme ça, dit-il en enfournant à pleine main un blini au saumon fumé. Pourquoi part-on ?

— Il faut que j'avance. Et, non, ça ne se passe pas comme ça d'habitude. En général, je trouve un endroit où poser mon sac de couchage et personne ne s'occupe de moi. Cela fait des jours que je me nourris de bouts de pain et de ce que je trouve. Mais vous devriez rester ici, si vous en avez envie. Je suis sûr que vous seriez bien accueilli.

Wilf regarda Harold d'un air distrait.

— Les gens me demandent sans cesse si je suis votre fils, dit-il.

Harold sourit, soudain attendri. Il se retourna vers les invités. Il avait l'impression que Wilf et lui avaient un lien, comme si le fait d'être tous deux en marge leur faisait partager plus que ce qui les rapprochait en réalité. Ils agitèrent la main en signe d'au revoir.

— Tu es trop jeune pour être mon fils, dit Harold en tapotant le bras de Wilf. Allez, il faut s'en aller si l'on veut trouver un endroit où dormir.

Le chien était déjà au portail et tous trois se remirent à marcher d'une allure régulière. Sur la route, leurs ombres ressemblaient à des piliers et l'air embaumait les fleurs de sureau et de troène. Wilf raconta sa vie à Harold ; il avait tenté toutes sortes de choses sans réussir quoi que ce soit. S'il n'y avait eu le Seigneur, expliqua-t-il, il se serait retrouvé en prison. Harold l'écoutait par intermittence ; parfois, il s'intéressait aux chauves-souris voletant dans le crépuscule. Il se demandait si le jeune homme allait vraiment l'accompagner jusqu'à Berwick et ce qu'il allait faire du chien. Il se demandait si David avait essayé Dieu. Au loin, les usines crachaient un supplément de nuages dans le ciel.

Au bout d'une heure à peine, Wilf boitait franchement. Ils n'avaient même pas parcouru un kilomètre.

— Tu veux te reposer ?

— Ça va, Mr. Fry, assura Wilf, mais il sautillait.

Harold se mit en quête d'un endroit abrité et ils s'arrêtèrent de bonne heure. Quand il déplia son sac de couchage près d'un orme abattu par la tempête, Wilf l'imita. Des polypores mouchetés, semblables à un plumage, avaient poussé sur le tronc mort. Harold cueillit ces champignons, tandis que Wilf sautait d'un pied sur l'autre en poussant des petits cris de dégoût. Il alla ensuite chercher des branchages feuillus tombés à terre et des coussinets de mousse, qu'il déposa en couches dans le trou creusé par l'arbre déraciné. Cela faisait des jours qu'Harold ne s'était donné autant de mal pour s'installer pour la nuit. Pendant qu'il s'activait, le chien le suivait en ramassant des pierres et en les déposant à ses pieds.

— Je ne vais pas te les lancer, prévint-il.

Mais il le fit tout de même une ou deux fois.

Harold rappela à Wilf qu'il devait vérifier s'il n'avait pas d'ampoules aux pieds. Il était important de les soigner ; un peu plus tard, il lui montrerait comment évacuer le pus.

— Et tu sais allumer un feu, Wilf ?

— Un peu que je sais, Mr. Fry. Vous avez de l'essence ?

Harold lui répéta qu'il n'emportait avec lui que l'essentiel. Il l'envoya chercher du petit bois tandis que d'un coup d'ongle, il coupait les champignons en tranches grossières. Ils étaient un peu coriaces, mais il espérait qu'ils feraient l'affaire. Il les fit cuire sur le feu dans une vieille boîte de conserve qu'il gardait dans son sac à cette intention, avec le petit morceau de beurre et des feuilles d'herbe à l'ail, qui parfumèrent l'atmosphère.

— Mange, dit-il à Wilf en lui tendant la boîte.

— Avec quoi ?

— Tes doigts. Tu pourras les essuyer ensuite sur ma veste, si tu veux. Et demain, on trouvera peut-être des pommes de terre.

Wilf repoussa l'offre avec un rire qui ressemblait à un cri aigu.

— Comment je sais qu'ils ne sont pas vénéneux ?

— Regarde-moi. Je les mange. Et nous n'avons rien d'autre à nous mettre sous la dent ce soir.

Wilf prit un bout minuscule entre ses dents et l'avala en grimaçant comme s'il craignait d'être piqué.

— Putain ! couina-t-il.

Harold éclata de rire et le jeune homme en prit une autre bouchée.

— Alors, dit Harold, ce n'est pas si mauvais, non ?

— Ça a goût d'ail, quoi. Et de moutarde.

— Ce sont les feuilles. En général, ce qu'on trouve dans la nature pour se nourrir a une certaine amertume. Tu t'y habitueras. Si ça n'a aucun goût, c'est déjà bien. Si ça a bon goût, c'est un festin. Peut-être qu'on va tomber sur des groseilles. Ou des fraises sauvages. Quand elles sont bien mûres, on croirait du cheese-cake.

Ils étaient assis, les genoux repliés, et contemplaient les flammes. Loin derrière eux, Sheffield était une lueur soufrée à l'horizon. À condition de prêter l'oreille, on entendait passer les voitures, mais Harold avait l'impression qu'ils étaient très loin des autres gens. Il expliqua à Wilf comment il avait appris à faire la tambouille sur un feu de bois et à reconnaître les plantes à l'aide d'un petit guide qu'il avait acheté à Bath. Il y avait les bons et les mauvais champignons, dit-il, et il fallait apprendre à les différencier. Par exemple, on devait faire attention à ne pas confondre le dangereux hypholome en touffes avec le pleurote, qui, lui, était comestible. De temps en temps, il se penchait sur le feu et soufflait dessus, ce qui portait les braises à l'incandescence. Des cendres voletaient et rougeoyaient brièvement avant de se fondre dans le crépuscule. Le chant des criquets remplissait l'atmosphère.

— Vous n'avez pas peur ? demanda Wilf.

— Quand j'étais petit, mes parents ne voulaient pas de moi. Plus tard, j'ai rencontré ma femme et nous avons eu un enfant. Là aussi, les choses ont mal tourné. Depuis que je vis dehors, on dirait que j'ai moins à craindre.

Il aurait aimé que David entende ces paroles.

Plus tard, tandis qu'Harold nettoyait la boîte de conserve avec une feuille de journal et la replaçait dans son sac, le jeune homme s'amusa à lancer un caillou dans les fourrés. Le chien aboyait comme un fou, détalait dans l'obscurité, puis revenait avec le caillou et le déposait aux pieds de Wilf. Harold s'aperçut alors qu'il s'était vraiment habitué au silence et à la solitude.

Ils s'allongèrent dans leurs sacs de couchage et Wilf demanda s'ils pouvaient faire leurs prières.

— Je ne vois aucun inconvénient à ce que les autres les fassent, mais, pour ma part, je m'abstiens, si cela ne t'ennuie pas.

Wilf joignit les mains et ferma les yeux. Avec ses ongles rongés, la peau au bout de ses doigts semblait particulièrement fragile. Il pencha la tête, tel un enfant, et chuchota des mots qu'Harold ne souhaita pas entendre. Harold espérait que quelque part, il y avait quelqu'un, ou quelque chose, qui écoutait. Une traînée de lumière persistait dans le ciel quand ils sombrèrent dans le sommeil. Les nuages étaient bas, l'atmosphère était calme. Il n'allait pas pleuvoir.

Malgré ses prières, Wilf s'éveilla avec un cri au milieu de la nuit, tout frissonnant. Harold le prit dans ses bras, mais le jeune homme était trempé de sueur. Il craignit que ce ne soit dû aux champignons, même s'il ne s'était jamais trompé jusque-là.

— C'est quoi, ce bruit ? demanda Wilf d'une voix tremblante.

— Rien. Des renards, ou des chiens. Et des moutons. J'entends des moutons.

— On n'a pas vu de moutons en passant.

— Non, mais la nuit, on perçoit plus de choses. Tu vas t'y habituer très vite. Ne t'inquiète pas. Tu n'as rien à craindre.

Harold lui massa le dos et lui parla doucement pour le rendormir, comme le faisait Maureen pour calmer les angoisses de David après le Lake District.

— Tout va bien, tout va bien, répéta-t-il.

Il regrettait de n'avoir pas trouvé un meilleur emplacement pour Wilf, cette première nuit. Précédemment, il avait découvert une serre où il avait pu dormir confortablement sur un canapé en osier. Même le dessous d'un pont, où pourtant on risquait toujours d'attirer l'attention, aurait été mieux que cet endroit.

— Ça fiche foutrement la trouille, dit Wilf.

Il claquait des dents. Harold sortit le bonnet destiné à Queenie et le lui mit sur la tête.

— J'avais l'habitude de faire des cauchemars, mais depuis que je marche, c'est terminé. Ce sera pareil pour toi, tu verras.

Pour la première fois depuis des semaines, Harold

ne dormit pas de la nuit. Il resta auprès du jeune homme en repensant au passé et en se demandant ce qui avait poussé David à faire les choix qu'il avait faits. Aurait-il pu en repérer les germes dès le début ? Les choses se seraient-elles passées autrement si David avait eu un père différent ? Il y avait longtemps qu'il ne s'était posé ce genre de questions. Le chien était allongé près de lui.

Quand le jour se leva, la lune, d'un jaune très pâle dans la lumière du matin, laissa la place au soleil. Ils marchèrent dans la rosée, les jambes effleurées par les extrémités de la laîche et du plantain, au contact léger, humide et frais. Des gouttelettes étaient suspendues aux tiges telles des gemmes et les toiles d'araignée formaient des houppettes duveteuses entre les feuilles d'herbe. Le soleil brillait déjà avec une telle intensité que devant eux les formes et les couleurs devenaient indistinctes et qu'ils avaient l'impression d'avancer dans une brume. Harold désigna le chemin que leurs pieds avaient tracé en écrasant l'herbe de l'accotement.

— C'est nous, dit-il.

Wilf continuait à avoir des problèmes avec ses chaussures de training neuves et Harold était ralenti par le manque de sommeil. Au cours des deux jours suivants, ils n'allèrent pas plus loin que Wakefield, mais il se sentait incapable d'abandonner le jeune homme. Les crises d'angoisse, ou les cauchemars, continuaient. Wilf maintenait qu'il s'était mal comporté dans le passé et que le Seigneur le sauverait.

Harold en était moins certain. Le jeune homme était maigre à faire peur et sujet à des changements d'humeur. À un moment, il filait devant, courant avec le chien après une pierre ; l'instant suivant, il ne desserrait pratiquement pas les dents. Harold le distrayait en lui transmettant ce qu'il avait appris sur la flore des haies et le ciel. Il lui expliquait la différence entre les nuages : les stratus bas, effilochés, et les cirrus semblables à de gros rochers qui évoluaient en hauteur. Il lui montrait comment il s'orientait par déduction, en observant les ombres et les textures autour de lui. Par exemple, une plante épaissie d'un côté bénéficiait à l'évidence d'un meilleur ensoleillement sur cette partie. Cela voulait dire qu'elle faisait face au sud et qu'il fallait aller dans le sens opposé. Wilf avait visiblement soif d'apprendre, même si, parfois, il posait une question qui suggérait un total manque de concentration. Ils s'assirent sous un peuplier et écoutèrent son feuillage bruire dans le vent.

— On l'appelle aussi tremble, dit Harold. On le distingue facilement. Il frémit tellement que de loin il semble couvert de petites lumières.

Il parla à Wilf des personnes qu'il avait rencontrées au début, et d'autres qui avaient croisé sa route plus récemment. Il y avait une femme qui vivait dans une maison en paille, un couple qui emmenait une chèvre en voiture et un dentiste en retraite qui n'hésitait pas à faire quotidiennement dix kilomètres pour aller puiser de l'eau à une source naturelle.

— Il m'a expliqué. Pour lui, chacun doit accepter ce que la terre offre gratuitement. C'est un geste de gratitude. Depuis, je veille à m'arrêter pour boire l'eau des sources.

C'est seulement en prononçant ces mots qu'Harold se rendait compte du chemin qu'il avait parcouru. Il prenait plaisir à faire chauffer de petites quantités d'eau pour Wilf dans un gobelet au-dessus de la flamme d'une bougie, et à cueillir des fleurs de tilleul qu'il préparait en infusion. Il lui montrait qu'on pouvait consommer des marguerites, de la matricaire, de la linaire, des pousses de houblon au goût suave. Il avait l'impression de faire pour David tout ce qu'il n'avait pas fait en réalité. Il y avait tant de choses qu'il voulait montrer à Wilf.

— Voilà des gousses de vesce. Elles sont sucrées, mais il ne faut pas en abuser. Pas plus que de la vodka.

Wilf saisit une minuscule gousse entre ses doigts et la mordilla avant de la recracher.

— Je préfère la vodka, Mr. Fry.

Harold fit comme s'il n'avait pas entendu. Il se tapirent au bord d'une rivière et attendirent qu'une oie ponde. Quand l'œuf blanc apparut sur l'herbe, énorme et humide, le jeune homme se mit à danser en poussant des cris.

— Putain, c'est dégueulasse, ça sort de son cul. Je lance quelque chose ?

— Sur l'oie ? Non, lance plutôt une pierre au chien.

— Je préférerais toucher l'oie.

Harold l'entraîna plus loin et fit comme s'il n'avait pas entendu ça non plus.

Ils parlèrent de Queenie Hennessy et des petites attentions qu'elle avait eues. Harold expliqua qu'elle pouvait chanter une chanson à l'envers et qu'elle adorait les devinettes.

— Je pense que personne d'autre ne savait ce genre de détails sur elle, dit-il. On se racontait des choses qu'on n'aurait sans doute pas confiées à d'autres. C'est plus facile, quand on est en déplacement.

Il montra à Wilf les cadeaux qu'il avait pour elle dans son sac. Le jeune homme apprécia particulièrement le presse-papier de la cathédrale d'Exeter qui se remplissait de paillettes quand on le renversait. Parfois, Harold s'apercevait que Wilf l'avait pris dans son sac et jouait avec. Il devait alors lui demander d'y faire attention. À son tour, Wilf proposa d'autres souvenirs. Un morceau de silex, une plume de pintade mouchetée, une pierre annelée. Une fois, il arriva avec un petit nain de jardin armé d'une canne à pêche, qu'il jura avoir trouvé dans une poubelle. Une autre fois, il revint avec trois cartons de lait qu'il prétendit avoir eus gratuitement. Harold le prévint qu'il ne devait pas boire goulûment, mais le jeune homme ne l'écouta pas et il fut malade dans les dix minutes.

Les présents devenaient si nombreux qu'Harold dut s'en séparer discrètement, en prenant garde de les dissimuler au chien, qui avait tendance à aller rechercher au moins les pierres et à les lui rapporter. Parfois, Wilf se retournait et criait qu'il avait trouvé quelque chose de nouveau et le cœur d'Harold se serrait. Ç'aurait pu si facilement être David.

22

Harold et les pèlerins

Chère Queenie,
Les événements prennent un tour surprenant. Un
nombre incroyable de gens veulent avoir de tes nou-
velles.
Amicalement,
Harold.
P-S : À la poste, une dame très gentille ne m'a
pas fait payer le timbre. Elle t'adresse ses pensées.

À son quarante-septième jour de marche, Harold fut
rejoint par une femme d'une cinquantaine d'années
et un père de deux enfants. La femme, Kate, laissa
entendre qu'elle avait beaucoup souffert récemment
et qu'elle souhaitait l'oublier. De petite taille, vêtue
de noir, elle avançait en levant le menton, comme si
elle était gênée par un chapeau qui lui tombait sur
les yeux. La sueur perlait à son front et elle avait des
auréoles sous les bras.
— Elle est grosse, dit Wilf.
— Il ne faut pas dire ça.
— N'empêche qu'elle est grosse.

L'homme se présenta en tant que Rich, diminutif de Richard ; nom de famille Lion. Il avait travaillé dans la finance, mais il avait cessé d'exercer à la quarantaine et, depuis, il « improvisait ». Quand il avait lu l'histoire d'Harold dans les journaux, il avait été rempli d'espérance et cela ne lui était pas arrivé depuis l'enfance. Il avait jeté le strict nécessaire dans un sac et il était parti. C'était un homme aussi grand qu'Harold, qui parlait d'une voix nasale et sur un ton péremptoire. Il portait des chaussures de randonnée, un pantalon de treillis et un chapeau de brousse en cuir de kangourou acheté sur Internet, et il était équipé d'une tente, d'un sac de couchage et d'un couteau suisse.

— Pour ne rien vous cacher, j'ai gâché ma vie, confia-t-il à Harold. Je me suis retrouvé au chômage, puis j'ai fait de la dépression. Ma femme m'a quitté en emmenant les enfants. (Il frappa le sol du plat de la lame de son couteau.) Les garçons me manquent terriblement, Harold. Je veux leur montrer ce que je peux faire. Je voudrais qu'ils soient fiers de moi. Avez-vous pensé à couper à travers la campagne ?

Des discussions sur le choix de l'itinéraire s'engagèrent tandis que le groupe nouvellement formé se dirigeait vers Leeds. Rich suggérait d'éviter les grandes villes et de se diriger vers la lande. Kate était pour continuer le long de l'A61. Et Harold, qu'en pensait-il ? Mal à l'aise dans le dilemme, il répondit que les deux idées étaient bonnes, du moment qu'ils arrivaient à Berwick. Il était resté si longtemps seul qu'il trouvait fatigant d'être constamment en compagnie d'autres personnes. Leurs questions et leur enthousiasme l'émouvaient, mais ils le ralentissaient aussi. Néanmoins, dans la mesure où ils avaient choisi de cheminer avec lui et de défendre la cause de Queenie, il se sentait responsable d'eux, un peu comme s'il leur avait demandé de venir. Il se devait donc d'être à l'écoute de leurs besoins et de veiller à ce que tout se passe bien pour eux. À ses côtés, Wilf boudait, les mains enfoncées dans ses poches, et il se plaignait d'avoir des chaussures trop petites. Comme avec David, Harold aurait aimé que le jeune homme soit plus sociable et il craignait que son manque d'assurance ne soit pris pour de l'arrogance. Finalement, il fallut plus d'une heure pour que tout le monde s'accorde sur le choix d'un endroit suffisamment confortable pour passer la nuit.

Au bout de deux jours, Rich eut un problème avec Kate. Cela tenait moins à ce qu'elle disait qu'à son attitude, expliqua-t-il à Harold. Elle prenait des airs supérieurs, simplement parce qu'elle était arrivée une demi-heure avant lui.

— Et vous savez quoi ? lança-t-il, la voix montant dans les aigus.

Harold ne savait pas. Il se sentait attaqué.

— Elle est venue en voiture !

Quand ils atteignirent Harrogate, Kate suggéra qu'ils aillent visiter les bains royaux pour s'y rafraîchir. Rich écarta la suggestion d'un revers de main, mais admit qu'il avait besoin d'acheter des lames supplémentaires pour son couteau. Harold préféra rester dans le jardin public, où plusieurs sympathisants vinrent lui demander des nouvelles de Queenie. Wilf avait disparu.

Le temps que le groupe se reconstitue, un jeune veuf dont la femme était morte d'un cancer s'était assis auprès d'Harold. Il expliqua qu'il souhaitait les accompagner et que, pour accroître la sympathie du public envers Queenie, il le ferait déguisé en gorille. Avant qu'Harold puisse l'en dissuader, Wilf réapparut. Visiblement, il avait du mal à marcher droit sur le trottoir.

— Nom de Dieu ! s'exclama Rich.

Ils repartirent lentement. Wilf tomba à deux reprises. Il se révéla bientôt que l'homme-gorille ne pouvait se nourrir qu'avec une paille et qu'il était sujet à des accès de tristesse encore accentués par le coup de chaleur. Au bout de huit cents mètres, Harold proposa de s'arrêter pour la nuit.

Il alluma un feu de camp et se souvint que lui-même avait mis quelques jours avant de trouver son rythme. Ce ne serait pas gentil d'abandonner ces gens qui étaient venus vers lui et s'investissaient autant dans la cause de Queenie. Il se demanda même si les chances de survie de Queenie ne pourraient pas augmenter proportionnellement au nombre de personnes qui croiraient en elle et continueraient de marcher.

Dès lors, d'autres sympathisants les rejoignirent. Ils restaient un jour, parfois deux. Quand il faisait beau, ils pouvaient être une foule. Des militants, des randonneurs, des familles, des marginaux, des touristes, des musiciens. Il y avait des banderoles, des feux de camp, des débats, des échauffements musculaires, de la musique. Les gens prononçaient des paroles émouvantes sur les êtres chers que le cancer leur avait pris et évoquaient des épisodes de leur passé qu'ils regrettaient. Et plus ils étaient nombreux, plus le rythme était lent. Non seulement il fallait tenir compte des marcheurs les moins expérimentés, mais encore il fallait les nourrir. On faisait des pommes de terre sautées, des brochettes d'ail, des betteraves en papillotes. Rich, qui possédait un manuel de la cueillette en milieu naturel, tint à faire des beignets de berce. Le nombre de kilomètres parcourus chaque jour chuta encore. Pas plus de cinq, parfois.

Malgré sa lenteur, le groupe affichait une assurance jusque-là inconnue d'Harold. Ils se convainquaient qu'ils n'étaient plus un assortiment de torses, de pieds, de têtes et de cœurs, mais une seule énergie unie par Queenie Hennessy. Cette marche l'habitait depuis si longtemps qu'en voyant d'autres personnes assurer qu'elles y croyaient, il était touché. Plus encore, il savait que cela réussirait. Ce n'était pas vraiment nouveau, mais, désormais, il s'agissait d'une certitude profonde. Ils montaient les tentes, déroulaient les sacs de couchage et dormaient à la belle étoile. Ils promettaient que Queenie allait rester en vie. Sur leur gauche s'élevaient les formes sombres des sommets de Keighley Moor.

Malgré tout, au bout de quelques jours seulement, il y eut des tensions. Kate n'en avait rien à faire de Rich. C'était un égocentrique, déclara-t-elle. À son tour, Rich la traita de connasse. Puis, au cours d'une même soirée, l'homme-gorille et un étudiant de passage couchèrent avec la même institutrice et les efforts de Rich pour éviter l'affrontement faillirent se solder par un pugilat. Wilf ne pouvait s'empêcher de tenter d'amener à Dieu les autres marcheurs et de demander que l'on prie pour Queenie, et cela ne faisait qu'envenimer les choses. Lorsqu'un groupe de randonneurs amateurs établit son camp pour la nuit, il y eut encore d'autres divergences, les uns affirmant que planter sa tente n'était pas dans l'esprit de l'entreprise d'Harold, les autres tenant à éviter les routes de toute façon et à filer vers le Pennine Way, le sentier de randonnée autrement plus exaltant. Et le gibier tué sur la route ? demanda Rich, relançant la polémique. En les écoutant, Harold était de plus en plus mal à l'aise. Il se fichait de l'endroit où les gens dormaient et de leur façon de marcher. Il se fichait de ce qu'ils mangeaient. Tout ce qu'il voulait, c'était arriver à Berwick.

Maintenant, il était coincé avec ses compagnons de route. Après tout, eux aussi avaient souffert, chacun à sa manière. Wilf continuait à avoir des terreurs nocturnes et Kate avait parfois des larmes sur les joues quand elle s'asseyait près du feu. Rich lui-même, quand il parlait de ses garçons, dépliait un mouchoir en prétendant avoir le rhume des foins. Même s'il regrettait que ces gens aient choisi de l'accompagner, il n'était pas dans la nature d'Harold de les abandonner. Il lui arrivait de quitter le groupe pour se laver à l'eau claire ou prendre quelques profondes inspirations. Il se rappelait qu'il n'existait aucune règle pour sa marche. Une ou deux fois, il avait eu le tort de croire qu'il comprenait, pour découvrir que ce n'était pas le cas. Qui sait si ce n'était pas la même chose avec les pèlerins ? Peut-être étaient-ils l'étape suivante de son voyage. Il voyait bien qu'il y avait des moments où tout ce que l'on savait, c'était qu'on ne savait rien, et il fallait faire avec.

La nouvelle du pèlerinage continuait à faire boule de neige, comme si elle avait son énergie propre. Il suffisait qu'on annonce l'approche de leur groupe pour que les gens se mettent à leurs fourneaux. Kate faillit être renversée par une Land Rover dont la conductrice était fermement décidée à leur remettre un plateau avec des tranches de fromage de chèvre. Autour du feu de camp, Rich suggéra à Harold de prononcer quelques mots au début de chaque repas sur le sens du pèlerinage. Harold déclina l'offre et Rich se proposa de le faire à sa place. Quelqu'un pourrait-il prendre des notes ? L'homme-gorille s'en chargea, mais il n'était pas facile d'écrire avec un gant poilu et il passa son temps à demander à Rich de l'attendre.

De son côté, la presse rapportait sans cesse des témoignages sur la bonté d'âme d'Harold. Lui-même n'avait pas le temps de lire les journaux, mais Rich semblait plus au courant. Un spirite de Clitheroe prétendait que le pèlerin avait une aura d'or. Un jeune homme qui avait voulu se jeter du pont suspendu de Clifton racontait de manière émouvante comment Harold l'avait persuadé de renoncer.

— Mais je ne suis pas allé à Bristol, protesta Harold. Je suis allé à Bath, et de là à Stroud. Je m'en souviens très bien parce que c'est l'endroit où j'ai failli abandonner. Je n'ai jamais rencontré quelqu'un sur un pont, et n'ai certainement pas dissuadé qui que ce soit de sauter.

Pour Rich, c'était un détail. Un détail insignifiant, en fait.

— Peut-être ne vous a-t-il pas dit qu'il était sur le point de mettre fin à ses jours. Mais le fait de vous rencontrer lui a redonné espoir. Ça vous est sans doute sorti de l'esprit.

Il répéta à Harold qu'il devait avoir une vision moins étroite des choses : toute publicité était bonne à prendre. En l'écoutant, Harold s'apercevait que Rich, qui, à la quarantaine, aurait pu être son fils, lui parlait comme à un enfant. Harold tenait là un marché juteux, poursuivait-il, et il fallait battre le fer tant qu'il était chaud. Il s'agissait aussi de parler d'une même voix et d'avoir des idées triées sur le volet. Harold commençait à avoir la migraine. Toutes ces images formaient un tel salmigondis dans sa tête qu'il devait s'arrêter à tout bout de champ pour s'y retrouver. Il aurait préféré que Rich parle en clair au lieu d'utiliser les mots comme des munitions.

On était déjà au début juin. Dans une interview poignante, le père absent de Wilf évoqua le courage de son fils (« Il n'est même jamais venu me voir », déclara Wilf). La mairie de Berwick-upon-Tweed passa commande d'affiches et de banderoles pour fêter l'arrivée des pèlerins. Et un épicier de Ripon les accusa d'avoir volé plusieurs articles, dont du whisky.

Rich organisa une réunion, au cours de laquelle il accusa franchement Wilf de vol et suggéra qu'on le renvoie dans ses foyers. Pour une fois, Harold manifesta son opposition, tout en regrettant d'être dans cette situation de conflit et en sachant qu'il ne pourrait recommencer. Rich l'écouta, les yeux réduits à deux fentes, ce qui ne l'aida pas. Rich finit par accepter de donner une seconde chance à Wilf, mais il évita Harold le reste de l'après-midi. Ensuite de quoi, la moitié du groupe se retrouva avec de la fièvre et des crampes d'estomac lorsque le jeune homme prit des champignons vénéneux pour la variété comestible, qui leur ressemblait d'une façon désarmante. Au moment où ils commençaient à se remettre, l'abondance de cerises et de groseilles dans leur alimentation provoqua un fâcheux épisode de diarrhée. L'homme-gorille fut méchamment piqué par une guêpe qui avait élu domicile dans son gant alors qu'il prenait des notes pour Rich. Pendant deux jours, tous furent réduits à l'immobilité.

L'horizon formait un ensemble de sommets bleus qu'Harold brûlait d'escalader. Le soleil levant, haut dans le ciel, rendait la lune si pâle qu'elle semblait constituée de nuages. Si seulement ces gens voulaient bien s'en aller. Trouver autre chose en quoi croire. Il hochait la tête, s'en voulant d'être déloyal.

Rich informa le groupe qu'il était nécessaire de distinguer les vrais pèlerins des accompagnants. D'ailleurs, il avait la solution. Il avait pris contact avec un vieil ami qui était dans les relations publiques et lui devait un service. Cet ami avait parlé à son tour aux distributeurs d'une boisson énergisante, lesquels seraient ravis de fournir à tous les marcheurs officiels des T-shirts avec le mot « Pèlerin » imprimé devant et derrière. Les T-shirts seraient disponibles en blanc et en trois tailles.

Kate pouffa.

— En blanc ? Et où est-ce qu'on va les laver ?

— Le blanc se remarque, répondit Rich. Et il véhicule une image de pureté.

— Quelle connerie !

Les gens de la compagnie fourniraient également des boissons aux fruits en quantité illimitée. En échange, ils demandaient simplement qu'Harold en tienne une à la main le plus souvent possible. Dès que les T-shirts arrivèrent, une conférence de presse fut organisée. Harold serait rejoint sur l'A617 par Miss South Devon pour la séance photo.

— Je crois que les autres devraient être aussi sur la photo, dit Harold. Ils sont tout autant que moi engagés dans cette marche.

Rich répondit que cela brouillerait le message sur la foi au XXIe siècle et affaiblirait la *love story* avec Queenie.

— Mais il n'a jamais été dans mes intentions d'évoquer ces choses-là, protesta Harold. Et j'aime ma femme.

Rich lui tendit une boisson aux fruits et lui rappela de tenir la bouteille avec l'étiquette bien en évidence face à l'appareil photo.

— Je ne vous demande pas de la terminer, mais simplement de la tenir. Ah, est-ce que je vous ai dit que le maire vous invitait à dîner ?

— Franchement, je n'ai pas très faim.

— Il faudra que vous emmeniez le chien. Sa femme s'occupe de la SPA.

Apparemment, les gens se sentaient offensés si les pèlerins ne passaient pas par leur ville. Dans une interview, le maire d'une station balnéaire du North Devon déclara que Harold appartenait à la « bourgeoisie blanche élitiste », ce qui ébranla Harold au point de lui donner envie de s'excuser. Il se demanda même s'il ne devrait pas, au retour, rentrer à pied en passant par toutes les villes qui n'étaient pas sur son itinéraire à l'aller. Il avoua à Kate que la boisson aux fruits ravageait son système digestif.

— Mais Rich vous a dit que vous n'aviez pas à tout boire ! s'exclama-t-elle. Vous pouvez jeter la bouteille une fois la photo prise.

Il eut un petit sourire triste.

— Il m'est impossible de tenir la bouteille, de l'ouvrir et de ne pas la boire. Je suis de la génération des baby-boomers, Kate. Nous ne nous vantons pas de nos succès, nous ne jetons pas les choses. Nous avons été élevés ainsi.

Kate tendit les bras et l'étreignit avec émotion.

Il aurait aimé la serrer lui aussi dans ses bras, mais il restait figé. N'était-ce pas une autre caractéristique de sa génération ? Effectivement, à voir les gens légèrement vêtus autour de lui, il se demandait s'il n'était pas de trop.

— Qu'est-ce qui ne va pas ? demanda Kate. Vous êtes tout le temps ailleurs.

Harold se redressa.

— Je ne peux m'empêcher de penser que ce n'est pas bon, tout ce bruit, toute cette agitation. J'apprécie ce que chacun a fait, mais je ne vois plus en quoi ça peut aider Queenie. Hier, on a parcouru à peine dix kilomètres. Et un peu plus de onze la veille. Je me demande si je ne devrais pas y aller.

Kate eut soudain un recul, comme touchée au menton par un uppercut.

— Y aller ?

— Reprendre la route.

— Sans nous ?

L'angoisse se lisait dans son regard.

— Vous ne pouvez pas nous laisser tomber. Pas maintenant !

Harold approuva d'un signe de tête.

— Promettez-le-moi.

Elle lui agrippa le bras et l'or de son alliance étincela au soleil.

— Je n'irai pas sans vous.

Ils marchèrent en silence. Harold regrettait de lui

avoir fait part de ses doutes. Visiblement, ils n'avaient pas de place dans l'esprit de Kate.

Pourtant, malgré sa promesse, Harold était toujours préoccupé. Il y avait des moments où ils avançaient à bonne allure, mais avec les bobos divers et les manifestations publiques de soutien, il leur fallut presque deux semaines pour couvrir cent kilomètres : ils n'avaient pas encore atteint Darlington. Il imaginait Maureen voyant sa photo dans la presse et cela lui faisait honte. Que pouvait-elle bien penser ? Le considérait-elle comme un bouffon ?

Un soir, tandis que les supporters et les sympathisants sortaient les guitares et se rassemblaient autour du feu pour chanter, Harold alla chercher son sac à dos et s'éclipsa. Le ciel noir et pur était incrusté d'étoiles et la lune recommençait à décroître. Il repensa à la nuit qu'il avait passée dans la grange près de Stroud. Personne ne connaissait la vraie raison qui le faisait marcher pour rejoindre Queenie. Ils avaient fait des suppositions. Ils imaginaient une histoire d'amour, un miracle, un beau geste, voire un acte de bravoure, mais ce n'était rien de tout cela. La divergence entre ce qu'il savait et ce que les autres croyaient l'effrayait. En se retournant vers le campement, il eut aussi le sentiment qu'il restait pour eux un inconnu, même quand ils étaient ensemble. Le feu était une lueur dans les ténèbres. Les voix et les rires lui parvenaient, et tous lui étaient étrangers.

Il pouvait continuer à marcher. Il n'y avait aucun obstacle à cela. Oui, il avait fait une promesse à Kate, mais elle était moins importante que ce qu'il devait à Queenie. Après tout, il avait le nécessaire. Ses chaussures. La boussole. Les cadeaux pour Queenie. Il pouvait choisir un itinéraire plus direct, par les collines peut-être, et éviter les gens par la même occasion. Ses pieds se mirent en marche, son cœur battit plus vite. Il pouvait voyager de nuit. Et de nouveau à l'aurore. Il pouvait être à Berwick dans quelques semaines.

C'est alors qu'il entendit la voix grêle de Kate qui l'appelait et le chien qui aboyait, assis à ses pieds. Il y avait aussi d'autres voix, certaines qu'il reconnaissait et d'autres non, qui toutes criaient « Harold ! » dans le noir. Des gens à qui il devait moins fidélité qu'à Queenie, mais qui malgré tout méritaient mieux que d'être abandonnés sans un mot d'explication. Lentement, il se dirigea vers eux.

Rich sortit de l'ombre au moment où Harold pénétrait dans le cercle de lumière autour du feu. En voyant le vieil homme, il se précipita vers lui et le serra à l'étouffer.

— On a cru que vous étiez parti !

Sa voix tremblait. Il n'était pas impossible qu'il ait bu. En tout cas, il sentait l'alcool. Il s'accrochait si fort à Harold qu'il faillit lui faire perdre l'équilibre.

— Restez avec nous ! s'exclama Rich en riant.

C'était un de ses rares moments d'affection ; pris dans son étreinte, Harold s'efforça de ne pas suffoquer.

Le lendemain, une photo parut dans les journaux, avec pour légende « Harold Fry va-t-il y arriver ? ». On le voyait qui avait l'air de s'effondrer dans les bras de Rich.

23

Maureen et Harold

Maureen n'y tenait plus. Elle confia à Rex que contre l'avis de David, elle avait décidé d'aller chercher Harold. Elle avait parlé au téléphone avec son mari ; il espérait que les pèlerins atteindraient Darlington dans l'après-midi du lendemain. Elle savait qu'il était trop tard pour réparer les torts du passé, mais elle ferait au moins une ultime tentative pour le convaincre de rentrer à la maison.

Dès le lever du jour, elle prit les clés de la voiture sur la table du vestibule et glissa un tube de rouge à lèvres rose dans son sac. Elle était en train de verrouiller la porte d'entrée lorsqu'elle eut la surprise d'entendre Rex l'appeler. Il portait un chapeau de soleil, des lunettes noires, et tenait à la main une carte routière des îles Britanniques.

— J'ai pensé que vous auriez besoin d'un navigateur, dit-il. D'après l'Automobile Club, on devrait y être en fin de journée.

Les kilomètres défilèrent, mais Maureen s'en aperçut à peine. Elle parlait pour dire n'importe quoi, comme si ces choses sans queue ni tête n'étaient que la partie émergée de l'iceberg de ses sentiments. Que se passerait-il si Harold refusait de la voir ? S'il était en compagnie des autres pèlerins ?

— Imaginons qu'on se trompe, Rex, déclara-t-elle. Qu'il soit en fait amoureux de Queenie ? Il vaudrait peut-être mieux que je lui écrive ? Qu'en pensez-vous ? Il me semble que je m'exprimerais mieux dans une lettre.

Comme il ne répondait pas, elle se tourna vers lui. Il faisait une drôle de tête.

— Ça ne va pas ? demanda-t-elle.

Il hocha affirmativement la tête, tout raide sur son siège.

— Vous avez doublé trois semi-remorques et un autocar, Maureen. Sur une voie unique.

Il ajouta que tout irait bien s'il regardait sagement par la fenêtre pendant le reste du trajet.

Il ne fut pas difficile de trouver Harold et les pèlerins. Quelqu'un avait organisé pour l'office de tourisme une séance photo sur la place du marché réservée aux piétons. Maureen rejoignit le petit groupe. Il y avait là un homme de haute taille qui guidait les photographes, un gorille qui semblait avoir besoin de s'asseoir, une femme imposante qui mangeait un sandwich et un jeune homme à l'air sournois. En apercevant Harold, Maureen fut déconcertée. Elle l'avait vu aux informations locales, et elle conservait les coupures de presse dans son sac, mais elle n'était pas pour autant préparée à le voir « dans la vraie vie », comme disait David. Bien sûr, il n'avait pas pu grandir, ni grossir, et pourtant, en regardant ce pirate buriné, à la peau tannée comme un cuir brun et aux cheveux bouclés, elle se sentait à la fois frêle et monolithique. C'était ce dépouillement qui la faisait frémir ; comme s'il était devenu l'homme qu'il aurait dû être depuis toujours. Son T-shirt de pèlerin était souillé et élimé à l'encolure. Ses chaussures de bateau étaient décolorées et c'est tout juste si le pied ne passait pas à travers le cuir.

Son regard croisa celui de Maureen et il s'arrêta net. Il dit deux mots à l'homme de haute taille et se dirigea vers elle.

Il avançait avec un sourire si radieux qu'elle dut se détourner, incapable d'en soutenir l'éclat. Elle ne savait si elle devait lui offrir ses lèvres ou ses joues, et elle changea d'avis à la dernière minute, de sorte qu'il lui embrassa finalement le nez en lui piquant le visage avec sa barbe. Les gens les regardaient.

— Hello, Maureen.

La voix d'Harold était grave et assurée. Elle sentit ses jambes se dérober sous elle.

— Qu'est-ce qui t'amène à Darlington ?

Elle haussa les épaules.

— Oh, on a eu envie de faire un petit tour, Rex et moi.

Il jeta un regard circulaire, l'air ravi.

— C'est pas vrai, il est venu, lui aussi ?

— Il est passé à la papeterie. Il avait besoin de trombones. Après ça, il compte visiter le musée du Rail pour voir la fameuse Locomotion qui y est exposée.

Il la dominait de sa haute taille et la contemplait sans détourner le regard. Elle avait l'impression d'être sous les projecteurs.

— C'est une locomotive à vapeur, ajouta-t-elle, car il ne bougeait toujours pas.

Elle ne pouvait détacher les yeux de sa bouche.

307

Malgré la barbe, on voyait que sa mâchoire était moins serrée. Ses lèvres avaient l'air douces.

Un vieux bonhomme se mit à haranguer la foule avec un mégaphone.

— Allez-y, achetez tout ce que vous pouvez ! C'est la volonté du Seigneur ! Le shopping est ce qui donne du sens à notre existence ! Jésus est venu sur terre pour faire du shopping !

L'homme n'avait pas de chaussures.

Du coup, la glace fut rompue. Harold et Maureen se sourirent, et elle sentit une complicité entre eux, comme s'ils étaient les seuls êtres au monde qui voyaient juste.

— Ah, les gens ! s'exclama-t-elle en hochant la tête d'un air entendu.

— Il faut de tout pour faire un monde, dit Harold.

Il n'y avait aucune condescendance dans sa remarque, et pas de blâme non plus. Elle était au contraire emplie de générosité, comme si la bizarrerie des autres était quelque chose de merveilleux, et par comparaison Maureen eut l'impression d'avoir l'esprit étroit.

— Tu as le temps de boire une petite tasse ? demanda-t-elle.

En temps normal, elle n'aurait jamais désigné une théière d'Earl Grey par le terme « petite tasse ». Et quelle idée de vouloir se faire pardonner d'être une Anglaise banale en proposant du thé !

— Cela me ferait très plaisir, Maureen, répondit Harold.

Ils choisirent un *coffee shop* au rez-de-chaussée d'un grand magasin, parce qu'elle préférait rester en

308

terrain connu. La jeune fille derrière le comptoir dévisagea Harold comme si elle essayait de le remettre, et Maureen se sentit à la fois fière et gênante. Elle avait chaussé à la dernière minute des baskets flambant neuves et elles brillaient à ses pieds tels deux fanaux.

— Quel choix ! constata Harold devant l'assortiment de muffins et de gâteaux enveloppés dans des caissettes en papier. Tu es sûre que ça ne te gêne pas de payer, Maureen ?

Elle avait surtout envie de le dévorer des yeux. Il y avait des années qu'elle n'avait vu son regard bleu aussi vif. Il frottait les boucles de son impressionnante barbe blanche entre le pouce et l'index, de sorte qu'elles formaient des pics comme du blanc d'œuf battu en neige. Elle se demanda si la serveuse s'était rendu compte qu'elle était l'épouse d'Harold.

— Qu'est-ce que tu prends ? interrogea-t-elle.

Elle aurait aimé ajouter « mon chéri », mais le mot était trop timide pour franchir ses lèvres.

Il demanda s'il pouvait avoir une tranche de gâteau aux barres Mars et un smoothie glacé à la fraise, ce qui la fit rire.

— Pour moi, ce sera un thé au lait, sans sucre, dit-elle.

Harold sourit gentiment à la jeune fille, dont le prénom était inscrit sur un badge accroché à son T-shirt noir juste au-dessus des seins.

— Vous êtes le type dont on parle aux infos, déclara celle-ci. Le pèlerin. Mon copain vous trouve génial. Ça vous ennuie de signer ici ?

Elle allongea le bras et lui tendit un feutre. Maureen fut de nouveau stupéfaite en voyant Harold inscrire son nom à l'encre indélébile sur la chair tendre au-dessus du poignet de la jeune fille : « Amitiés, Harold ». Il ne cilla même pas.

La serveuse tint son avant-bras avec l'autre main et le contempla longuement. Puis elle posa les boissons et le gâteau sur un plateau, en y ajoutant un scone.

— Je vous l'offre, dit-elle.

Maureen n'avait jamais rien vu de pareil. Elle laissa Harold la précéder et ce fut comme si, dans un murmure, la pièce s'ouvrait pour lui laisser le passage. Elle remarqua que les autres clients le regardaient en chuchotant, la main devant la bouche. Deux femmes de son âge buvaient du thé, assises à une table d'angle. Elle se demanda où étaient leurs maris : peut-être jouaient-ils au golf, à moins qu'ils ne soient morts ou n'aient abandonné leur épouse.

— Bonjour, lança-t-il à de parfaits étrangers.

Il choisit une table sous la fenêtre afin de garder un œil sur le chien qui rongeait une pierre sur le trottoir, apparemment content d'attendre. Elle éprouva une bouffée de sympathie à l'égard de l'animal.

Harold et Maureen s'installèrent face à face et non pas côte à côte. Et même si cela faisait quarante-sept ans qu'elle prenait le thé avec lui, ses mains tremblèrent en remplissant sa tasse. Il creusa les joues et aspira son smoothie glacé avec une paille. Elle attendit poliment que le liquide descende dans son estomac, mais elle tarda trop et, quand elle ouvrit la bouche, tous deux parlèrent en même temps.

— C'est bien de...

— C'est formidable de...

Ils éclatèrent de rire comme s'ils se connaissaient à peine.

— Je t'en prie, dit-elle.

— Après toi...

C'était comme une autre collision et chacun se concentra sur sa boisson. Elle ajouta du lait à son thé, mais sa main trembla de nouveau et la totalité du pot tomba dans sa tasse.

— Est-ce qu'on te reconnaît souvent, Harold ?

Elle parlait comme si elle l'interviewait pour la télévision.

— Je n'en reviens pas de la gentillesse des gens.

— Où as-tu dormi cette nuit ?

— Dans un champ.

Elle hocha la tête, impressionnée, mais il dut se méprendre sur son geste car il se hâta d'ajouter :

— Je ne sens pas mauvais, au moins ?

— Bien sûr que non !

— Je me suis lavé dans un ruisseau, puis dans une fontaine à eau. Mais je n'ai pas de savon.

Il avait terminé son gâteau aux barres Mars et défaisait le papier du scone offert. Il mangeait à une telle vitesse qu'il semblait inhaler la nourriture.

— Je peux t'acheter du savon, Harold. Je suis certaine d'être passée devant un Body Shop.

— C'est très gentil, merci. Mais je ne veux pas me charger.

Une fois de plus, Maureen se sentit honteuse de ne pas comprendre. Elle avait hâte de se montrer à lui sous un jour éclatant et elle était là, toute grise.

— Oh ! s'exclama-t-elle en baissant la tête.

La douleur lui serra la gorge, l'empêchant de parler.

La main d'Harold lui tendit un mouchoir roulé en boule et Maureen enfouit son visage dans sa tiédeur froissée. Il avait l'odeur de son mari et du passé lointain. Mauvais. Les larmes jaillirent.

— C'est le fait de te revoir, dit-elle. Tu as l'air tellement en forme.

— Tu as l'air en forme toi aussi, Maureen.

— Non, Harold, j'ai l'air de quelqu'un qui est abandonné.

Elle s'essuya le visage, mais les larmes continuaient à couler à travers ses doigts. Elle était sûre que la serveuse les regardait, tout comme les clients et les dames sans leur mari. Tant pis. Qu'ils regardent.

— Harold, tu me manques. Je voudrais que tu rentres à la maison.

Elle attendit, le sang battant à ses tempes.

Finalement, Harold se frotta le crâne, comme s'il avait mal ou voulait chasser quelque chose.

— Je te manque ?

— Oui.

— Tu voudrais que je rentre à la maison ?

Elle hocha affirmativement la tête, incapable de répondre. Harold passa de nouveau la main sur son crâne, puis leva les yeux vers elle. Elle sentit son cœur bondir.

— Tu me manques aussi, Maureen, articula-t-il lentement. Mais vois-tu, j'ai passé ma vie à ne rien faire. Or, maintenant, je suis en train de faire quelque chose. Je dois aller au bout de cette marche. Queenie m'attend. Elle croit en moi. Tu vois ce que je veux dire ?

— Oui, bien sûr.

Elle but une gorgée de thé. Il était froid.

— C'est juste que je ne vois pas où je me situe, moi. Je sais que tu es devenu pèlerin, tout ça. Mais cela ne m'empêche pas de me poser des questions sur moi, car je n'ai pas ton altruisme, malheureusement.

— Je ne vaux pas mieux que les autres, tu sais.

N'importe qui pourrait faire la même chose. Mais pour cela il faut savoir lâcher du lest. Je l'ignorais au début, je le sais maintenant. On doit se débarrasser de ce qu'on croyait indispensable, les cartes bancaires, les cartes routières, les téléphones, et ainsi de suite.

Il la regardait avec ses yeux brillants et son sourire tranquille.

Elle reprit sa tasse de thé et se souvint qu'il était froid en le portant à ses lèvres. Elle avait envie de demander si les autres pèlerins voyageaient eux aussi sans leur femme, mais elle se tut. Elle se força à afficher une expression enjouée, puis elle jeta un coup d'œil par la fenêtre au chien d'Harold, qui attendait toujours.

— Il ronge une pierre, dit-elle.

Harold se mit à rire.

— Oui, c'est son truc. Attention à ne pas en lancer une, car, sinon, il va penser que tu aimes jouer à ça et il va te suivre. Il n'oublie pas ce genre de choses.

Elle sourit de nouveau, mais, cette fois, elle n'eut pas à se forcer.

— Tu lui as donné un nom ?

— Juste Le Chien. Je ne me voyais pas l'appeler autrement. Il est du genre indépendant. Si je lui donnais un nom, ce serait un peu comme s'il m'appartenait.

Elle approuva de la tête, ne sachant que répondre.

— Tu pourrais marcher avec nous, dit soudain Harold.

Il tendit la main et lui prit les doigts. Elle le laissa faire. Il avait les paumes si calleuses et si tachées, les siennes étaient si pâles et si fines qu'elle se demanda comment leurs doigts avaient pu s'accorder. Sa main reposait dans celle de son époux et tout le reste de son corps était paralysé.

Des moments de leur vie commune défilèrent dans son esprit comme une série de photos. Elle le revit se glissant hors de la salle de bains le soir de leurs noces, le torse si beau dans sa nudité qu'elle avait poussé un petit cri, le faisant se précipiter sur sa veste. Il y avait aussi Harold à l'hôpital en train de contempler son fils nouveau-né, le doigt tendu, et toutes les images enfermées dans les albums de cuir qu'elle avait fini par ôter de sa mémoire au fil des ans. Elle poussa un soupir.

Tout cela était bien loin et tant d'autres choses étaient venues se loger entre eux. Elle se souvint d'elle et lui vingt ans plus tôt, l'un et l'autre à l'abri de leurs lunettes de soleil et incapables de se toucher.

La voix d'Harold dissipa ses pensées.

— Qu'en dis-tu, Maureen ? Pourrais-tu venir ?

Elle retira sa main de celle d'Harold et repoussa sa chaise.

— Je ne crois pas. C'est trop tard.

Elle se leva, mais il resta assis, ce qui lui donna l'impression d'être déjà à la porte.

— Il y a le jardin. Et puis Rex. En plus, je n'ai pas mes affaires.

— Tu n'as pas besoin de…

— Si.

Il mâchonna sa barbe et hocha la tête sans lever les yeux, l'air de dire : « Je sais. »

— Il vaut mieux que j'y aille, reprit-elle. À propos, Rex te transmet toutes ses amitiés. Je t'ai apporté des pansements adhésifs. Et l'une de ces boissons aux fruits que tu aimes tant.

314

Elle les fit glisser sur la table, vers la zone neutre entre eux.

— À moins que les pèlerins n'utilisent pas de pansements ?

Harold s'appuya au dossier de sa chaise et empocha les cadeaux. Son pantalon flottait à la taille.

— Merci, Maureen. Ils sont les bienvenus.

— C'était égoïste de ma part de te demander de renoncer, Harold. Pardonne-moi.

Il inclina la tête si bas qu'elle se demanda s'il ne s'était pas endormi brusquement. Par-delà sa nuque, elle apercevait la peau blanche et douce de son dos, que le soleil n'avait pas touchée. Un frisson la parcourut, comme si elle le voyait nu pour la première fois. Quand il releva la tête et croisa son regard, elle rougit.

D'une voix si douce que les mots semblaient aussi légers que l'air, il répondit :

— C'est moi qui dois être pardonné.

Rex attendait sur le siège du passager avec un gobelet de café et un beignet enveloppé dans une serviette en papier. Elle s'assit à côté de lui et respira fort pour contenir ses larmes. Il lui offrit le café et le gâteau, mais elle n'avait pas faim.

— Je lui ai même dit : « Je ne crois pas », sanglota-t-elle. Ce n'est pas possible que j'aie dit ça.

— Pleurez un bon coup, Maureen.

— C'est gentil, Rex, mais j'ai assez pleuré. Je préfère arrêter.

Elle s'essuya les yeux et regarda au-dehors. Les gens vaquaient à leurs occupations dans la rue. Autour d'elle, il y avait des hommes et des femmes, des jeunes

315

et des vieux, marchant seuls ou ensemble. Le monde des couples semblait plein d'agitation et d'assurance.

— Quand on s'est connus, Harold et moi, dit-elle, il m'a appelée Maureen. Puis c'est devenu Maw, et ça pendant des années. Ces temps-ci, c'est de nouveau Maureen.

Elle appuya les doigts sur ses lèvres pour les forcer au silence.

— Est-ce que vous aimeriez rester ? fit la voix de Rex. Lui parler encore ?

Elle mit le contact.

— Non. Rentrons.

Au moment où la voiture démarrait, elle vit Harold, cet étranger qui pendant si longtemps avait été son mari, marchant un chien à ses côtés, accompagné de gens qu'elle ne connaissait pas, mais elle n'agita pas le bras dans sa direction, ni ne klaxonna. Sans tambour ni trompette, sans même lui dire correctement au revoir, elle s'éloigna d'Harold et le laissa accomplir sa marche.

Deux jours plus tard, quand Maureen s'éveilla, le ciel promettait une belle journée et une légère brise jouait dans les feuillages. Un temps idéal pour faire la lessive. Elle alla chercher l'escabeau et décrocha les rideaux. Lumière, couleur et texture habitèrent de nouveau la pièce comme si elles étaient restées emprisonnées dans l'espace derrière les voilages. Les rideaux redevinrent blancs et séchèrent dans la journée.

Maureen les plia et les mit dans des sacs qu'elle porta au magasin caritatif.

24

Harold et Rich

Quelque chose se passa après qu'Harold eut quitté Maureen. C'était comme si une porte s'était refermée sur une partie de lui-même qu'il n'était pas certain de vouloir laisser ouverte. Il n'aimait plus imaginer les infirmières et les patients en train de l'accueillir. Il n'arrivait plus à visualiser la fin de son voyage. La marche était lente et troublée par tant de querelles que le groupe mit pratiquement une semaine pour parcourir la route entre Darlington et Newcastle. Harold prêta sa canne en osier à Wilf et ne la récupéra pas.

Maureen avait dit qu'il lui manquait. Elle voulait qu'il rentre à la maison. Et cela ne lui sortait plus de la tête. Il trouvait toutes sortes d'excuses pour emprunter des téléphones portables et l'appeler.

— Je vais bien, disait-elle. Je suis en forme.

Elle lui parlait d'une lettre bouleversante arrivée par la poste, ou d'un petit cadeau, ou bien elle lui décrivait l'évolution de ses plants de haricots d'Espagne.

— Mais tu ne m'appelles pas pour que je te parle de moi, disait-elle.

Au contraire, il y tenait énormément.

— Encore au téléphone ? disait Rich avec un sourire, mais sans empathie.

Rich accusa de nouveau Wilf de vol et en son for
intérieur Harold pensa qu'il n'avait pas tort. C'était
pénible de continuer à défendre le jeune homme alors
qu'il savait intuitivement qu'il était aussi peu fiable
que David. Wilf ne se donnait même pas la peine
de cacher ses bouteilles vides. Le réveiller prenait un
temps fou et, dès qu'il était debout, il se mettait à
rouspéter. Dans le but de le protéger, Harold raconta
aux autres que la vieille blessure de sa jambe droite
le faisait de nouveau souffrir. Il proposa des temps
de repos plus longs. Il suggéra même qu'ils aillent
devant. Non, non, protestèrent-ils en chœur ; Harold
était l'âme de la marche. Il n'était pas question de
continuer sans lui.

Pour la première fois, il fut soulagé d'arriver dans
les villes. Wilf semblait revivre. Et le fait de voir
d'autres gens, de regarder les vitrines, de penser à ce
dont il n'avait pas besoin détournait Harold de ses
doutes sur ce qu'était devenu son voyage. Il ne comprenait pas comment il avait créé quelque chose qu'il
n'arrivait plus à maîtriser.

— Un type m'a proposé un paquet d'argent pour
mon histoire, dit Wilf en sprintant pour le rattraper.

Il avait de nouveau la tremblote et il sentait le
whisky.

— J'ai refusé, Mr. Fry, je ne vous quitte pas.

Les pèlerins installaient le campement, mais Harold
ne restait plus avec eux pendant qu'ils préparaient à
manger ou l'itinéraire du lendemain. Rich s'était mis
à chasser des oiseaux et des lapins, qu'il plumait ou
écorchait et faisait cuire au-dessus du feu. Harold fré-

missait à la vue des pauvres bêtes embrochées. De plus, Rich avait depuis quelque temps une lueur avide et sauvage dans le regard qui lui rappelait Napier et son père, et qui l'inquiétait. Il portait maintenant un T-shirt taché de sang et un collier fait avec des dents de rongeurs qui dégoûtait Harold de la nourriture.

Fatigué et de moins en moins nourri, Harold déambulait sous les premières étoiles, entouré par le chant des criquets. C'était le seul moment où il se sentait libre et connecté. Il pensait à Maureen et à Queenie. Il se rappelait le passé. Les heures s'écoulaient et elles auraient tout aussi bien pu être des jours entiers ou avoir une durée indéfinissable. Quand il rejoignait les autres qui dormaient déjà ou chantaient autour du feu, il était submergé par la panique. Que faisait-il avec ces gens ?

Rich profita de l'une de ses absences pour organiser une petite réunion. Il avait de graves inquiétudes, déclara-t-il. Ce n'était pas facile à dire, mais quelqu'un devait bien s'en charger : Queenie n'allait pas pouvoir attendre encore longtemps. En conséquence, il suggérait qu'un groupe conduit par lui-même parte en avant et choisisse un autre itinéraire qui couperait à travers la campagne.

— Je sais que c'est dur parce que nous aimons tous Harold. Il a été un vrai père pour moi. Mais il ralentit la cadence. Sa jambe va mal. Il erre la moitié de la nuit. Et maintenant, il jeûne. Il n'est plus l'homme qu'il…

— Il ne jeûne pas, coupa Kate. À t'entendre, c'est religieux. Il n'a pas faim, tout simplement.

— Quoi qu'il en soit, il n'est pas à la hauteur de l'entreprise. Il faut appeler un chat un chat. On doit réfléchir à la façon d'être utile.

Kate alla chercher avec sa langue un filament vert coincé dans une molaire.

— Tu dis des conneries.

Wilf éclata d'un rire hystérique et le sujet fut abandonné, mais Rich passa le reste de la soirée un peu à l'écart du groupe, à tailler un bâton en pointe avec son couteau suisse.

Le lendemain matin, Harold fut réveillé par des cris. Le couteau de Rich avait disparu. Après une fouille méticuleuse du champ, des rives et des haies, il fut évident que Wilf l'avait emporté. Harold s'aperçut que le presse-papier à paillettes destiné à Queenie avait suivi le même chemin.

L'homme-gorille annonça que Wilf le Pèlerin avait créé une page sur Facebook. Il avait déjà plus d'un millier d'amis. Il racontait des anecdotes personnelles sur sa marche et sur les gens qu'il avait sauvés. Il y avait aussi plusieurs prières. Il promettait à ses fans d'autres histoires à venir dans les journaux du week-end.

— Je vous avais bien dit que c'était un sale type, lança Rich par-dessus le feu de camp.

Son regard transperça Harold dans le noir.

Harold fut très perturbé par la disparition de Wilf. Il marchait à l'écart des autres et fouillait les ombres du regard, cherchant des indices. Dans les villes, il scrutait les pubs et les groupes de jeunes hommes à la recherche du visage émacié et maladif de Wilf, ou bien il tendait l'oreille, espérant entendre son rire caractéristique, proche du glapissement. Il avait l'impression de l'avoir laissé tomber, selon sa bonne habitude. De nouveau, il dormit mal et parfois pas du tout.

— Vous avez l'air crevé, lui dit Kate.

Un peu éloignés du groupe, ils s'étaient installés dans un tunnel en brique près d'un ruisseau. L'eau, calme et opaque, tenait plus du velours vert que du liquide. Plus loin, de la menthe aquatique et du cresson poussaient sur la rive, mais Harold savait qu'il avait perdu le goût de la cueillette.

— Je me sens loin de mon point de départ. Et tout aussi loin de là où je vais.

Il émit un bâillement qui se répercuta dans tout son corps.

— Pourquoi Wilf est-il parti, d'après vous ?

— Il en a eu assez. Je ne crois pas que ce soit un méchant garçon. Il est jeune. Et complètement barjo.

Harold sentit qu'enfin quelqu'un lui parlait sans détour, comme au tout début de sa marche, quand personne, et lui le premier, n'attendait rien. Il confia à Kate que Wilf lui rappelait son fils et que, actuellement, il lui arrivait de souffrir d'avoir trahi David plus encore que d'avoir trahi Queenie.

— Dès l'enfance, nous nous sommes aperçus qu'il était intelligent. Il passait son temps à faire ses devoirs dans sa chambre. Il fondait en larmes s'il n'était pas parmi les premiers de sa classe. Et puis cette intelligence s'est retournée contre lui, apparemment. Il était trop brillant. Trop seul, aussi. Il est entré à Cambridge et il s'est mis à boire. Moi, le cancre, j'étais en admiration. Je peux dire que le seul domaine où j'étais bon, c'était l'échec.

Kate éclata de rire et son menton entra en collision avec son cou. Harold commençait à trouver un certain réconfort auprès de cette femme corpulente et vaillante, malgré ses manières brusques.

— Je n'en ai pas parlé aux autres, mais un soir, il y a quelque temps, mon alliance a disparu, déclara-t-elle.

Harold soupira. Il savait qu'il avait pris un pari risqué en faisant confiance à Wilf, mais, en même temps, il avait cru pouvoir trouver là l'occasion de confirmer sa conviction qu'il y avait du bon chez tout être humain.

— Pour l'alliance, ça n'a pas d'importance, poursuivit Kate en fléchissant ses doigts nus. Mon ex et moi, on vient de divorcer. Je me demande bien pourquoi je continuais à la porter. Si ça se trouve, Wilf m'a rendu service.

— Vous croyez que j'aurais pu faire plus, Kate ?

— Vous ne pouvez pas sauver tout le monde.

Elle sourit et se tut quelques instants avant de demander :

— Vous voyez toujours votre fils ?

La question fit mal à Harold.

— Non.

— Il vous manque, n'est-ce pas ?

Depuis Martina, personne ne l'avait interrogé sur David. Il eut soudain la bouche sèche et son rythme cardiaque s'accéléra. Il avait envie de décrire ce qu'on éprouve quand on découvre son fils dans ses vomissures, qu'on le porte dans son lit et qu'on le nettoie, avant de faire comme si rien ne s'était passé, le lendemain matin. Il avait envie de raconter ce qu'on ressent en trouvant son père dans la même situation quand on est un enfant. Il avait envie de dire : Que s'est-il passé ? Était-ce à cause de moi ? Suis-je le lien dans cette histoire ? Mais il se tut. Il ne souhaitait pas accabler Kate sous ce poids. Il se contenta de hocher la tête et de répondre que oui, David lui manquait.

Prenant ses genoux dans ses mains, il se revit adolescent, allongé dans son lit, à l'écoute de ce silence d'où sa mère était absente. Il se souvint du moment où il avait appris le départ de Queenie et où il s'était tassé sur son siège parce qu'elle ne lui avait pas dit au revoir. Il revit Maureen claquant la porte de la chambre d'amis, le visage blanc de haine. Il revécut sa dernière visite à son père.

— Je suis vraiment navrée, mais il est perturbé, avait dit l'aide-soignante.

Elle avait pris Harold par la manche et l'avait presque tiré de force.

— Peut-être vaut-il mieux ne pas insister aujourd'hui.

Quand il s'était retourné au moment de s'éloigner, sa dernière vision avait été celle d'un petit homme qui lançait des cuillères à café en hurlant qu'il n'avait pas de fils.

Comment Harold pourrait-il raconter tout cela ? C'était l'histoire d'une vie entière. Il pouvait tenter de trouver les mots, mais ils n'auraient pas le même sens pour Kate que pour lui. « Ma maison », dirait-il, et elle aurait à l'esprit l'image de la sienne. Cela ne servirait à rien.

Ils restèrent encore un peu assis en silence. Harold écoutait les feuilles d'un saule qui bruissaient dans le vent et les regardait trembloter. Des épis d'épilobe et d'onagre apportaient une touche claire dans l'obscurité. Des cris et des rires résonnèrent autour du feu de camp : Rich organisait un jeu nocturne de chat perché.

— Il est tard, dit Kate. Vous avez besoin de dormir.

Ils rejoignirent les autres, mais le sommeil ne vint

pas. Harold avait encore sa mère en tête et il tentait désespérément de retrouver un souvenir d'elle susceptible de le réconforter. Il se souvenait de l'absence de chaleur de la maison de son enfance, de l'odeur du whisky qui imprégnait même ses vêtements d'écolier, du manteau reçu en cadeau pour ses seize ans. Pour la première fois, il s'autorisa à ressentir la douleur d'être un enfant dont aucun des deux parents ne voulait. Il marcha pendant des heures dans le noir, sous un ciel éclairé par des étoiles infinitésimales. Il revoyait Joan en train d'humecter son doigt pour tourner la page d'un livre ou de lever les yeux au ciel devant le tremblement des mains de son mari au-dessus de sa bouteille du whisky, mais il n'avait aucune image d'elle embrassant son front, ni même lui disant des paroles rassurantes.

S'était-elle jamais demandé où il était ? S'il allait bien ?

Il revit aussi le reflet de sa mère dans le miroir de son poudrier tandis qu'elle se mettait du rouge à lèvres. Elle y apportait tant de soin qu'il avait cru qu'elle enfermait quelque chose derrière la couleur.

Une vague d'émotion le submergea lorsqu'il se rappela la fois où elle avait croisé son regard. Elle avait interrompu son geste, de sorte que sa bouche était restée moitié Joan et moitié maman. Le cœur battant si fort que sa voix tremblait, il avait rassemblé son courage et demandé :

— Dis-moi, s'il te plaît. Est-ce que je suis laid ?

Elle avait éclaté de rire. La fossette sur sa joue était si profonde qu'il s'imaginait pouvoir glisser son doigt dedans.

Il n'y avait rien de drôle dans sa question. Elle venait

du cœur. Mais en l'absence de toute autre manifestation physique d'affection, le rire de Joan avait été ce qui s'en rapprochait le plus. Il regrettait d'avoir déchiré son unique lettre en petits morceaux. « Chair fils. » Cela aurait déjà été quelque chose. De même, cela aurait été quelque chose de prendre David dans ses bras et de lui promettre que tout s'arrangerait. L'irréparable ne suscitait chez lui que de l'angoisse.

Quand il regagna son sac de couchage un peu avant l'aube, Harold découvrit un petit paquet sous la fermeture Éclair. Il contenait un quignon de pain, une pomme et une bouteille d'eau. Il s'essuya les yeux, mangea, mais ne trouva pas le sommeil.

Lorsque Newcastle se profila à l'horizon, les tensions reprirent. Kate voulait de toute façon éviter la ville. Quelqu'un d'autre affligé d'un hallux valgus avait besoin d'un médecin, ou du moins de premiers soins. Rich débordait tellement d'idées sur la nature du pèlerinage moderne que l'homme-gorille avait besoin d'un nouveau carnet. Harold déconcerta tout le monde en demandant s'ils pouvaient faire un détour par Hexham. Il sortit de la poche de sa veste la carte de visite professionnelle de l'homme d'affaires rencontré dans la maison d'hôtes où il avait passé sa première nuit. Elle était maintenant marquée de plis et abîmée aux angles. Mais même s'il avait failli être brisé dans son élan lors des premiers jours de sa marche, il se les rappelait avec envie. Il y avait dans cette période une simplicité qu'il se savait en danger de perdre, si ce n'était déjà fait.

— Je ne peux évidemment vous forcer à m'accompagner, déclara-t-il, mais je tiendrai parole.

Rich organisa une autre réunion secrète.

— Je me refuse à croire que je suis le seul à avoir le cran de dire les choses comme elles sont. Mais pour vous tous, l'arbre cache la forêt. Notre ami est en train de s'effondrer. On ne va pas aller à Hexham. C'est à plus de trente kilomètres dans la mauvaise direction.

— Il a fait une promesse de la même manière qu'il s'est engagé auprès de nous, répliqua Kate. Il est trop poli pour revenir dessus. C'est très anglais, comme attitude, et très attachant.

Rich monta sur ses grands chevaux.

— Au cas où vous l'auriez oublié, Queenie est en train de mourir. Je suis d'avis de constituer un groupe dissident qui filera droit sur Berwick. Lui-même l'a suggéré précédemment, d'ailleurs. On peut être là-bas dans une semaine.

Personne ne donna son avis. Le lendemain matin, toutefois, Kate découvrit qu'une campagne intensive avait été menée pendant la nuit. Des conversations avaient eu lieu à mi-voix dans les tentes et près des tisons et elles avaient confirmé l'avis de Rich : tous aimaient beaucoup Harold, mais le moment était venu de faire bande à part. Ils cherchèrent le vieil homme, qui resta introuvable. Ils remballèrent alors leurs sacs de couchage et leurs tentes et disparurent. Mis à part les braises, il ne resta plus aucune trace de leur présence dans le champ, tant et si bien que Kate se demanda si elle n'avait pas rêvé.

Elle retrouva Harold qui jetait des pierres au chien, assis près d'une rivière. Il avait les épaules voûtées, comme s'il portait un poids, et elle fut frappée soudain de son aspect âgé. Elle lui apprit que Rich avait persuadé l'homme-gorille de poursuivre la route, et ils avaient entraîné les sympathisants et les quelques journalistes qui restaient.

— Il a réuni les gens et a fait une déclaration comme quoi vous auriez besoin de faire un break. Il a même écrasé quelques larmes. Je n'ai rien pu faire. Mais il ne les dupera pas longtemps.

— Aucune importance. Pour être franc, je commençais à trouver ça lourd.

Les hirondelles rasaient la surface de l'eau et remontaient à la verticale. Il les contempla pendant quelques instants.

— Qu'allez-vous faire ensuite, Harold ? Rentrer chez vous ?

Il fit non de la tête, d'un geste lourd.

— Je vais aller à Hexham et de là je prendrai la direction de Berwick. Ce ne sera plus très long, maintenant. Et vous, Kate ?

— Je rentre. Mon ex a repris contact. Il veut qu'on se donne une seconde chance.

Les yeux d'Harold se mouillèrent dans la lumière du matin.

— C'est une bonne chose, dit-il.

Il prit la main de Kate et la serra. Elle se demanda s'il pensait à son épouse.

Puis leurs bras prirent l'initiative d'entourer le corps de l'autre. Kate ne savait pas si c'était elle qui s'accrochait à Harold ou l'inverse. Sous son T-shirt, il n'avait que la peau sur les os. Tous deux restèrent ainsi dans cette étrange semi-étreinte, en équilibre instable, jusqu'à ce qu'elle se libère en s'essuyant les yeux.

— Prenez soin de vous, dit-elle. Je sais que vous

êtes quelqu'un de bien et les gens vous apprécient. Mais vous avez l'air fatigué. Il faut faire attention à vous, Harold.

Il attendit tandis qu'elle s'éloignait. Elle se retourna plusieurs fois pour lui faire au revoir de la main et il la laissa partir. Trop longtemps, il avait marché avec d'autres, écouté leur histoire, suivi leur itinéraire. Ce serait un soulagement de ne plus écouter que lui-même. Malgré tout, en voyant diminuer la silhouette de Kate, il ressentit cette perte comme un déchirement, quelque chose qui ressemblait à un fragment de mort. Kate atteignit une brèche entre les arbres et il était sur le point de s'en aller à son tour lorsqu'elle s'arrêta, comme si elle avait perdu son chemin ou oublié quelque chose. Elle fit demi-tour et revint vers lui, très vite, en courant presque, et un frisson d'excitation le parcourut parce que de tous, y compris Wilf, c'était elle qu'il avait fini par apprécier le plus. Mais elle s'arrêta de nouveau, secoua la tête. Il sut qu'il devait l'aider en restant là, demeurer un point fixe jusqu'à ce qu'elle l'ait laissé derrière elle.

Il fit un grand geste d'adieu, en agitant frénétiquement les deux mains. Elle lui tourna le dos et atteignit la lisière du bois.

Il resta encore un long moment sur place, au cas où elle réapparaîtrait, mais rien ne vint troubler le calme environnant.

Harold ôta son T-shirt de pèlerin et sortit sa chemise et sa cravate de son sac à dos. Ils étaient roulés en boule et usés maintenant, mais, en les enfilant, il se sentit de nouveau lui-même. Il se demanda s'il devait rapporter le T-shirt à Queenie en souvenir, puis décida qu'il valait mieux ne pas emporter un objet qui avait causé tant de désaccords. Il le jeta discrètement dans une poubelle.

Harold s'aperçut qu'il était plus fatigué qu'il ne le pensait. Le trajet jusqu'à Hexham lui prit encore trois jours.

Il sonna à l'appartement de l'homme d'affaires et attendit tout l'après-midi, mais il n'y avait aucun signe de son hôte. Une voisine du dessus vint lui expliquer que celui-ci était en vacances à Ibiza.

— Il est toujours en vacances, commenta-t-elle.

Elle proposa une tasse de thé à Harold, ou de l'eau pour son chien, mais il refusa l'une et l'autre.

Une semaine après la scission, on annonça l'arrivée des pèlerins à Berwick-upon-Tweed. Les journaux publièrent des photos de Rich Lion marchant le long du quai, main dans la main avec ses deux fils, et d'autres d'un homme déguisé en gorille frottant son museau contre la joue de Miss South Devon. Le groupe fut accueilli par la fanfare et une démonstration de la troupe locale de majorettes, et invité à un dîner auquel assistaient les notables du coin. Plusieurs journaux du dimanche revendiquèrent l'exclusivité du journal de Rich. Il était question d'en tirer un film.

Les informations télévisées couvrirent l'événement. Grâce à l'émission régionale de la BBC *Spotlight*, Maureen et Rex purent voir Rich Lion qui, accompagné de quelques autres, portait des fleurs et un énorme panier rempli de muffins au centre de soins intensifs, bien que Queenie ne fût pas en mesure de les recevoir. La journaliste ajouta d'un ton attristé que personne de l'établissement ne souhaitait faire de déclaration. Elle se tenait au bord de l'allée avec son micro. Derrière elle, on apercevait un jardin visiblement bien entretenu, avec des hortensias bleus et un homme en salopette qui ratissait l'herbe coupée.

— Ces gens ne connaissent même pas Queenie, dit Maureen. C'est écœurant. Pourquoi n'ont-ils pas attendu Harold ?

Rex but une gorgée de son Ovomaltine.

— Ils avaient sans doute hâte d'arriver.

— Mais ce n'était pas une course de vitesse ! Ce qui comptait, c'était le voyage en lui-même. Et cet homme n'a pas marché pour Queenie. Il l'a fait pour prouver qu'il était un héros et récupérer ses enfants.

— Au bout du compte, c'était tout de même un voyage. Mais différent.

Rex reposa délicatement sa tasse sur une sous-tasse, pour ne pas laisser de marque sur la table.

La journaliste fit une brève allusion à Harold Fry, dont l'image apparut quelques instants sur l'écran. Il se protégeait de la caméra et ressemblait à une ombre : sale, hagard, effrayé. Dans une interview exclusive, Rich Lion, planté sur le quai, expliquait que le vieux pèlerin du Devon souffrait d'épuisement et de quelques problèmes affectifs compliqués ; il avait dû abandonner la marche au sud de Newcastle.

— Mais Queenie est vivante, c'est l'essentiel. Une chance que moi et les autres on aura été là pour prendre le relais.

— Seigneur, il n'est même pas capable de parler correctement l'anglais, railla Maureen.

Rich joignit les mains au-dessus de la tête dans un geste de victoire.

— Je sais qu'Harold serait ému par votre soutien ! lança-t-il.

La foule de sympathisants qui se bousculaient autour de lui applaudit.

Le reportage se termina sur une image des pierres rosâtres du mur de quai. Des employés municipaux étaient en train d'ôter des affiches qui, mises bout à bout, formaient un slogan. Un homme travaillait au début, l'autre à la fin. Ils enlevaient les lettres une par une et les plaçaient dans leur camionnette, de sorte qu'il ne restait plus que le message « Weed accueille Har ». Maureen éteignit la télévision et se mit à marcher de long en large dans la pièce.

— Ils sont en train de le glisser sous le tapis, dit-elle. Ils ont honte de lui avoir fait confiance. Donc, ils doivent maintenant donner de lui l'image d'un illuminé. C'est scandaleux. Il ne leur a rien demandé.

Rex pinça les lèvres, l'air pensif.

— Au moins, ils vont lui ficher la paix, désormais. Au moins, il n'y aura plus qu'Harold et la marche.

Maureen fixa son regard sur le ciel, incapable de parler.

25

Harold et le chien

Cheminer seul avait été un soulagement pour Harold. Lui et Le Chien avaient trouvé leur rythme propre, sans la moindre discussion ou dispute. De Newcastle à Hexham, ils s'étaient arrêtés quand ils se sentaient fatigués, et ils avaient repris la route une fois reposés. Ils se remirent à marcher à l'aube, parfois la nuit, et Harold retrouva l'espoir. Il était bien plus heureux ainsi. Il regardait les fenêtres s'éclairer et les gens vivre leur vie ; passant inaperçu, il était néanmoins empli de tendresse pour les bizarreries de son prochain. Et une fois de plus, il s'ouvrait aux souvenirs qui faisaient la ronde dans sa tête. David et Queenie étaient ses compagnons. Il se sentait de nouveau bien.

Il pensait au corps de Maureen contre le sien dans les premières années de leur mariage et à la splendeur sombre entre ses jambes. Il se remémorait David regardant par la fenêtre de sa chambre avec une telle intensité qu'on aurait pu croire que le monde extérieur lui avait dérobé quelque chose. Il se revoyait au volant, avec Queenie à ses côtés qui suçait des bonbons à la menthe et chantait une nouvelle chanson à l'envers.

Harold et Le Chien étaient si proches de Berwick qu'ils n'avaient plus qu'à avancer. Après son expérience avec les pèlerins, il ne voulait surtout pas attirer l'attention. En parlant avec des inconnus et en les écoutant, il avait suscité en eux le besoin d'être soutenus et il ne se sentait plus la force de continuer. Si lui et Le Chien arrivaient sur une agglomération sans pouvoir l'éviter, ils dormaient dans des champs à la périphérie jusqu'à ce que la nuit tombe, puis se remettaient en marche au petit matin. Ils se nourrissaient de ce qu'ils trouvaient sur les haies et dans les poubelles. Ils limitaient leur cueillette aux arbres et aux jardins apparemment à l'abandon. Ils continuaient à s'arrêter pour boire l'eau des sources partout où elles jaillissaient, sans ennuyer personne. Une ou deux fois, on demanda à le photographier, ce qu'il accepta volontiers tout en trouvant pénible de regarder l'objectif. De temps en temps, un passant le reconnaissait et lui donnait à manger. Un homme qui était peut-être bien un journaliste lui demanda s'il était Harold Fry. Mais dans la mesure où il veillait à garder la tête baissée et à se cantonner aux zones d'ombre et aux grands espaces, les gens le laissaient généralement tranquille. Il évitait même son propre reflet.

— J'espère que vous allez mieux, lui dit une femme gracieuse accompagnée d'un lévrier. Quelle honte de vous avoir laissé ! Mon mari et moi en avons pleuré.

Harold la remercia sans comprendre et poursuivit son chemin. Devant lui, le paysage changeait et formait des pics sombres.

Des vents forts d'ouest-nord-ouest se mirent à

souffler, apportant la pluie. Il faisait trop froid pour dormir. Harold restait allongé tout raide dans son sac de couchage, les côtes caverneuses. Il pensait au jour où David avait nagé vers le large à Bantham et à sa fragilité dans les bras bronzés du maître nageur. Il se souvenait des entailles que son fils avait sur le crâne aux endroits où il avait enfoncé le rasoir, et des fois où il le hissait en haut des escaliers avant qu'il ne soit de nouveau malade. Pendant tout ce temps, David s'était mis physiquement en danger, comme pour défier la banalité incarnée par son père.

Harold se mit à grelotter. Cela commença par un frissonnement qui le fit claquer des dents et prit de l'ampleur. Ses doigts, ses orteils, ses bras et ses jambes tremblaient si fort que c'en était douloureux. Il regarda autour de lui, en quête de réconfort ou de distraction, mais il ne retrouva pas son ancienne complicité avec la terre. La lune brillait. Le vent soufflait. Son besoin d'être réchauffé n'était pas entendu. L'endroit n'était pas cruel. C'était pire, il ne remarquait rien. Harold était seul, tout tremblant dans son sac de couchage, sans Maureen, ni Queenie, ni David. Il essaya de grincer des dents et de serrer les poings, mais cela ne fit qu'aggraver les choses. Dans le lointain, des renards avaient acculé un animal et leurs cris anarchiques perçaient l'air nocturne. Ses vêtements humides lui collaient à la peau et le dépouillaient de sa chaleur. Il était glacé jusqu'à la moelle des os. Rien ne l'empêcherait de trembler jusqu'à ce que ses organes internes gèlent. Il n'avait plus les moyens de résister, même au froid.

Il était sûr d'aller mieux dès qu'il se remettrait sur ses pieds. Ce ne fut pourtant pas le cas. Il ne pourrait échapper au sort dont il avait pris conscience en luttant pour conserver un peu de chaleur dans la nuit. Avec ou sans lui, la lune et le vent continueraient à se lever et à décroître. La terre continuerait à s'étendre jusqu'à toucher la mer. Les gens continueraient à mourir. Et cela ne ferait aucune différence si Harold marchait, ou frissonnait, ou restait chez lui.

Au fil des heures, ce qui avait débuté comme un sentiment contenu se changea en quelque chose de beaucoup plus violemment accusateur. Plus il se disait qu'il ne comptait pas et plus il le croyait. Qui était-il pour aller rejoindre Queenie ? Quelle importance si Rich Lion avait pris sa place ? Chaque fois qu'il s'arrêtait pour reprendre son souffle ou pour masser ses jambes engourdies, Le Chien s'asseyait à ses pieds et le regardait d'un air inquiet. Il cessa de gambader à droite et à gauche. Il cessa de rapporter des pierres.

Harold réfléchissait à son voyage, aux gens qu'il avait rencontrés, aux endroits qu'il avait vus, aux cieux sous lesquels il avait dormi. Jusque-là, ils n'avaient formé qu'une collection de souvenirs dans son esprit. Ils l'avaient aidé à continuer quand la marche était si pénible qu'il avait eu envie d'abandonner. Mais maintenant il pensait à ces gens, à ces endroits et à ces cieux et il n'arrivait plus à se représenter parmi eux. Les routes qu'il avait parcourues étaient pleines de voitures différentes. Les gens qu'il avait croisés croisaient d'autres gens. L'empreinte de ses pieds, même très nette, serait effacée par la pluie. C'était comme s'il n'était jamais allé dans ces endroits, n'avait jamais rencontré ces inconnus. Il regardait derrière lui et déjà il n'y avait plus nulle part la moindre trace, le moindre signe de lui.

Les branches des arbres s'abandonnaient au vent avec la fluidité de tentacules flottant dans l'eau. Harold avait été un mari, un père et un ami pitoyables. Il avait même été un fils pitoyable. Ce n'était pas seulement qu'il avait trahi Queenie et que ses parents n'avaient pas voulu de lui. C'était plutôt qu'il traversait la vie sans laisser de marque. Il ne comptait pas. Harold s'apprêta à traverser l'A696 en direction de Cambo et s'aperçut que Le Chien avait disparu.

La panique le submergea. Il se demanda si Le Chien avait été blessé sans qu'il l'ait remarqué. Il revint sur ses pas, fouillant du regard la route et les caniveaux, mais il n'y avait pas trace de l'animal. Il tenta de se souvenir du dernier moment où il avait enregistré sa présence. Il s'était certainement passé des heures depuis qu'ils avaient partagé un sandwich sur un banc. Ou n'était-ce pas plutôt la veille ? Il n'arrivait pas à croire qu'il ait pu échouer à quelque chose d'aussi simple. Il arrêta les voitures en faisant de grands signes et demanda aux conducteurs s'ils avaient vu un chien, une bestiole touffue haute comme ça, mais ils repartaient en vitesse, comme s'il était dangereux. En l'apercevant, une toute petite fille s'accrocha à son siège et se mit à sangloter. Il n'avait d'autre choix que de retourner à Hexham.

Il retrouva Le Chien sous un Abribus, assis aux pieds d'une adolescente. Vêtue d'un uniforme d'écolière, elle avait de longs cheveux d'une couleur automnale presque identique à celle du pelage de l'animal. Visiblement, c'était quelqu'un de gentil. Elle se pencha pour caresser la tête du chien et ramassa par terre quelque chose qu'elle glissa dans sa poche.

« Ne lancez pas cette pierre », faillit s'écrier Harold,

mais il ne le fit pas. Le bus de l'adolescente s'arrêta devant elle et elle monta dedans, suivie par le chien qui semblait savoir où il allait. Harold regarda le bus s'éloigner, les emportant tous les deux sans un regard et sans un signe.

Il se dit que l'animal avait pris sa propre décision. Il avait choisi de faire un bout de chemin avec lui, puis de s'arrêter et d'accompagner l'adolescente. C'était la vie. Mais Harold ressentait la perte de son dernier compagnon comme si on lui avait arraché une couche supplémentaire de peau. Il avait peur de ce qui pouvait lui arriver encore. Il savait qu'il ne pourrait plus endurer grand-chose.

Les heures se changèrent en journées sans qu'il se rappelle en quoi elles étaient différentes les unes des autres. Il commença à commettre des erreurs. Il se mettait en route à l'aube, attiré vers la lumière naissante, sans vérifier si elle se situait dans la direction de Berwick. Il rouspétait après sa boussole quand elle indiquait le sud, convaincu qu'elle était cassée ou, pire, qu'elle lui mentait délibérément. Parfois, il marchait pendant quinze kilomètres avant de s'apercevoir qu'il avait fait un large cercle et était revenu pratiquement à son point de départ. Il lui arrivait de se détourner de sa route pour se diriger vers une silhouette ou un cri, mais cela ne conduisait nulle part. Près du sommet d'une colline, il vit une femme qui appelait à l'aide et grimpa pendant une heure pour s'apercevoir qu'il s'agissait d'une souche. Il perdait souvent l'équilibre et trébuchait. Quand la monture de ses lunettes cassa une seconde fois, il les abandonna sur place.

Avec le manque de repos et d'espoir, d'autres choses commençaient à lui échapper. Il s'aperçut qu'il ne se souvenait plus du visage de David. Il se représentait ses yeux sombres et leur expression, mais, quand il tentait de se remémorer la frange qui couvrait son front, il ne voyait que les boucles serrées de Queenie. C'était comme de vouloir reconstituer en pensée un puzzle, nul s'il manquait une pièce. Comment sa tête pouvait-elle être aussi cruelle ? Harold perdait la notion du temps, et il était incapable de dire s'il avait ou non mangé. Ce n'était pas qu'il l'avait oublié, simplement, il s'en moquait désormais. Il ne s'intéressait plus à ce qu'il voyait, à ce qui distinguait une chose d'une autre, à leur nom. Un arbre n'était rien d'autre qu'un élément du décor. Et parfois, les seuls mots qu'il avait dans la tête étaient ceux qui demandaient pourquoi il continuait à marcher alors que ça ne changerait rien s'il s'arrêtait. Un corbeau solitaire passa au-dessus de lui, ses ailes noires fouettant l'air, et il fut saisi d'une terreur inhumaine qui le fit se précipiter pour se mettre à l'abri.

Le paysage était si vaste et lui si petit que lorsqu'il se retournait pour tenter d'estimer la distance parcourue, il avait l'impression de faire du sur-place. Ses pieds retombaient à l'endroit même où il les levait. Il regardait les collines à l'horizon, les vagues de gazon, les masses rocheuses, et les maisons grises qui se nichaient parmi elles étaient si minuscules, si éphémères, qu'il n'arrivait pas à croire qu'elles soient toujours debout. Nous sommes bien peu de chose, pensa-t-il, et il éprouva tout le désespoir de cette constatation.

Harold marchait sous la chaleur du soleil, sous la pluie battante, sous la froideur bleue de la lune, mais il ne savait plus où il en était de son itinéraire. Assis sous un implacable ciel constellé, il regardait ses mains devenir violettes. Il savait qu'il devait les lever, les guider jusqu'à ses lèvres et souffler sur les phalanges, mais fléchir une zone musculaire, puis une autre, était une tâche qui le dépassait. Il avait oublié quels muscles correspondaient à quels membres. Il lui était plus facile de rester immobile, absorbé par la nuit et le néant qui l'entourait. Il lui était plus facile de lâcher prise que de continuer à être en mouvement.

Un soir tard, Harold appela Maureen d'une cabine en PCV, comme d'habitude. Quand il entendit sa voix, il déclara :

— Je n'y arriverai pas. Je suis incapable d'aller jusqu'au bout.

Elle ne répondit pas. Il se dit qu'il avait peut-être cessé de lui manquer. À moins qu'il ne l'ait réveillée.

— Je n'y arriverai pas, répéta-t-il.

Le téléphone transmit une sorte de hoquet.

— Où es-tu, Harold ?

Il considéra le monde extérieur. Des voitures passaient à toute vitesse. Il y avait des lumières, des gens qui se hâtaient de rentrer chez eux. Un panneau publicitaire annonçait une émission de télévision pour l'automne et montrait une policière géante souriant à belles dents. Derrière, il y avait les ténèbres qui s'étendaient entre lui et l'endroit où il allait.

— Je ne sais pas où je suis.

— Sais-tu d'où tu viens ?

— Non.

— Le nom d'un village ?

— Je crois qu'il y a déjà un bout de temps que j'ai cessé de voir les choses comme elles sont.

— Je vois, dit-elle, et cela sonnait comme si elle voyait d'autres choses, elle aussi.

Il déglutit péniblement.

— L'endroit où je suis doit être la Porte des Cheviots Hills. Il me semble que j'ai vu un panneau. Mais
c'était peut-être quelques jours plus tôt. Il y a eu des
collines. Et des ajoncs. Quantité de fougères.

Il entendit Maureen prendre une inspiration, puis une
autre. Il se représentait son visage, sa façon d'ouvrir et
de fermer la bouche quand elle réfléchissait. Il répéta :

— Je veux rentrer à la maison, Maureen. Tu avais
raison. Je n'y arriverai pas. Je n'ai plus la volonté.

Elle répondit enfin, soigneusement, lentement,
comme si elle retenait ses mots.

— Harold, je vais essayer de te situer et de réfléchir à ce qu'on peut faire. Donne-moi une demi-heure.
C'est possible ?

Il pressa son front contre la vitre, savourant le son
de la voix de sa femme.

— Tu peux me rappeler ?

Il fit oui de la tête, oubliant qu'elle ne pouvait le
voir.

— Harold ? reprit-elle, comme s'il avait besoin
qu'on lui rappelle qui il était. Harold, tu es là ?

— Je t'écoute.

— Donne-moi une demi-heure, c'est tout.

Pour que le temps passe plus vite, il essaya d'arpenter les rues de la ville. Des gens faisaient la queue
devant une boutique de *fish and chips*, un homme
vomissait dans le caniveau. Plus il s'éloignait de la
cabine téléphonique, et plus il était effrayé. Les collines étaient de terribles formes noires empiétant sur
le ciel nocturne. Une bande de jeunes débouchait sur
la route en hurlant après les voitures et en jetant des
canettes de bière. Harold se tapit dans l'ombre, ter-

rifié à l'idée d'être vu. Il allait rentrer chez lui et il se demandait comment il dirait aux gens qu'il avait échoué. Mais quelle importance ? C'était une pensée idiote. Il devait s'arrêter. S'il écrivait une autre lettre, Queenie comprendrait.

Il rappela Maureen, toujours en PCV.

— C'est encore moi.

Elle ne répondit pas. Il l'entendit avaler sa salive. Il dut préciser :

— C'est Harold.

— Oui.

Nouveau bruit de déglutition.

— Tu veux que je rappelle plus tard ?

— Non.

Un silence, puis elle poursuivit lentement :

— Rex est ici. On a regardé la carte. On a passé quelques coups de fil. Il est allé sur son ordinateur. On a même sorti ton guide routier.

Elle semblait toujours bizarre. Ses paroles parvenaient atténuées à Harold, comme si elle tentait de reprendre son souffle après avoir couru. Il devait presser l'appareil contre son oreille pour l'entendre.

— Transmets mes amitiés à Rex.

Elle émit un rire léger.

— Il te transmet les siennes.

Suivirent d'autres bruits de déglutition bizarres, semblables à des hoquets, mais plus discrets. Puis :

— D'après Rex, tu es à Wooler.

— À Wooler ?

— Ça te paraît vraisemblable ?

— Difficile à dire. Tout commence à se ressembler.

— On pense que tu t'es trompé de route.

Il faillit répondre que ce ne serait pas la première fois, mais c'était un trop gros effort pour lui.

— Il y a un hôtel, le Black Swan. Il paraît bien et Rex est du même avis. Je t'ai retenu une chambre, Harold. Ils t'attendent.

— Tu oublies que je n'ai pas d'argent. Et je dois avoir un aspect épouvantable.

— J'ai payé par carte bancaire et ton aspect n'a aucune importance.

— Quand seras-tu là ? Et Rex, il vient aussi ?

Il se tut après ces deux questions, mais Maureen resta muette. Il se demanda même si elle n'avait pas reposé le téléphone.

— Tu viens ? demanda-t-il, le sang enflammé par la panique.

Elle n'était pas partie. Il l'entendit inspirer longuement, comme si elle s'était brûlé la main. Et soudain, sa voix lui parvint avec une telle rapidité, une telle force, qu'il en eut mal à l'oreille. Il dut éloigner un peu l'écouteur.

— Harold, Queenie est toujours en vie. Tu lui as demandé d'attendre et elle t'attend, vois-tu. Avec Rex, on a consulté la météo et ils annoncent un soleil radieux sur tout le Royaume-Uni. Demain matin, tu te sentiras mieux.

— Maureen ?

Elle était sa dernière chance.

— Je n'y arriverai pas. Je me suis trompé.

Elle n'entendit pas ou, si elle entendit, elle refusa d'admettre la gravité de ces paroles. Sa voix continua à parvenir à Harold, un ton plus haut.

— Continue à marcher ! Tu n'es plus qu'à vingt-

343

cinq kilomètres et des poussières de Berwick. Tu peux le faire, Harold. N'oublie pas de rester sur la B6525.

Ne sachant comment exprimer ce qu'il ressentit alors, il raccrocha.

Comme Maureen le lui avait indiqué, Harold se présenta à l'hôtel. Il n'osa pas regarder dans les yeux la réceptionniste, ni le portier qui insista pour le conduire à sa chambre et lui ouvrir la porte. Le jeune homme ferma les rideaux, lui montra le fonctionnement de la climatisation, la salle de bains, le minibar et la presse à pantalon. Harold approuva de la tête sans rien voir. L'atmosphère lui semblait froide et tranchante.

— Voulez-vous que je vous monte quelque chose à boire, monsieur ? demanda le portier.

Harold ne pouvait lui expliquer ses rapports avec l'alcool. Il se contenta de refuser. Le jeune homme une fois parti, il s'allongea tout habillé sur le lit, incapable de penser à autre chose qu'à son désir de ne plus continuer. Il dormit un peu, puis s'éveilla en sursaut. La boussole du compagnon de Martina ! Il fouilla une poche de son pantalon, la retourna, fit de même avec l'autre. La boussole n'y était pas. Elle n'était pas non plus dans le lit, ni sur le sol. Ni dans l'ascenseur. Il avait dû la laisser dans la cabine téléphonique.

Le portier ouvrit la porte de la réception, qui était fermée à clé, et promit d'attendre son retour. Harold se mit à courir si vite qu'il avait l'impression de recevoir un coup chaque fois que son souffle faisait irruption dans les cavités de son torse. Il ouvrit à la volée la porte de la cabine, mais la boussole avait disparu.

Peut-être était-ce dû au choc de se retrouver dans

344

une chambre, au fond d'un lit avec des draps propres et des oreillers moelleux, mais cette nuit-là Harold se mit à pleurer. Il n'arrivait pas à croire qu'il ait pu avoir la sottise de perdre la boussole de Martina. Il tenta de se persuader que ce n'était qu'un objet. Martina comprendrait. Mais il ne sentait plus que la disparition de ce poids dans sa poche, si violent que cette absence s'apparentait à une présence. En égarant la boussole, il redoutait d'avoir perdu une partie essentielle et stable de son être. Même lorsqu'il sombrait dans une sorte d'inconscience, des images envahissaient son esprit. Il voyait l'homme de Bath habillé en femme, avec son œil au beurre noir. Il voyait l'oncologue, les yeux écarquillés devant la lettre de Queenie, et la femme qui aimait Jane Austen en train de parler dans le vide. Il y avait aussi la cyclotouriste mère de famille avec ses entailles sur les avant-bras ; il se demandait comment on pouvait en arriver là. Il se roula en boule et rêva de l'homme à la chevelure argentée qui prenait le train pour rendre visite au jeune homme en baskets. Il voyait Martina attendant l'homme qui ne reviendrait pas. Et la serveuse qui ne quitterait jamais South Brent ? Et Wilf ? Et Kate ? Tous ces gens en quête de bonheur. Il s'éveilla en larmes et continua à pleurer toute la journée en marchant.

Maureen reçut une carte postale sans timbre représentant les monts Cheviots. Le texte disait : « Beau temps. Bises. H. » Une autre suivit le lendemain, montrant le mur d'Hadrien, sans message, cette fois.

Les cartes se succédèrent quotidiennement. Parfois, il en arrivait plusieurs par jour. Les textes étaient des plus brefs : « Pluie. Pas terrible. Je marche. Tu me manques. » Une fois, Harold avait dessiné une forme. Une autre fois, un « W » tortillonné qui représentait peut-être un oiseau. Souvent, la carte était vierge. Maureen demanda au facteur de les guetter ; elle paierait la surtaxe. Les messages étaient plus précieux que des lettres d'amour, expliqua-t-elle.

Harold ne rappela pas. Elle attendit en vain tous les soirs. Elle se reprochait amèrement de l'avoir laissé partir alors qu'il avait besoin de son aide. Elle avait retenu l'hôtel et parlé à son mari à travers ses larmes. Mais elle avait discuté du sujet des heures durant avec Rex : si Harold abandonnait si près du but, il le regretterait jusqu'à la fin de sa vie.

La fin juin apporta du vent et des pluies abondantes. Dans le jardin, les bambous s'inclinaient vers le sol tels des ivrognes, et ses plants de haricots avaient du mal à monter. Les cartes d'Harold continuaient à arriver, mais elles ne reflétaient plus un itinéraire régulier vers le nord. L'une venait de Kelso, qui à sa connaissance se situait à trente-sept kilomètres à l'ouest de l'endroit où il aurait dû se trouver. Une autre avait été postée à Eccles, une autre encore à Coldstream, également trop à l'ouest de Berwick. Pratiquement toutes les heures, elle décidait de prévenir la police, mais, lorsqu'elle prenait le téléphone, elle se disait que ce n'était pas son rôle de stopper Harold alors qu'il allait certainement toucher au but.

Elle faisait rarement une nuit complète. Elle craignait, en sombrant dans l'inconscience, de perdre contact avec son mari et de le perdre, lui aussi. Elle s'installait sous les étoiles dans un fauteuil de jardin et veillait l'homme qui, quelque part au loin, s'abritait sous le même ciel. Parfois, tôt le matin, Rex arrivait avec du thé et une couverture de voyage, et, sans échanger un mot ni un geste, ils regardaient la nuit pâlir et céder la place à la lumière perlée de l'aube.

Plus que tout au monde, Maureen désirait le retour d'Harold.

26

Harold et le café

La dernière partie du trajet fut la pire. Harold ne voyait que la route. Il ne pensait plus. La douleur s'était réveillée dans sa jambe droite et il boitait de nouveau. Il ne prenait plus plaisir à rien ; là où il se situait, le plaisir n'existait pas. Un nuage de mouches bourdonnait autour de sa tête. Parfois, il était mordu. Piqué. Les champs étaient immenses et vides, et les voitures ressemblaient à des jouets le long des routes. Un autre mont. Un autre ciel. Un autre kilomètre. Tout était pareil. Et tout l'ennuyait et l'accablait presque jusqu'à l'abandon. Souvent, il en oubliait sa destination.

Sans amour, rien n'avait de… quoi ? Quel était le mot ? Il ne s'en souvenait plus. Il lui semblait qu'il commençait par un « V » et le terme qui lui venait à l'esprit était « vulve », mais ce n'était certainement pas ça. Rien ne pouvait avoir beaucoup d'importance. La couleur sombre du ciel envahissait tout. La pluie lui fouettait la peau. Les vents soufflaient si fort qu'il devait lutter pour ne pas perdre l'équilibre. Il s'endormait mouillé et se réveillait mouillé. Plus jamais il ne saurait ce que c'était d'avoir chaud.

Les images de cauchemar qu'il croyait avoir laissées derrière lui étaient de retour et il n'avait aucun moyen de leur échapper. Le jour comme la nuit, il revivait le passé et en éprouvait l'horreur encore vivace. Il se voyait donnant des coups de hache dans les planches de son abri de jardin, les mains entaillées et écorchées, la tête dans les vapeurs de whisky. Il voyait le sang jaillir de ses poings au-dessus de milliers d'éclats de verre de couleur. Il s'entendait prier, les yeux clos, les mains serrées, et les mots étaient dénués de sens. À d'autres moments, il voyait Maureen qui lui tournait le dos et disparaissait dans une éblouissante boule de lumière. Les vingt années passées étaient emportées. Impossible de se cacher derrière les banalités ou même les clichés. Comme les détails du paysage, tout cela n'existait plus désormais.

Nul ne pouvait imaginer pareille solitude. Une fois, il se mit à hurler, mais aucun son ne sortit de sa bouche. Il sentait un froid intérieur, comme si ses os eux-mêmes étaient en train de geler. Il ferma les yeux, convaincu qu'il ne survivrait pas, mais sans avoir la volonté de lutter. Au réveil, quand il sentit ses vêtements durcis qui lui entraient dans la peau et son visage brûlé par le soleil, ou peut-être par le froid, il se leva et repartit cahin-caha.

Le bout de ses chaussures menaçait de se découdre et la semelle était aussi fine que du tissu. À tout moment, ses orteils risquaient de passer au travers du cuir. Il prit le papier adhésif bleu et en entoura les chaussures une fois, deux fois, trois fois, en le croisant sous le pied et en remontant vers la cheville, de sorte qu'elles étaient maintenant une partie de lui-même. À moins que ce ne soit l'inverse. Il commençait à croire qu'elles étaient dotées d'une volonté propre.

Avancer, avancer, avancer. Il n'y avait que ces mots-là. Il ne savait plus s'ils sortaient de sa bouche, s'il les avait dans sa tête, si quelqu'un d'autre les prononçait. Il avait l'impression d'être le dernier survivant sur Terre. Il y avait la route et rien d'autre. Il n'était plus qu'un corps qui hébergeait une marche. Il était des pieds en ruban adhésif et Berwick-upon-Tweed.

Un mardi, à trois heures trente de l'après-midi, Harold sentit dans le vent une odeur de sel. Une heure plus tard, il atteignait le sommet d'une colline et découvrait devant lui une ville bordée par l'infini de la mer. Il s'avança vers les murs gris rosâtre, mais personne ne s'arrêta, personne ne le remarqua, personne ne lui offrit à manger.

Quatre-vingt-sept jours après être sorti pour poster une lettre, Harold Fry atteignit le portail du centre de soins palliatifs St. Bernadine. En comptant ses erreurs de parcours et ses détours, il avait parcouru un peu plus de mille kilomètres. Il se trouvait devant un bâtiment moderne et sans prétention, flanqué de trembles. Près de l'entrée principale, il y avait un réverbère à l'ancienne et un panneau indiquant le parking. Des corps étaient allongés sur des chaises longues posées sur le gazon, tels des vêtements mis à sécher dehors. Une mouette tournait au-dessus de leur tête en criant.

Harold emprunta l'allée goudronnée et s'apprêta à sonner. Il aurait aimé que ce moment reste une image hors du temps : lui avec son doigt sombre sur le bouton

351

blanc, le soleil sur ses épaules, le rire de la mouette. Son voyage était terminé.

Il refit en pensée les kilomètres qu'il avait parcourus avant d'arriver à cet endroit. Des routes, des collines, des maisons, des clôtures, des centres commerciaux, des lampadaires et des boîtes aux lettres, et rien de tout cela n'était extraordinaire. C'étaient simplement des choses devant lesquelles il était passé ; devant lesquelles n'importe qui aurait pu passer. Cette idée suscita chez lui une angoisse soudaine, et il fut effrayé au moment même où il aurait cru n'éprouver qu'un sentiment de triomphe. Comment avait-il pu s'imaginer que ces éléments d'une grande banalité puissent prendre une tout autre dimension ? Le doigt en l'air devant la sonnette, il ne se résolvait pas à appuyer. À quoi tout cela rimait-il ?

Il pensa aux personnes qui l'avaient aidé. Il pensa aux mal-aimés, dont il faisait partie. Puis il réfléchit à ce qui allait suivre. Il remettrait ses cadeaux à Queenie, il la remercierait, et puis quoi ? Il retrouverait la vie d'avant qu'il avait presque oubliée, une vie où les gens disposaient des babioles entre eux et le monde extérieur. Où il se couchait dans une chambre, sans trouver le sommeil, tandis que Maureen couchait dans une autre.

Harold remit son sac sur son épaule et fit demi-tour. Il franchit le portail sans que les silhouettes allongées sur les chaises longues lèvent les yeux. Personne ne l'attendait et son départ passa aussi inaperçu que son arrivée. Le moment le plus extraordinaire de l'existence d'Harold Fry n'avait été qu'une bulle.

Dans un petit café, Harold demanda à la serveuse s'il pouvait avoir un verre d'eau et se servir des toilettes. Il s'excusa de ne pas avoir d'argent. Il attendit patiemment tandis qu'elle détaillait ses cheveux emmêlés, sa veste et sa cravate élimées, puis son pantalon souillé de boue, et enfin ses pieds où les chaussures de bateau disparaissaient sous l'adhésif bleu. Elle fit la grimace et jeta un coup d'œil par-dessus son épaule à une femme plus âgée en veste grise qui bavardait avec des clients. La gérante, visiblement.

— D'accord, mais faites vite, dit la serveuse.

Elle le conduisit vers une porte en veillant à ne pas le toucher.

Dans le miroir, Harold découvrit un visage qu'il eut du mal à reconnaître. La peau relâchée formait des plis sombres, comme si elle était trop abondante par rapport à la structure osseuse. Il avait plusieurs coupures sur le front et les pommettes. Ses cheveux et sa barbe étaient plus en broussaille qu'il ne l'aurait pensé, et de longs poils semblables à des fils de fer pendaient de ses sourcils et de ses narines. Il était devenu une caricature. Un marginal. Il ne ressemblait plus en rien à l'homme qui était parti avec sa lettre. Ni à l'homme qui avait posé pour les photographes et porté un T-shirt de pèlerin.

La serveuse apporta de l'eau dans un gobelet en plastique, mais ne l'invita pas à s'asseoir. Il demanda à la ronde si quelqu'un pouvait lui prêter un peigne ou un rasoir, mais la femme en veste grise s'approcha vivement et pointa le doigt vers le panneau sur la fenêtre, marqué « Mendicité interdite ». Elle lui demanda de partir, sinon elle appellerait la police. Personne ne leva les yeux lorsqu'il se dirigea vers la porte. Il se demanda s'il sentait mauvais. Il avait vécu dehors si longtemps qu'il avait oublié quelles odeurs étaient agréables ou non. Il se savait gênant pour les autres et il préférait leur éviter ça.

À une table près de la fenêtre, un jeune homme et sa femme gazouillaient, penchés sur leur bébé. Ce spectacle suscita une douleur telle chez Harold qu'il craignit de s'effondrer.

Il se tourna face à la gérante et aux clients.

— Je veux mon fils, dit-il.

Le fait de prononcer ces mots provoqua chez lui un tremblement, non pas un frisson, mais une secousse sismique venue du plus profond de lui-même. Son visage se tordit, tandis qu'une déferlante de chagrin jaillissait de son torse et montait à l'assaut de sa gorge.

— Où est-il ? interrogea la gérante.

Harold serra les poings pour éviter de tomber.

— Vous êtes venu le voir ici ? Il est à Berwick ? poursuivit-elle.

Un client vint poser la main sur le bras d'Harold et demanda avec douceur :

— Excusez-moi, monsieur. Ne seriez-vous pas l'homme qui faisait cette marche ?

Harold en eut le souffle coupé. La gentillesse du client le désarçonnait.

— Ma femme et moi, on a appris ce que vous faisiez par les journaux. On avait un ami avec lequel on avait perdu contact. Eh bien, le week-end dernier, on est allés le voir. On a parlé de vous.

Harold n'essayait pas de se libérer, mais il était incapable de répondre ou de remuer un muscle du visage.

— Qui est votre fils ? Comment s'appelle-t-il ? reprit l'homme. Je peux peut-être vous être utile.

— Il s'appelle…

Soudain, le cœur lui manqua, comme s'il était passé par-dessus un mur et tombait dans le vide.

— C'est mon fils. Il s'appelle…

La gérante le regardait, attendant tranquillement sa réponse, tout comme les clients derrière elle et l'homme aimable avec la main posée sur le bras d'Harold. Ils ne se doutaient de rien. Ils ne se doutaient pas de l'horreur, de la confusion, du remords qui se déchaînaient en lui. Car il était incapable de se souvenir du prénom de son fils.

Quand il se retrouva dehors, une jeune fille lui tendit un morceau de papier.

— Ce sont des cours de salsa pour les seniors, dit-elle. Vous devriez venir. Il n'est jamais trop tard.

Si, c'était trop tard. Beaucoup trop tard. Il secoua négativement la tête et refit quelques pas chancelants. Il avait l'impression qu'on lui avait désossé les jambes.

— Prenez quand même le prospectus, dit la jeune fille. Prenez même tout le tas. Mettez-les à la poubelle si vous voulez. Moi, j'ai envie de rentrer chez moi.

Harold marcha au hasard dans les rues de Berwick avec son paquet de prospectus. Il titubait et les gens déviaient de leur trajectoire pour l'éviter, mais il ne s'arrêtait pas. Il pouvait pardonner à ses parents de ne pas l'avoir désiré. De ne pas lui avoir appris à aimer, ou même de ne pas lui avoir enseigné le vocabulaire. Il pouvait pardonner à ses parents, et avant eux à leurs parents.

Tout ce qu'Harold voulait, c'était son enfant.

27

Harold et une autre lettre

Chère jeune fille du garage,
Je vous dois l'histoire dans sa totalité. Il y a vingt ans, j'ai enterré mon fils. Ce n'est pas le genre de choses qu'un père doit faire. Je voulais connaître l'homme qu'il serait devenu. Je le veux toujours.

Aujourd'hui encore, j'ignore pourquoi il a fait ça. Il était dépressif et dépendant à l'alcool mélangé aux médicaments. Il ne trouvait pas de travail. Mais je regrette profondément qu'il ne m'ait pas parlé.

Il s'est pendu dans mon abri de jardin. Il s'est servi d'un bout de corde qu'il a attachée à l'un des crochets auxquels je suspendais mes outils. Il avait avalé une telle dose d'alcool et de pilules que, d'après le coroner, il a dû mettre beaucoup de temps à réussir le nœud coulant. Le légiste a conclu au suicide.

C'est moi qui l'ai trouvé. Ces mots, j'arrive à peine à les écrire. À l'époque, je priais, quoique je n'aie rien d'un homme religieux, comme je vous l'ai dit au garage. J'ai murmuré : « Oh, mon Dieu, faites qu'il s'en sorte ! Je ferai tout ce que vous voudrez. » Je l'ai décroché, mais la vie l'avait quitté. J'étais arrivé trop tard.

J'aurais préféré qu'on ne me parle pas du temps qu'il avait mis pour nouer la corde.

Le choc a été terrible pour mon épouse. Elle refusait de sortir. Elle a mis des voilages aux fenêtres parce qu'elle ne voulait pas des visites des voisins. Petit à petit, les gens ont déménagé et plus personne n'a rien su, ni sur nous ni sur ce qui était arrivé. Mais chaque fois que Maureen levait les yeux vers moi, je savais qu'elle voyait David mort.

Elle s'est mise à lui parler. Il était avec elle, disait-elle. Elle passait son temps à l'attendre. Maureen a laissé sa chambre dans l'état où elle était quand il est mort. Et parfois, cela ravive ma tristesse, mais c'est ce qu'elle veut. Elle ne peut admettre sa mort et je le comprends. C'est trop dur pour une mère.

Queenie savait tout de David, mais elle ne disait rien. Elle avait des attentions envers moi. Elle allait chercher un thé sucré et elle parlait de la pluie et du beau temps. Une seule fois, elle a dit : « Peut-être qu'il faudrait arrêter maintenant, Mr. Fry. » Parce que c'était autre chose que je buvais.

Ça a commencé par un simple verre que j'ai pris pour tenir le coup avant de recevoir le rapport du coroner. Mais je gardais les bouteilles dans un sac en papier sous mon bureau. Dieu sait comment j'arrivais à tenir le volant pour rentrer chez moi le soir. Je voulais juste être anesthésié.

Un soir où j'étais sérieusement imbibé, j'ai fichu en l'air la cabane à outils. Mais ça n'a pas suffi. Alors, je me suis introduit dans la brasserie et j'ai fait quelque chose d'épouvantable. Queenie s'est doutée que c'était moi et elle en a endossé la responsabilité.

Elle a été virée sur-le-champ et puis elle a disparu. J'ai appris qu'on l'avait avertie de ne plus traîner dans le Sud-Ouest, si elle voulait éviter de gros ennuis. J'ai aussi entendu par hasard une secrétaire qui était copine avec la logeuse de Queenie dire qu'elle était partie sans laisser d'adresse. Je l'ai laissée s'en aller. Je l'ai laissée endosser la responsabilité. Mais j'ai arrêté de boire.

Maureen et moi, nous nous sommes disputés pendant longtemps, puis, petit à petit, nous avons cessé de nous parler. Elle a fait chambre à part. Elle a cessé de m'aimer. J'ai souvent pensé qu'elle allait me quitter. Mais elle ne l'a pas fait. J'ai mal dormi toutes les nuits.

Les gens croient que je me suis lancé dans cette marche parce qu'il y a eu autrefois une histoire d'amour entre Queenie et moi, mais c'est faux. J'ai marché parce qu'elle m'a sauvé et que je ne lui ai jamais dit merci. Et c'est pour cela que je vous écris. Je veux que vous sachiez à quel point vous m'avez aidé il y a plusieurs semaines, quand vous m'avez parlé de votre foi et de votre tante, même si, j'en ai bien peur, mon courage est loin d'avoir égalé le vôtre.

Avec mes amitiés et mes humbles remerciements,

Harold (Fry)

P-S : Je suis désolé de ne pas connaître votre prénom.

28

Maureen et la visiteuse

Pendant des jours, Maureen avait préparé la maison en prévision du retour d'Harold. Elle avait pris les mesures des deux photos qu'il gardait dans sa table de nuit pour les mettre dans des cadres. Elle avait repeint le séjour dans une teinte jaune pâle et accroché à la fenêtre des rideaux en velours bleu clair dénichés dans un état neuf à la boutique caritative, qu'elle avait raccourcis. Elle cuisinait des gâteaux qu'elle stockait dans le congélateur, ainsi que des tourtes, des lasagnes, de la moussaka et du bœuf bourguignon, autant de plats qu'elle préparait du vivant de David. Il y avait des bocaux de chutney aux haricots d'Espagne dans le placard, à côté des oignons et des betteraves au vinaigre. Elle gardait des listes dans la cuisine et dans la chambre. Il y avait énormément de choses à faire. Parfois, pourtant, quand elle regardait par la fenêtre ou qu'elle écoutait dans ses insomnies les cris des mouettes, semblables à des pleurs d'enfant, elle sentait que dans toute cette activité quelque chose demeurait inactif, comme si elle passait à côté de la question.

Et si Harold, à son retour, lui disait qu'il voulait

entreprendre une autre marche ? Et s'il avait cessé de s'intéresser à elle, après tout ?

Un matin de bonne heure, un coup de sonnette lui fit descendre l'escalier. Sur le seuil se trouvait une jeune fille au teint cireux et aux cheveux ternes, vêtue malgré la température déjà clémente d'un duffle-coat noir.

— Est-ce que je peux entrer, Mrs. Fry ?

Devant une tasse de thé et des biscuits à l'avoine et à l'abricot, la jeune fille lui raconta que c'était elle qui avait donné le burger à Harold quelques semaines plus tôt. Il lui avait envoyé plusieurs jolies cartes postales. Malheureusement, sa notoriété grandissante avait attiré des fans et des journalistes du côté du garage, et son boss avait dû lui demander de partir pour des raisons d'hygiène et de sécurité.

— Vous avez perdu votre emploi, mais c'est épouvantable ! s'exclama Maureen. Harold sera vraiment désolé d'apprendre ça.

— Ce n'est pas un problème, Mrs. Fry. De toute façon, ce job ne me plaisait pas. Les clients étaient hyper-pressés et ils hurlaient tout le temps. Mais ce que j'ai dit à votre mari sur la puissance de la foi me tracasse.

Elle semblait nerveuse et angoissée. Elle ramenait en permanence la même mèche de cheveux, pourtant docile, derrière son oreille.

— Je crois qu'il a de moi une image fausse.

— Mais ce que vous avez dit à Harold l'a inspiré. C'est votre foi qui lui a donné l'idée de faire cette marche.

Emmitouflée dans son duffle-coat, la jeune fille se mordit la lèvre si fort que Maureen craignit de la voir saigner. Puis elle tira de sa poche une enveloppe, dont elle sortit plusieurs feuilles de papier qu'elle lui tendit d'une main tremblante.

— Tenez, dit-elle.

Maureen fit une moue perplexe.

— De la salsa pour les seniors ?

La jeune fille retourna les feuilles.

— Le texte est de l'autre côté. C'est une lettre de votre mari. Elle est arrivée au garage. Mon ami m'a dit d'aller la prendre avant que le boss la voie.

Maureen lut en silence. Chaque phrase lui arrachait des larmes. La disparition qui les avait brutalement séparés vingt ans plus tôt était tout aussi déchirante et incompréhensible que si elle se reproduisait. Quand elle eut terminé, elle remercia la jeune fille et replia la lettre en passant l'ongle sur le pli. Puis elle la replaça dans l'enveloppe et resta immobile.

— Mrs. Fry ?

— Il faut que je vous explique quelque chose.

Maureen s'humecta les lèvres et laissa venir les mots. C'était un soulagement. Émue comme elle l'était par la confession d'Harold, elle estimait normal de parler enfin elle aussi du suicide de David et de la douleur qui avait séparé ses parents.

— Pendant quelque temps, on s'est violemment disputés. J'en voulais terriblement à Harold. Je lui ai dit des choses horribles. Qu'il aurait dû être meilleur père. Que l'alcoolisme était dans sa famille. Et puis nous avons été à court de mots. C'est à peu près à cette période que je me suis mise à parler à David.

— À son fantôme, vous voulez dire ? demanda la jeune fille qui avait visiblement vu trop de films.

Maureen hocha négativement la tête.

— Ce n'était pas un fantôme, non. Plutôt une présence. L'impression que David était là. C'était mon seul réconfort. Au début, je me suis contentée de petits bouts de phrases. « Où es-tu ? » « Tu me manques. » Ce genre de choses. Mais petit à petit, je suis allée plus loin. Je disais tout ce que je ne disais pas à Harold. Parfois, j'aurais préféré ne pas avoir commencé, mais j'ai craint de trahir David si j'arrêtais. Et s'il avait été vraiment là ? S'il avait eu besoin de moi ? Peut-être qu'il me suffirait d'attendre assez longtemps pour le voir. On lit ce genre de trucs dans la salle d'attente des médecins. J'avais tellement envie de le voir ! (Maureen essuya ses larmes.) Mais ce n'est jamais arrivé. J'ai eu beau écarquiller les yeux, il n'est jamais venu.

La jeune fille enfouit son visage dans un mouchoir.

— Mon Dieu, c'est trop triste ! gémit-elle.

Quand elle émergea, elle avait de tout petits yeux et ses joues étaient si rouges que son visage semblait pelé. Son nez coulait et elle bavait un peu.

— Je suis une tricheuse, Mrs. Fry.

Maureen lui prit la main et la serra. Elle était petite comme celle d'un enfant, et étonnamment chaude.

— Mais non, voyons. C'est vous qui êtes à l'origine de son voyage. Vous l'avez inspiré en parlant de votre tante. Il ne faut pas pleurer.

La jeune fille émit un nouveau sanglot et replongea le nez dans son mouchoir. Quand elle releva la tête, elle cligna ses pauvres yeux et inspira bruyamment.

— C'est justement le problème, dit-elle enfin. Ma tante est morte. Il y a plusieurs années de ça.

Maureen eut l'impression que quelque chose s'effondrait et qu'elle recevait une énorme secousse, comme si elle venait de manquer une marche de l'escalier.

— Elle est quoi ?

Les mots restaient bloqués dans sa gorge. Elle ouvrit la bouche et déglutit à deux reprises, puis lâcha :

— Mais votre foi ? Je croyais qu'elle l'avait sauvée ! Je croyais que tout était parti de là !

La jeune fille se mordit la lèvre supérieure.

— Si le cancer vous tient vraiment, rien ne peut l'arrêter.

C'était comme si Maureen se trouvait pour la première fois en face de la vérité. En même temps, elle se rendait compte qu'elle la connaissait depuis le début. Bien sûr que rien ne pouvait arrêter un cancer en phase terminale. Elle pensa à tous ces gens qui avaient cru dans la marche d'Harold. Elle pensa à Harold, qui continuait en ce moment même à marcher malgré la douleur. Un frisson la parcourut.

— Je vous avais bien dit que j'étais une tricheuse, reprit la jeune fille.

Maureen tambourina du bout des doigts sur son front. Quelque chose d'autre montait du plus profond d'elle-même, accompagné d'un violent sentiment de honte, contrairement à la vérité concernant David.

— Si quelqu'un triche ici, c'est moi, dit-elle lentement.

La jeune fille secoua la tête. Visiblement, elle ne comprenait pas.

Calmement, lentement, Maureen entreprit de raconter son histoire, sans la regarder, parce qu'il lui fallait se concentrer, extraire un à un les mots de l'endroit secret où ils se dissimulaient depuis tout ce temps. Elle décrivit comment, vingt ans plus tôt, après le suicide de David, Queenie Hennessy était arrivée au 13, Fossebridge Road, et avait demandé à voir Harold. Elle était très pâle et elle avait des fleurs à la main.

Il y avait chez elle un côté très ordinaire et très digne à la fois.

— Elle m'a demandé de transmettre un message à Harold. Cela concernait la brasserie ; elle tenait à ce qu'il sache quelque chose. Elle m'a dit ce dont il s'agissait, puis elle m'a remis les fleurs et elle est partie. Je suis sans doute la dernière personne qu'elle a vue avant son départ. J'ai mis les fleurs à la poubelle et je n'ai jamais transmis le message à Harold.

Maureen se tut. C'était trop douloureux, trop honteux de poursuivre.

— Qu'est-ce qu'elle vous a dit, Mrs. Fry ?

La voix de la jeune fille avait la douceur d'une main tendue dans l'obscurité.

D'une voix mal assurée, Maureen expliqua que la période était particulièrement pénible, mais que cela n'excusait en rien ce qu'elle avait fait, ou pas fait, et qu'elle regrettait.

— Mais j'étais en colère. David était mort. Et j'étais jalouse. Queenie était très gentille avec Harold, alors que moi j'en étais incapable. Si je lui transmettais le message, il risquait d'y trouver un réconfort, et ça, je ne le voulais pas, alors qu'il n'existait aucun réconfort possible pour moi.

Maureen essuya ses joues et poursuivit :

— Queenie m'a raconté qu'une nuit Harold s'était introduit dans le bureau de Napier. Elle l'avait aperçu dans la soirée assis dans sa voiture devant la brasserie, mais elle ne s'était pas manifestée. Elle craignait qu'il ne soit en train de pleurer et ne voulait pas se montrer indiscrète. C'est simplement le lendemain matin, quand la nouvelle s'est répandue, qu'elle a compris. « C'était le chagrin, a-t-elle dit ; le chagrin pousse les

366

gens à faire des choses bizarres. » Pour elle, Harold était dans un processus d'autodestruction. En brisant en mille morceaux ces clowns en verre de Murano, il poussait délibérément Napier à se laisser aller à ses pires instincts. Leur patron avait la vengeance facile.

Maureen tapota ses narines avec son mouchoir avant de reprendre :

— Queenie s'est donc accusée. D'après elle, le fait d'être une femme quelconque lui avait facilité la tâche. Napier avait été déconcerté. Elle lui a expliqué qu'elle avait accidentellement fait tomber les clowns en faisant le ménage.

La jeune fille se mit à rire, mais elle pleurait en même temps, elle aussi.

— Vous voulez dire que tout ça est arrivé parce que votre mari a fracassé des clowns en verre ? Ils avaient beaucoup de valeur ?

— Pas du tout. Ils avaient appartenu à la mère de Napier. Napier était un sale type. Il avait eu trois épouses, et il les battait toutes les trois. L'une d'elles a fini à l'hôpital avec des côtes cassées. Mais il adorait sa mère.

Maureen esquissa un sourire, puis elle haussa les épaules et les coins de sa bouche retombèrent.

— Queenie a donc assumé la responsabilité du geste d'Harold et elle a laissé Napier la virer. Elle m'a raconté tout ça, puis elle m'a demandé de dire à Harold qu'il ne s'inquiète pas. Il s'était montré gentil avec elle et c'était le moins qu'elle puisse faire, a-t-elle ajouté.

— Et vous n'avez rien dit à votre mari ?

— Non. Je l'ai laissé souffrir. Ça s'est ensuite

ajouté à tout ce qu'on ne pouvait exprimer et ça nous a encore plus séparés.

Maureen ne tenta pas de retenir ses larmes.

— Vous voyez, il a eu raison de me quitter.

La jeune fille du garage ne répondit pas. Elle prit un autre biscuit et, pendant plusieurs minutes, elle sembla s'occuper uniquement de le savourer.

— Je ne pense pas que ce soit vrai qu'il vous ait quittée. Je ne pense pas non plus que vous soyez une tricheuse, Mrs. Fry. Tout le monde fait des erreurs. Mais il y a une chose dont je suis sûre.

— Quoi donc ? gémit Maureen en se prenant la tête dans les mains.

Comment pourrait-elle réparer les fautes commises tant d'années plus tôt ? Son mariage était fini.

— À votre place, je ne moisirais pas ici à faire des biscuits et à parler avec moi. J'agirais.

— Mais j'ai pris ma voiture et je suis allée jusqu'à Darlington. Ça n'a rien changé.

— C'était quand tout se passait bien. Pas mal de choses ont changé depuis.

La jeune fille parlait d'une voix si lente et si assurée que Maureen leva la tête. Elle vit qu'elle était toujours pâle, mais tout lui apparut soudain avec une clarté désarmante. Elle dut sursauter ou pousser un petit cri, parce que la jeune fille du garage éclata de rire.

— Dépêchez-vous de filer à Berwick-upon-Tweed !

29

Harold et Queenie

Après avoir écrit la lettre, Harold persuada un jeune homme de lui acheter une enveloppe et un timbre. Comme il était trop tard pour rendre visite à Queenie, il passa la nuit dans son sac de couchage, allongé sur un banc du parc municipal. Au petit matin, il alla se laver et se coiffer avec les doigts dans les toilettes publiques. Quelqu'un avait laissé un rasoir jetable sur le lavabo et il le passa sur sa barbe. Il ne put la raser complètement, mais il ôta le plus gros et il se retrouva avec une espèce de chaume à la place des boucles et de la broussaille. La peau autour de sa bouche paraissait délavée à côté du cuir tanné du reste. Il jeta son sac sur son épaule et se dirigea vers le centre de soins palliatifs. Il avait l'impression d'être vidé de ses organes, et il se dit qu'il avait peut-être besoin de manger. Mais il n'avait pas du tout d'appétit. En fait, il avait plutôt la nausée.

D'épais nuages blancs recouvraient le ciel, même si l'on sentait une certaine tiédeur dans l'air marin. Des familles arrivaient en voiture, chargées de paniers à pique-nique et de fauteuils qu'elles installeraient sur la plage. À l'horizon, la mer étincelait d'un éclat métallique dans la lumière du matin.

Harold savait qu'une issue approchait, mais il ignorait à quoi elle ressemblerait et ce qu'il ferait ensuite.

Il emprunta de nouveau l'allée du centre de soins St. Bernadine. On avait sans doute posé récemment le macadam, car ses pieds enfonçaient un peu. Il appuya sur la sonnette sans la moindre hésitation et attendit, les yeux clos, en s'appuyant à tâtons au mur. L'infirmière qui allait l'accueillir serait-elle la personne à qui il avait parlé au téléphone ? Il espérait ne pas avoir à donner trop d'explications. Il n'avait plus la force de parler. La porte s'ouvrit.

Une femme se tenait devant lui. Elle avait un voile sur la tête et portait une longue robe crème à col montant, recouverte d'une tunique noire ceinturée. Un frisson d'excitation parcourut Harold.

— Je suis Harold Fry, dit-il. Je viens à pied de très loin pour voir Queenie Hennessy.

Il mourait soudain d'envie de boire un verre d'eau. Ses jambes se dérobaient sous lui et il avait besoin de s'asseoir.

La religieuse sourit. Elle avait une peau souple et lisse. Ce qu'il apercevait de ses cheveux était gris à la racine. Elle ouvrit les bras à Harold et prit ses mains dans les siennes, chaudes et rugueuses. C'étaient des mains solides. Il craignit de fondre en larmes.

— Soyez le bienvenu, Harold, dit-elle.

Elle se présenta comme étant sœur Philomena et l'invita à entrer.

Il s'essuya les pieds, une fois, deux fois.

— Ne prenez pas cette peine, dit-elle, mais il ne

370

pouvait plus s'arrêter de frotter ses chaussures sur le seuil.

Il les levait pour vérifier qu'elles étaient propres, et elles l'étaient, mais il continuait pourtant à gratter ses semelles sur le paillasson, comme autrefois, quand ses tantes le lui demandaient avant de pénétrer dans la maison.

Il se baissa pour défaire le ruban adhésif, qui lui collait obstinément aux doigts, et l'opération prit du temps. Plus il insistait, plus il regrettait d'avoir commencé.

— Je crois que je vais laisser mes chaussures à la porte, dit-il enfin.

À l'intérieur, il faisait frais. Il y avait une odeur de désinfectant qui lui rappela Maureen, et une autre, de nourriture en train de cuire, des pommes de terre, peut-être. Il se servit du gros orteil pour éjecter la chaussure de l'autre pied, puis il répéta le procédé. En chaussettes, il se sentait tout nu et tout petit.

La sœur sourit.

— Vous devez avoir hâte de voir Queenie, dit-elle.

Il fit signe que oui et elle l'invita à le suivre.

Leurs pieds foulèrent la moquette bleue en silence. Pas d'applaudissements. Pas de rires d'infirmières ; pas de vivats de patients. Il n'y avait qu'Harold suivant la silhouette de la religieuse dans un couloir vide et parfaitement propre. Il se demanda s'il n'entendait pas un chant quelque part et tendit l'oreille, mais ce devait être un tour de son imagination. Peut-être s'agissait-il d'un appel, ou du bruit du vent dans le Velux. Il lui vint soudain à l'esprit qu'il avait oublié d'apporter des fleurs.

— Ça va ? demanda la religieuse.

De nouveau, il fit signe que oui.

En passant devant des fenêtres qui s'ouvraient sur sa gauche, Harold remarqua qu'elles donnaient sur un jardin. Il jeta un coup d'œil envieux à la pelouse soigneusement entretenue, en imaginant ses pieds nus qui s'enfonçaient dans ce tapis moelleux. Il y avait des bancs et un système d'arrosage rotatif, dont le jet d'eau étincelait chaque fois qu'il accrochait les rayons du soleil. Plus loin s'alignaient des portes fermées. Queenie devait être derrière l'une d'elles. Il garda les yeux fixés sur le jardin et sentit monter en lui une vague d'effroi.

— Depuis combien de temps avez-vous dit que vous marchiez ?

— Eh bien…, dit-il. Longtemps.

En ce moment-ci, son voyage n'avait plus aucune importance.

— Vous savez, nous n'avons pas fait entrer les autres pèlerins. On les a vus à la télévision et on les a trouvés assez bruyants, à vrai dire.

Elle se retourna vers lui et il eut l'impression qu'elle lui faisait un clin d'œil, mais c'était forcément impossible.

Ils passèrent devant une porte entrouverte. Il ne regarda pas à l'intérieur.

— Sœur Philomena ! lança une voix aussi fragile qu'un murmure.

La religieuse s'arrêta pour jeter un coup d'œil dans une autre chambre en se tenant aux montants de la porte.

— J'arrive dans un tout petit moment, répondit-elle.

Elle resta quelques instants le pied pointé en arrière, telle une danseuse chaussée de chaussures de sport, puis elle se retourna vers Harold et annonça avec un sourire chaleureux qu'ils allaient arriver. Harold avait froid, à moins que ce ne soit de la fatigue, ou quelque chose qui était en train de pomper toute son énergie.

Sœur Philomena fit encore quelques pas, puis elle s'arrêta devant une porte et frappa discrètement. Elle suspendit son geste pour écouter un moment, l'oreille collée au bois, avant d'entrouvrir la porte et de jeter un coup d'œil à l'intérieur.

— Nous avons une visite, lança-t-elle à la chambre qu'il ne pouvait encore voir.

Elle repoussa la porte contre le mur et s'effaça pour le laisser passer.

— C'est palpitant ! s'exclama-t-elle.

Harold prit une inspiration qu'il eut l'impression d'aller chercher jusque dans ses pieds, puis il leva les yeux.

Il ne vit qu'une autre fenêtre donnant sur un ciel gris qui semblait lointain, un lit placé sous une croix en bois, avec un bassin glissé dessous et une chaise vide au pied.

— Mais elle n'est pas là !

À sa grande surprise, il sentit monter une vague de soulagement qui lui donna un peu mal au cœur.

Sœur Philomena éclata de rire.

— Bien sûr que si, elle est là !

Elle fit un signe de tête en direction du lit. Harold le considéra de nouveau et découvrit sous les draps d'un blanc de glace une forme presque imperceptible. À côté d'elle, quelque chose reposait, semblable à une longue griffe blanche. Harold regarda plus attentivement et il s'aperçut alors qu'il s'agissait du bras de Queenie. Le sang lui monta à la tête.

— Harold, dit la religieuse, le visage si près du sien qu'il distinguait le fin réseau de ses rides. Queenie n'est pas très consciente et elle souffre un peu. Mais elle vous a attendu, comme vous l'aviez prévu.

Elle s'effaça pour le laisser passer.

Le cœur battant à tout rompre, Harold fit un pas, puis un autre, en direction du lit. Quand il fut au chevet de la femme pour laquelle il avait fait tant de kilomètres à pied, il manqua défaillir. Elle gisait immobile à quelques centimètres de lui, le visage tourné vers la lumière de la fenêtre. Il se demanda si elle dormait, ou si elle était abrutie par les médicaments, ou bien si elle attendait quelqu'un d'autre. C'était d'une intimité extrême, cette façon de ne pas bouger, de ne pas remarquer son arrivée. Sous les draps, on distinguait à peine son corps. Il ne prenait pas plus de place que celui d'un enfant.

Harold ôta son sac de son épaule et le plaça contre son estomac, comme pour tenir à distance l'image qu'il avait en face de lui. Il osa encore un pas. Puis deux.

Les quelques cheveux qui restaient sur la tête de Queenie étaient fins et blancs comme une aigrette de pissenlit. Ils formaient sur son crâne une houppe que l'on avait coiffée sur le côté, ce qui lui donnait l'air d'avoir été prise dans une tempête. Il apercevait son cuir chevelu, tout parcheminé. Un bandage entourait son cou.

Queenie Hennessy ressemblait à quelqu'un d'autre. Quelqu'un qu'il ne connaissait pas. Un fantôme. Une coquille. Il regarda derrière lui, cherchant sœur Philomena, mais elle n'était plus dans l'encadrement de la porte. Elle avait disparu.

Il pouvait déposer ses cadeaux et s'en aller. En

374

les accompagnant d'une carte, éventuellement. L'idée d'écrire quelques mots était sans aucun doute la meilleure ; il pouvait ainsi laisser un message réconfortant. Cette idée lui donna un sursaut d'énergie. Il s'apprêtait à se retirer lorsque la tête de Queenie entama une lente et régulière rotation à partir de la fenêtre. Il se figea de nouveau, le regard fixé sur elle. L'œil gauche apparut en premier, puis le nez, puis la partie droite de la joue, et Queenie lui fit enfin face. C'était la première fois en vingt ans qu'ils se revoyaient. Harold reçut un coup au cœur.

La tête de Queenie était une anomalie. Il y avait deux têtes en une, la seconde se développant sur la première. Elle prenait naissance au-dessus de la pommette et formait une saillie sur la mâchoire. Elle était si volumineuse, cette excroissance, cette autre face dépourvue de traits, qu'elle semblait prête à crever la peau à tout moment. Elle avait obligé l'œil droit à se fermer et le tirait vers l'oreille. La partie inférieure droite de la bouche, béante, descendait vers le menton. C'était inhumain. Queenie leva ses doigts griffus comme pour la dissimuler, mais il était impossible de ne pas la voir. Harold poussa un gémissement.

Le bruit lui avait échappé. La main de Queenie tâtonna, cherchant quelque chose qu'elle ne voyait pas.

Il aurait aimé faire comme si ce n'était pas un spectacle affreux. Mais il n'y arrivait pas. Sa bouche s'ouvrit et deux mots en sortirent péniblement :

— Bonjour, Queenie.

Plus de mille kilomètres et c'était tout ce qu'il était capable de dire.

Elle ne répondit pas.

— C'est Harold, Harold Fry, poursuivit-il.

375

Il avait conscience de hocher la tête et d'articuler exagérément, en s'adressant non pas au visage déformé de Queenie, mais à sa main griffue.

— Nous travaillions ensemble, autrefois. Tu t'en souviens ?

Il jeta un autre coup d'œil furtif à la tumeur gigantesque. Elle formait une masse bulbeuse et luisante d'hématomes et de vaisseaux, comme si cela blessait la peau de l'envelopper. L'unique œil ouvert de Queenie cligna. L'autre laissa échapper une traînée humide qui glissa vers l'oreiller.

— Tu as eu ma lettre ?

Le regard était celui d'un animal prisonnier dans une caisse.

— Mes cartes postales ?

Suis-je en train de mourir ? disait l'œil de marbre de Queenie. Est-ce que ce sera douloureux ?

Il était incapable de la regarder. Ouvrant son sac, il farfouilla à l'intérieur à l'aveuglette, les doigts tremblants, et continua mécaniquement, conscient que Queenie l'observait.

— Je t'ai apporté des petits souvenirs que j'ai glanés en route. Il y a un morceau de quartz qui fera bien, suspendu à ta fenêtre. Il faut juste que je le trouve. Et j'ai aussi du miel quelque part.

Il lui vint soudain à l'esprit qu'une excroissance de cette taille l'empêchait certainement de manger.

— Tu n'aimes peut-être pas le miel, mais le pot est joli. Il peut servir de pot à crayons, par exemple. Il vient de Buckfast Abbey.

Il sortit le sac en papier contenant le quartz rose et le tendit à Queenie. Elle ne bougea pas. Il le déposa tout près de sa main, le tapota deux fois. Lorsqu'il leva les yeux, il eut la chair de poule. Queenie Hennessy était en train de glisser de l'oreiller, comme si le poids de son terrible visage l'attirait vers le sol.

Il ne savait que faire. Il devait intervenir, c'était certain, mais il ignorait comment. Et il avait peur. Peur qu'il y ait autre chose sous le bandage de son cou. Encore plus de boucherie. Encore plus de preuves brutales de sa fragilité d'être humain. C'était insupportable. Il appela à l'aide. Il tenta de le faire discrètement au début, pour ne pas l'inquiéter. Puis il recommença, plus fort cette fois.

— Voilà, voilà, Queenie ! lança la sœur en entrant dans la chambre ; sauf que ce n'était pas la même religieuse qu'avant.

Celle-ci avait une voix plus jeune, des formes plus pleines et un comportement plus hardi.

— Laissons entrer la lumière. On se croirait dans une morgue, ici !

Elle alla jusqu'à la fenêtre et tira les rideaux avec une vigueur qui fit grincer les anneaux sur la tringle métallique.

— C'est une très bonne chose d'avoir une visite.

Harold fut frappé par sa pétulance, qui contrastait avec l'atmosphère de la chambre et l'état de Queenie. Il était furieux de constater qu'on l'avait chargée de s'occuper d'une personne aussi délicate, même s'il était soulagé de voir qu'elle prenait la situation en main.

— Elle est…

Incapable de terminer sa phrase, il tendit le doigt.

— Encore ? Voyons, voyons ! déclara la sœur d'un ton vif, comme si Queenie était une petite fille qui avait laissé tomber de la nourriture sur sa blouse de malade.

Elle passa de l'autre côté du lit, remit les oreillers

en place et redressa Queenie en la prenant sous les aisselles. Queenie se laissait faire, telle une poupée de chiffon, et Harold se dit que c'était ce souvenir qu'il garderait d'elle, inerte tandis que quelqu'un la remontait sur l'oreiller avec des commentaires qui le hérissaient.

— Henry est apparemment venu à pied. De loin. De... Vous venez d'où, Henry ?

Harold ouvrit la bouche pour répondre qu'il n'était pas Henry et qu'il venait de Kingsbridge, mais il n'en avait déjà plus envie. Cela ne valait pas la peine de corriger ce qu'avait dit la religieuse. Et même, en cet instant, cela ne valait pas la peine d'être Harold Fry.

— Du Dorset, avez-vous dit ? demanda la sœur.

— Oui, c'est cela, dans le Sud, répondit Harold sur le même ton faussement enjoué, de sorte qu'on aurait pu croire que chacun hurlait pour se faire entendre dans la tempête.

— Et si nous offrions le thé à votre visiteur ? demanda-t-elle à Queenie sans la regarder. Asseyez-vous, Henry, et bavardez pendant que je nous prépare une tasse. Ça a été très prenant pour nous, avec toutes ces lettres et ces cartes postales ! La semaine dernière, une dame a même écrit de Perth.

Elle se tourna vers Harold au moment de franchir le seuil.

— Elle vous entend, ajouta-t-elle.

Harold pensa que si Queenie entendait vraiment, ce n'était pas très délicat de le dire. Mais il se tut. Ils en étaient réduits à l'essentiel.

Il s'installa sur la chaise posée près du lit de Queenie, qu'il recula de quelques centimètres, afin de ne pas être dans le passage. Il glissa les mains entre ses genoux.

— Bonjour, répéta-t-il, comme s'ils se retrouvaient pour la première fois. Tu as l'air bien, je dois dire. Ma femme – tu te souviens de Maureen ? –, ma femme t'envoie ses amitiés.

Harold se sentait en terrain plus sûr maintenant qu'il avait introduit Maureen dans la conversation. Il espérait que Queenie dirait quelque chose pour briser la glace, mais elle resta muette.

— Oui, tu as l'air bien, reprit-il, avant d'ajouter : Vraiment, vraiment bien.

Il jeta un coup d'œil derrière lui pour voir si la religieuse revenait avec le thé, mais ils étaient toujours seuls. Il bâilla longuement, quoique parfaitement éveillé.

— J'ai marché longtemps, dit-il. Veux-tu que je suspende le quartz ? Dans la boutique, ils l'avaient mis à la fenêtre. Je pense que tu vas aimer. Il est censé avoir des pouvoirs de guérison.

L'œil ouvert de Queenie accrocha son regard.

— Mais je n'y connais pas grand-chose, ajouta-t-il.

Il se demanda combien de temps encore il devrait tenir. Il se leva, le quartz ballottant au bout du fil entre ses doigts, et fit mine de chercher la place idéale pour le suspendre. Derrière la fenêtre, le ciel était si blanc qu'on n'aurait su dire s'il s'agissait d'un nuage ou de l'ardeur du soleil. En bas dans le jardin, une religieuse en chapeau de paille poussait le fauteuil roulant d'un patient sur le gazon en parlant avec douceur. Peut-être priait-elle. Harold lui envia sa certitude.

Il sentit frémir en lui les émotions anciennes et les images du passé restées enfouies depuis longtemps parce qu'aucun être humain n'aurait pu vivre avec elles au quotidien. Agrippé au rebord de la fenêtre, il prit plusieurs inspirations, mais avec la chaleur cela ne lui apporta aucun soulagement.

Il revécut l'après-midi où il avait conduit Maureen au funérarium pour qu'elle voie une dernière fois David dans son cercueil. Elle avait pris avec elle quelques objets : une rose rouge, un ours en peluche et un oreiller pour glisser sous la tête de son fils. Dans la voiture, elle lui avait demandé ce qu'il avait l'intention de donner de son côté, sachant pertinemment qu'il n'avait rien. Le soleil était très bas et éblouissait Harold pendant qu'il conduisait. Tous deux portaient des lunettes noires. Maureen ne quittait pas les siennes, même à la maison.

Dans le bureau de l'entrepreneur de pompes funèbres, elle l'avait surpris en affirmant qu'elle voulait être seule pour dire adieu à David. Il avait attendu son tour dehors, la tête dans les mains, jusqu'à ce qu'un passant s'arrête pour lui proposer une cigarette qu'il avait acceptée, même s'il ne fumait plus depuis l'époque où il était receveur de bus. Il essayait d'imaginer ce qu'un père peut dire à son fils mort. Ses doigts tremblaient si fort que le passant dut utiliser trois allumettes pour allumer sa cigarette.

La nicotine brute lui brûla la gorge et lui souleva le cœur. Il alla se pencher au-dessus d'une poubelle, les narines emplies de l'aigre puanteur de la décomposition. À ce moment-là, derrière lui, un cri ou plutôt un violent sanglot déchira l'air, d'une telle intensité animale qu'il se figea.

« Non ! hurlait Maureen à l'intérieur du funérarium.

Non, non, non ! » Les mots semblaient ricocher sur lui et heurter le ciel métallique.

Harold vomit une écume blanchâtre dans la poubelle.

Quand Maureen sortit, elle croisa son regard, puis elle s'empara de ses lunettes noires. Elle avait tant pleuré que tout son être semblait liquide. Il se rendit compte avec effarement qu'elle avait terriblement maigri ; ses épaules ressemblaient à un portemanteau sous sa robe noire. Il avait envie d'aller vers elle, de la serrer dans ses bras et d'être dans les siens, mais il sentait la cigarette et le vomi. Il s'attarda près de la poubelle, en faisant mine de ne pas l'avoir vue, et elle passa devant lui pour gagner la voiture. L'espace qui les séparait brillait au soleil comme du verre. Il s'essuya le visage et les mains avant de la suivre.

Pendant le trajet du retour, qu'ils firent en silence, Harold comprit que quelque chose d'irrémédiable venait de se passer entre eux. Il n'avait pas dit adieu à son fils. Maureen l'avait fait, pas lui. Il y aurait toujours cette différence. Elle voulut que personne n'assiste à la crémation. Elle accrocha des voilages aux fenêtres pour éviter les regards indiscrets, même si Harold avait parfois l'impression que c'était plutôt pour s'enfermer. Pendant un certain temps, elle se répandit en injures et en reproches envers Harold, puis cela même cessa. Quand ils se croisaient dans l'escalier, ils étaient comme des étrangers.

Harold réfléchissait au jour où elle était sortie du funérarium et l'avait regardé avant de remettre ses lunettes noires, et il sentait que ce regard avait scellé un pacte qui les obligerait à vie à dire seulement ce qu'ils ne pensaient pas et à détruire ce à quoi ils tenaient le plus.

Et à ce souvenir, dans ce centre de soins palliatifs où Queenie était en train de mourir, il avait si mal qu'il en tremblait.

Il avait cru qu'il pourrait, en revoyant Queenie, lui dire merci et même adieu. Qu'il y aurait une forme de rencontre et que cette rencontre constituerait en quelque sorte une absolution pour les terribles fautes passées. Mais il ne pourrait y avoir ni rencontre ni adieu, puisque la femme qu'il avait connue n'était déjà plus là. Il se dit qu'il allait rester appuyé à ce rebord de fenêtre jusqu'à ce qu'il accepte cette idée. Il se demandait s'il devait se rasseoir, si cela changerait quelque chose qu'il soit sur la chaise. Et en même temps, il savait que cela ne changerait rien. Qu'il soit assis ou debout, il lui faudrait du temps avant de pouvoir admettre que Queenie était réduite à cela. Et David était mort ; rien ne pourrait le lui rendre. Harold noua le quartz à un anneau de rideau. Il était suspendu à contre-jour, oscillant légèrement, et l'on remarquait à peine sa présence.

Harold se remémora sa bataille avec ses lacets le jour où David avait failli se noyer. Il se remémora son retour du funérarium avec Maureen, sachant que tout était fini entre eux. D'autres souvenirs lui revenaient aussi. Il se revoyait enfant, prostré sur son lit après le départ de sa mère et se demandant si, en restant le plus immobile possible, on augmentait ses chances de mourir. Et pourtant, dans la chambre où il se trouvait, bien des années plus tard, il y avait une femme qu'il avait brièvement, mais tendrement connue, luttant pour retenir le peu de vie qui lui restait. Il fallait faire plus. Ne pas se contenter de se tenir à l'écart.

En silence, il avança vers le lit de Queenie. Et

lorsqu'elle tourna la tête et que son regard rencontra le sien, il s'assit à son chevet. Il lui prit la main. Les doigts décharnés de Queenie étaient d'une infinie fragilité. Ils se replièrent imperceptiblement et touchèrent ses propres doigts. Harold sourit.

— L'époque où je t'ai trouvée dans ce placard à fournitures est bien loin, n'est-ce pas ? dit-il.

Du moins, il avait l'intention de le dire, mais ce n'était sans doute qu'une pensée. Rien ne vint déranger la tranquillité de l'atmosphère pendant un bon moment, jusqu'à ce que la main de Queenie glisse de celle d'Harold, et que sa respiration se ralentisse.

Un bruit de porcelaine le fit sursauter.

— Tout va bien, Henry ? demanda la jeune religieuse sur un ton jovial en pénétrant dans la chambre avec un plateau.

Harold regarda de nouveau Queenie. Elle avait les yeux fermés.

— Cela vous ennuie si je ne prends pas le thé ? demanda-t-il. Il faut que je m'en aille, maintenant.

Et il s'en alla.

30

Maureen et Harold

Une silhouette épuisée était assise sur un banc, solitaire, le dos arqué pour résister au vent, et elle contemplait le bord de l'eau comme si elle se trouvait là depuis toujours. Le ciel était si gris et si menaçant, et la mer était aussi si grise et si menaçante qu'on ne savait où l'un commençait et où l'autre finissait.

Maureen s'arrêta. Son cœur battait à tout rompre dans sa poitrine. Elle reprit sa marche vers Harold, puis s'arrêta de nouveau et se tint debout auprès de lui. Il ne dit rien, ne leva pas les yeux. Ses cheveux frôlaient le col de sa parka, formant des boucles délicates qu'elle mourait d'envie de toucher.

— Salut, inconnu, dit-elle. Me permettez-vous de m'asseoir auprès de vous ?

Il ne répondit pas, mais il ramena sa parka sur ses hanches et se poussa pour lui faire de la place. Des vagues venaient se briser sur la plage, ourlées d'écume blanche, projetant des graviers et des débris de coquillages qu'elles laissaient ensuite derrière elles. La mer montait.

Maureen s'installa à côté de lui, en laissant une petite distance entre eux.

— Quel trajet ces vagues ont-elles parcouru, d'après toi ? demanda-t-elle.

Il haussa les épaules et secoua la tête, comme pour dire : « Bonne question, mais je l'ignore. » Son profil était si décharné qu'il semblait avoir été dévoré et il avait sous les yeux des cernes aussi foncés que des hématomes. De nouveau, il ressemblait à un autre homme. On aurait dit qu'il avait pris des années et des années. Et ce qui restait de sa barbe était pitoyable.

— Comment ça s'est passé ? demanda-t-elle. Tu as rendu visite à Queenie ?

Harold, les mains jointes entre ses genoux, hocha affirmativement la tête sans répondre.

— Elle savait que tu arrivais aujourd'hui ? Ça lui a fait plaisir ?

Il poussa un soupir qui ressemblait à un craquement.

— Tu l'as... vue ?

Il fit de nouveau « oui » de la tête, mais le mouvement continua de son propre chef, comme si son cerveau avait oublié de donner l'ordre d'arrêter.

— Donc, tu lui as parlé. Qu'est-ce que tu lui as dit ? Est-ce qu'elle a ri ?

— Ri ? répéta-t-il.

— Oui. Elle était contente ?

— Non, elle n'a rien dit.

La voix d'Harold était à peine audible.

— Rien ? Tu en es sûr ?

Nouveaux hochements de tête. La réticence à répondre d'Harold était comme une maladie contagieuse. Maureen était en train de l'attraper. Elle remonta son col. Elle s'attendait bien à trouver Harold triste et épuisé après son voyage, mais, là, il manifestait une sorte d'apathie qui pompait toute votre énergie.

— Et ses cadeaux, ils lui ont plu ? reprit-elle.

— J'ai laissé le sac à dos aux sœurs. J'ai pensé que c'était le mieux.

Il articulait avec soin, en restant sur le fil des mots, mais en laissant entendre qu'il pouvait à tout moment tomber dans le cratère des sentiments qui s'ouvrait sous lui.

— Je n'aurais jamais dû faire une chose pareille. J'aurais dû envoyer une lettre. Une lettre aurait suffi. Si je m'étais contenté d'une lettre, j'aurais pu...

Maureen attendit la suite, mais il se tut, le regard fixé sur l'horizon. Il paraissait avoir oublié qu'il était en train de parler.

— Je suis tout de même étonnée que Queenie n'ait rien dit, après tout ce que tu as fait, déclara-t-elle.

Harold se tourna enfin vers elle et la regarda dans les yeux. Son visage, comme sa voix, était atone.

— Elle ne peut pas, répondit-il. Elle n'a plus de langue.

Maureen poussa un cri étouffé.

— Que dis-tu ?

— Je suis sûr qu'on la lui a coupée. Avec la moitié de sa gorge et une partie de sa colonne vertébrale. C'était un ultime effort pour la sauver, mais ça n'a pas marché. Son cancer est inopérable dans la mesure où il n'y a plus un seul petit bout d'elle qu'on puisse opérer. Maintenant, une tumeur est en train de se développer sur son visage.

Il détourna la tête vers le ciel, les yeux mi-clos, comme pour se couper du monde extérieur et mieux discerner la vérité qui se faisait jour dans son esprit.

— C'est pour ça que je ne l'ai jamais eue au téléphone, poursuivit-il. Elle est incapable de parler.

Maureen essaya de comprendre. Au loin, la mer était calme, avec des reflets métalliques. Elle se demanda si les vagues savaient que la fin de leur voyage les attendait.

— Je ne suis pas resté parce que les mots m'échappaient. Ils m'échappaient déjà quand j'ai lu sa lettre la première fois. Maureen, je suis le genre d'homme qui dit merci à l'horloge parlante. En quoi est-ce que j'aurais pu changer les choses ? Comment ai-je pu m'imaginer que je pouvais empêcher une femme de mourir ?

Un déferlement de chagrin sembla se frayer un chemin en lui. Ses yeux se fermèrent, sa bouche s'ouvrit et une série de sanglots muets franchit ses lèvres.

— Elle avait un cœur gros comme ça. Elle voulait rendre service. Chaque fois que je la conduisais en voiture, elle achetait un petit quelque chose pour mon retour. Elle me demandait des nouvelles de David et de Cambridge…

Il ne put terminer, le corps secoué de tremblements. Son visage se déforma tandis que des larmes jaillissaient de ses yeux et ruisselaient sur ses joues.

— Si tu l'avais vue, Maw, si tu l'avais vue ! C'est tellement injuste !

— Je sais.

Elle tendit la main vers celle d'Harold et la serra. Elle regarda la couleur sombre de ses doigts posés sur ses genoux, les saillies bleues de ses veines. Malgré l'étrangeté de ces dernières semaines, elle connaissait tout de cette main. Elle n'avait même pas besoin de la regarder. Elle la garda dans la sienne pendant qu'il pleurait. Peu à peu, il se calma, laissa doucement couler les larmes.

— Pendant que je marchais, dit-il, je me suis souvenu de tellement de choses ! Des choses que j'ignorais avoir oubliées. À propos de David, de toi, de moi. Je me suis même souvenu de ma mère. Certains de ces souvenirs étaient très durs. Mais la plupart étaient magnifiques. Et j'ai peur. J'ai peur de les perdre de nouveau, bientôt peut-être, et définitivement cette fois.

Sa voix tremblait. Il prit une inspiration et se mit à raconter tout ce qui lui était revenu en mémoire ; les moments de la vie de David qui s'étaient offerts à lui comme le plus précieux des albums-souvenirs.

— Je ne veux pas oublier la tête qu'il avait étant bébé. Ou la façon dont il dormait quand tu chantais. Tout cela, je tiens à le garder.

— Tu le garderas, bien sûr, dit-elle.

Elle tenta un petit rire, car elle n'avait pas envie de poursuivre cette conversation, même si elle se doutait, au regard d'Harold fixé sur elle, qu'il n'avait pas terminé.

— J'ai été incapable de me souvenir du prénom de David. Comment ai-je pu oublier ça ? L'idée que je puisse un jour te regarder sans te reconnaître m'est absolument insupportable.

Elle sentit ses yeux picoter et elle secoua négativement la tête.

— Tu n'es pas en train de perdre la mémoire, Harold. Simplement, tu es très, très fatigué.

Le regard d'Harold, quand elle le croisa, ne dissimulait rien. Il soutint le sien et elle fit de même, et les années s'envolèrent. Maureen revit le jeune homme un peu fou qui, autrefois, avait dansé comme un démon et instillé dans ses veines le chaos de l'amour. Elle cligna les paupières et essuya ses larmes. Les vagues continuaient à monter à l'assaut du rivage. Tant d'énergie, de puissance, qui traversait les océans, portait bateaux et paquebots, et venait mourir à quelques mètres de ses pieds dans un ultime jaillissement d'écume.

Elle réfléchit à ce que l'avenir leur réservait. Les visites régulières chez le médecin. Les coups de froid qui tourneraient à la pneumonie. Les analyses de sang, les tests d'audition, les examens de l'œil, les taux de cholestérol. Peut-être aussi, malheureusement, des opérations chirurgicales et des périodes de convalescence. Et puis, bien sûr, un jour viendrait où l'autre resterait seul pour de bon. Maureen frissonna. Harold avait raison ; c'était insupportable. Avoir fait tout ce chemin, avoir découvert ce que l'on voulait pour s'apercevoir qu'on devait le perdre de nouveau... Elle se demanda s'ils ne devraient pas passer au retour par les Cotswolds et s'y arrêter quelques jours ; ou alors faire un détour par le Norfolk. Elle adorerait revenir à Holt. Mais peut-être qu'ils ne le feraient pas. C'était un trop gros effort d'y penser. Elle verrait bien. Les vagues continuaient à se briser sans fin.

— Chaque chose en son temps, murmura-t-elle.

Elle se rapprocha d'Harold et leva les bras.

— Oh, Maw, gémit-il doucement.

Maureen le tint serré contre elle jusqu'à ce que la peine s'apaise. Il était grand, il était tout raide, et il était à elle.

— Cher toi, dit-elle.

Ses lèvres cherchèrent le visage d'Harold et embrassèrent ses joues humides et salées.

— Tu t'es lancé et tu as fait quelque chose. Et si

ce n'est pas un petit miracle d'essayer de trouver sa route quand on ignore si l'on va arriver au bout, je me demande bien ce qui l'est.

Sa bouche tremblait. Elle prit le visage d'Harold entre ses mains ; ils étaient si proches, maintenant, qu'elle ne distinguait plus très bien ses traits et qu'elle ne voyait plus qu'une chose, le sentiment qu'elle éprouvait pour lui.

— Je t'aime, Harold Fry, chuchota-t-elle. Ce que tu as fait, c'est ça.

31

Queenie et le présent

Queenie fixa du regard le monde indistinct et découvrit quelque chose qu'elle n'avait pas vu auparavant. Elle plissa les paupières pour essayer d'y voir plus clair. Un éclat de lumière rose était suspendu en l'air. Il se tortillait et projetait de temps à autre un arc-en-ciel sur le mur. C'était très beau, mais l'effort nécessaire pour le suivre des yeux l'épuisait et elle abandonna.

Elle n'était plus qu'une chose minuscule qu'un souffle emporterait.

Quelqu'un était venu, puis était reparti. Quelqu'un qu'elle aimait bien. Il ne s'agissait pas de l'une des sœurs, même si toutes étaient très gentilles. Ce n'était pas son père non plus, mais un autre homme bon. Il avait parlé d'une marche et, effectivement, elle s'en souvenait, il avait marché. Mais elle ne se rappelait pas d'où il venait. Du parking, peut-être. Sa tête lui faisait mal et elle voulait appeler pour qu'on lui apporte un verre d'eau. Elle le ferait dans un moment, mais pour l'instant elle resterait simplement là, enfin immobile et tranquille. Elle allait fermer les yeux.

Harold Fry. Elle s'en souvenait maintenant. Il était venu lui dire au revoir.

À une époque, elle était une femme nommée Queenie Hennessy. Elle faisait du calcul et avait une écriture impeccable. Elle avait aimé quelquefois, et elle avait perdu, et c'était dans l'ordre des choses. Elle avait effleuré la vie, joué un peu avec, mais c'était une saloperie qui vous filait entre les doigts et au bout du compte il fallait fermer la porte et laisser la vie derrière soi. Une idée terrifiante durant toutes ces années. Mais maintenant ? Ce n'était pas terrifiant, ni rien. Elle était affreusement fatiguée. Elle appuya son visage contre l'oreiller et sentit quelque chose s'ouvrir comme une fleur dans sa tête qui s'alourdissait.

Un souvenir oublié depuis longtemps lui revint, si proche que Queenie pouvait presque le savourer. Elle descendait l'escalier de la maison de son enfance dans ses souliers de cuir rouge et son père l'appelait, à moins que ce ne fût cet homme bon, Harold Fry. Elle se précipitait avec un grand rire parce que c'était très amusant.

— Queenie, tu es là ? demandait-il.

Elle distinguait sa haute silhouette à contre-jour, mais il continuait à l'appeler et à poser les yeux partout, sauf à l'endroit où elle se tenait. Le souffle lui manqua.

— Queenie ?

Elle avait hâte qu'il la trouve enfin.

— Où es-tu ? Où est donc cette enfant ? Es-tu prête ?

— Oui, dit-elle.

La lumière était éblouissante. Même derrière ses paupières, elle était d'argent.

— Oui, répéta-t-elle, un peu plus fort pour qu'il puisse l'entendre.

— Me voici.

À la fenêtre, quelque chose oscillait et envoyait une pluie d'étoiles dans la chambre.

Queenie entrouvrit les lèvres, luttant pour prendre une nouvelle inspiration. Et quand l'air ne vint pas, mais que quelque chose d'autre arriva, ce fut aussi facile que de respirer.

32

Harold et Maureen et Queenie

Maureen prit la nouvelle avec calme. Elle avait retenu une chambre avec un grand lit. Ils avaient fait un repas léger, puis elle avait fait couler un bain à Harold et lui avait lavé les cheveux. Elle lui avait rasé le menton avec soin avant de lui hydrater la peau. Tandis qu'elle lui coupait les ongles et gommait les peaux mortes de ses pieds, elle lui parla de tout ce qu'elle faisait autrefois et qu'elle regrettait tant. Il répondit que c'était pareil pour lui. Il paraissait enrhumé.

Après avoir reçu l'appel du centre de soins pallia-tifs, elle saisit la main d'Harold. Elle lui dit exacte-ment ce qu'avait déclaré sœur Philomena : à la fin, Queenie semblait apaisée. Elle avait l'air d'une enfant, presque. L'une des jeunes religieuses était persuadée d'avoir entendu Queenie lancer un appel juste avant de mourir, comme si elle s'adressait à quelqu'un qu'elle connaissait.

— Mais sœur Lucy est jeune, avait déclaré sœur Philomena.

Maureen demanda à Harold s'il voulait rester seul, mais il fit signe que non.

— Nous allons faire ça ensemble, dit-elle.

On avait déjà transporté le corps dans une pièce adjacente à la chapelle. Tous deux suivirent la religieuse en silence, parce que, dans ces moments-là, les mots semblaient trop durs et trop fragiles. Maureen percevait les bruits du centre : des chuchotements, un éclat de rire vite étouffé, l'écoulement de l'eau dans les tuyaux. De l'extérieur lui parvint un bref chant d'oiseau, à moins que ce ne fût quelqu'un qui chantait. Ils s'arrêtèrent devant une porte close. Elle redemanda à Harold s'il ne préférait pas être seul et il lui fit la même réponse négative.

— J'ai peur, dit-il, ses yeux bleus cherchant les siens.

Elle put y lire la panique, l'angoisse, l'hésitation. Et soudain, elle prit conscience qu'il n'avait jamais vu de cadavre.

— Je sais, répondit-elle, mais ne t'inquiète pas. Je suis là, moi aussi. Tout se passera bien cette fois, Harold.

— Sa mort a été douce, dit la sœur.

Elle était bien en chair, avec des joues toutes roses. L'idée qu'une jeune femme aussi énergique puisse s'occuper des mourants et rester elle-même pleine de vie réconforta Maureen.

— Juste avant de rendre le dernier soupir, elle a souri. Comme si elle avait trouvé quelque chose.

Maureen jeta un coup d'œil à Harold. Il avait le visage si pâle qu'il semblait vidé de son sang.

— Nous en sommes heureux, dit-elle. Nous sommes heureux qu'elle soit partie paisiblement.

La sœur commença à s'éloigner, puis elle se ravisa et se tourna vers eux.

— Sœur Philomena m'a demandé si vous souhaitiez vous joindre à notre prière du soir, dit-elle.

Maureen sourit poliment. C'était trop tard pour devenir des croyants.

— Je vous remercie, mais Harold est très fatigué. Je crois qu'il a avant tout besoin de repos.

Imperturbable, la jeune femme acquiesça de la tête.

— Bien sûr. Nous voulions simplement que vous sachiez que vous êtes les bienvenus.

Elle tendit la main vers la poignée et ouvrit la porte.

Dès que Maureen pénétra dans la pièce, elle reconnut cette atmosphère glacée parfumée à l'encens. Sous une petite croix en bois, le corps de ce qui avait été autrefois Queenie Hennessy gisait, les yeux clos, ses cheveux blancs étalés sur l'oreiller. Ses bras reposaient sur le drap, les mains ouvertes, comme si elle avait de son propre gré laissé quelque chose s'échapper. On lui avait discrètement tourné la tête sur le côté, de façon à dissimuler la tumeur. Maureen et Harold se tinrent en silence auprès d'elle, confrontés une fois de plus à la fugacité de la vie.

Maureen pensait à David dans son cercueil et à la façon dont elle avait soulevé sa pauvre tête et l'avait couverte de baisers, incapable d'admettre que sa volonté de le voir en vie ne suffisait pas à le faire revenir.

Harold, à côté d'elle, avait les poings serrés.

— C'était une femme bien, dit enfin Maureen. Et une véritable amie.

Elle sentit quelque chose de tiède toucher le bout de ses doigts, puis la pression de la main d'Harold qui agrippait la sienne.

— Tu n'aurais rien pu faire de plus, poursuivit-elle.

Et elle ne pensait pas seulement à Queenie, mais à David. Même si cela les avait séparés et fait plonger chacun dans leurs propres ténèbres, leur fils avait fait ce qu'il voulait, en fin de compte.

— J'ai eu tort. J'ai vraiment eu tort de te blâmer.

Elle serra les doigts d'Harold.

Petit à petit, elle prit conscience de la lumière que la porte laissait filtrer, et des bruits du centre qui remplissaient le vide comme de l'eau. La pièce dans laquelle ils se trouvaient s'était tellement assombrie que tout devenait flou, y compris la forme de Queenie. Maureen repensa aux vagues et au fait qu'une vie pouvait recommencer tant qu'elle n'était pas allée à son terme. Elle resterait aux côtés d'Harold aussi longtemps qu'il le voudrait. Quand il s'apprêta à sortir, elle le suivit.

La messe avait déjà commencé lorsqu'ils refermèrent la porte sur Queenie. Ils marquèrent un instant d'arrêt, ne sachant s'ils devaient aller remercier ou s'éclipser discrètement. C'est Harold qui décida de s'attarder un moment. La voix des religieuses s'élevait, unie par le chant, et, pendant un moment magnifique et fugace, toute cette beauté remplit Maureen d'un sentiment proche de la joie. Si nous ne nous ouvrons pas, pensa-t-elle, si nous sommes incapables d'accepter ce que nous ignorons, il n'y a vraiment aucun espoir.

— Je suis prêt, dit Harold. On peut y aller.

*

Ils suivirent le front de mer dans l'obscurité. Les familles avaient remballé leurs fauteuils et leurs paniers à pique-nique ; il ne restait plus que des gens qui promenaient leur chien et quelques joggeurs vêtus de gilets fluo. Ils échangeaient de menus propos : la dernière pivoine, la première rentrée scolaire de David, la météo. La lune était haut dans le ciel et elle projetait une copie tremblotante d'elle-même sur l'eau profonde. Au loin, scintillant de tous ses feux, un navire suivait la ligne d'horizon, si lentement, pourtant, que son passage était à peine perceptible. La vie et l'activité qui y régnaient n'avaient rien à voir avec eux.

— Toutes ces histoires, tous ces gens que nous ne connaissons pas ! s'exclama Maureen.

Harold regardait aussi, mais il avait l'esprit ailleurs. Il était incapable d'expliquer comment il le savait, et il ignorait si cela le rendait heureux ou triste, mais il était sûr que Queenie demeurerait auprès de lui, et David aussi. Il y aurait son père et les tantes, et Napier, et Joan, mais il n'aurait plus à les combattre et le passé cesserait de l'angoisser. Ils étaient partie intégrante de l'air qui l'entourait, tout comme les voyageurs qu'il avait rencontrés. Il voyait que les gens prendraient les décisions qu'ils voudraient, et que certaines feraient du mal à la fois à eux-mêmes et à ceux qui les aimaient, et que d'autres passeraient inaperçues, tandis que d'autres encore apporteraient du bonheur. Il ignorait ce qui viendrait après Berwick-upon-Tweed, et il était prêt.

401

Un souvenir lui revint, celui du soir lointain où il avait dansé et repéré par-delà la foule Maureen, qui l'observait. Il se remémorait la sensation ressentie en agitant ses bras et ses jambes sous le regard d'une aussi belle jeune femme. Enhardi, il avait continué à danser, de façon plus folle encore, ses pieds donnant des ruades, ses mains glissant telles des anguilles. Puis il s'était arrêté pour vérifier qu'elle l'observait toujours. Cette fois, elle avait accroché son regard en éclatant de rire. Elle était tellement possédée par ce rire, les épaules secouées, les cheveux dans les yeux, que pour la première fois de sa vie il n'avait pu résister à la tentation de fendre la foule pour aller toucher une inconnue. Sous sa chevelure soyeuse, sa peau rebondie était claire et douce. Elle n'avait pas cillé.

— Bonsoir, vous, avait-il dit.

Son enfance s'était détachée de lui et ils s'étaient retrouvés seuls au monde. Il savait que quoi qu'il arrive ensuite, leurs chemins ne se sépareraient plus. Il ferait n'importe quoi pour elle. À ce souvenir, Harold se sentit empli de légèreté, comme si, quelque part au fond de lui-même, la chaleur était revenue.

Maureen releva son col jusqu'à ses oreilles pour se protéger de la fraîcheur nocturne. Les lumières de la ville brillaient dans le lointain.

— On rentre ? demanda-t-elle. Tu es prêt ?

Pour toute réponse, Harold éternua. Elle se retourna, prête à lui tendre un mouchoir, mais fut accueillie par un petit hoquet à peine audible. Harold se couvrit la bouche avec sa main. Le bruit se répéta. Ce n'était

402

ni un éternuement ni un hoquet. C'était un petit hennissement. Un ricanement.

— Ça va ? reprit-elle.

Harold semblait faire un gros effort pour empêcher quelque chose de sortir de sa bouche. Elle le tira par la manche.

— Harold ?

Il secoua la tête, la main toujours devant sa bouche. Un autre hennissement en jaillit.

— Harold ? répéta-t-elle.

— Je ne devrais pas rire, dit-il. Je n'en ai pas envie, mais c'est juste que...

Cette fois, il ne put s'empêcher de s'esclaffer.

Elle le regardait sans comprendre, mais un sourire naissait à la commissure de ses propres lèvres.

— On a peut-être besoin de rire, dit-elle. Qu'y a-t-il de si drôle ?

Harold se força à inspirer profondément pour se calmer. Il se tourna vers elle avec son regard si beau qui semblait briller dans le noir.

— Je me demande bien pourquoi je me rappelle ça, mais ce soir-là au bal...

— Quand on s'est rencontrés la première fois ?

Le sourire de Maureen commençait à faire de petits bruits, lui aussi.

— Oui, et qu'on a rigolé comme des mômes...

— C'était quoi, déjà, ce que tu as dit, Harold ?

Un énorme rire échappa à Harold avec une force telle qu'il dut se tenir le ventre. Elle le regarda en pouffant, au bord de l'explosion. Il se plia en deux. Pour un peu, on aurait cru qu'il souffrait.

— Pas... pas moi, parvint-il à articuler. Ce n'est pas ce que j'ai dit, mais ce que tu as dit, toi.

403

— Moi ?

— Oui. Je t'ai dit bonsoir et tu m'as regardé. Et alors, tu as dit…

Ça y était, elle s'en souvenait. Le rire démarra dans son ventre et la remplit comme de l'hélium. Elle plaqua la main sur sa bouche.

— Mais oui, bien sûr !

— Tu as dit…

— C'est vrai. Je…

Ils n'arrivaient pas à prononcer les mots. Ils essayaient, mais, chaque fois qu'ils ouvraient la bouche, ils étaient submergés par une vague de rire incontrôlable. Ils durent se prendre par la main pour se calmer.

— Oh, là, là, hoqueta-t-elle, oh, là, là ! Ce n'était même pas particulièrement spirituel !

Elle essayait de se maîtriser, de sorte qu'elle crachotait un mélange de sanglots et de couinements. Puis une autre vague de rire déferlait, la prenant par surprise, et explosait dans un violent hoquet. Ce qui ne faisait qu'aggraver les choses. Ils s'accrochaient l'un à l'autre, pliés en deux, secoués par l'hilarité. Les larmes ruisselaient sur leurs joues. Leur mâchoire était douloureuse.

— Les gens vont croire qu'on a une crise cardiaque en simultané ! rugit Maureen.

— Tu as raison. Ce n'était même pas drôle, admit Harold en s'essuyant les yeux avec son mouchoir.

Pendant quelques instants, il sembla avoir repris ses esprits.

— Justement, chérie. C'était banal comme tout. Ce qui l'a rendu drôle, certainement, c'était qu'on était heureux.

Main dans la main, ils s'approchèrent de l'eau, deux petites silhouettes se détachant sur le noir des vagues. À mi-chemin, l'un d'eux dut se souvenir encore et cela fit passer entre eux comme un nouveau courant de bonheur. Ils restèrent au bord de l'eau sans se lâcher et se tordirent de rire.

Remerciements

Nombreux sont ceux qui ont pris part au voyage d'Harold. Anton Rogers, Anna Massey, Niamh Cusack, Tracey Neale, Jeremy Mortimer et Jeremy Howe l'ont accompagné au départ en tant que pièce radiophonique pour BBC Radio 4. Niamh a aussi lu beaucoup de pages du livre et il m'a encouragée, tout comme Paul Venables, Myra Joyce, Anna Parker, Christabelle Dilks, Heather Mulkey et Sarah Lingard. Clare Conville, Jake Smith-Bosanquet et tous les collaborateurs de Conville § Walsh, Susanna Wadeson et l'équipe de Transworld, Kendra Harpster, Abi Pritchard, Frances Arnold, Richard Skinner, le groupe de Faber en 2010, et Matthew, le « Cueilleur de Stroud », ont tous joué un rôle à part entière.

Et enfin Hope, Kezia, Jo et Nell, qui se sont mis à repérer Harold sur le bord de la route.

Composé par Nord Compo
à Villeneuve-d'Ascq (Nord)

Imprimé en France par Laballery

N° d'impression : 103838
Dépôt légal : octobre 2013
Suite du premier tirage : avril 2021
S22625/09
Pocket, 92 avenue de France, 75013 Paris